法思想史を読み解く【第2版】

古典／現代からの接近

戒能通弘 著
神原和宏
鈴木康文

法律文化社

第２版はじめに

本書の初版が刊行されてから４年が経過し，この度，第２版を刊行することになった。本書は刊行以来，共著者の勤務校の他にもいくつかの大学で法思想史の教科書として採用いただいていると伝え聞いている。また，大学の先生方や受講生からも温かいお言葉をいただいた。ご厚誼に感謝するとともに，よりよい教科書になるよう，主に次の諸点について追加，修正などを行った。

本書は「初版はじめに」で記したように，法思想史全体の流れを理解してもらうため，自然法思想・自然権思想を軸に，古代ギリシアから20世紀前半のアメリカに至る法思想を整理している。特に初学者の学習にとっては有用な構成であると考えているが，この度の改訂では，コラムや記述を追加するなどして，政治思想史などの分野で研究が進んでいる「共和主義」に関する記述を厚くし，より多角的な理解も可能になるよう工夫した。

また，説明が不十分であったと思われたところについて，コラムを追加したり，記述を厚くしたりしている。この４年間で，本書で扱っている法思想の研究にも大幅な進展があり，本文の記述や参考文献などのアップデートも行った。さらに，クロス・リファレンスでは，より細かく参照先を示すようにしている。

初版に続いて，法律文化社編集部の舟木和久さんには大変お世話になった。舟木さんには，改訂のポイントについても的確なご指摘をいただくとともに，刊行に至るまで終始，迅速で丁寧なご対応をいただいた。記して感謝申し上げたい。

2024年５月８日

共著者を代表して

戒能　通弘

初版はじめに

本書は，おもに大学法学部の2年生以上を対象とした法思想史の教科書である。そして，副題にもあるように，本書は，「古典」と「現代」から法思想史を理解してもらうことを狙いとしている。「古典」「原典」から法思想史を学ぶことで，序章でも書いている通り，現実の法・政治制度に多大な影響を与えた法思想に「直に」触れ，法思想史への関心，理解を深めてもらいたい。また，特に本書の第Ⅲ部「近・現代の法思想」では，現代の日本法を中心に，様々な法思想の現代法への影響をできる限り示すことを試みている。法思想史を学ぶことにはいくつかの意義があると思われるが，本書では，法思想史を学ぶことで，現代の（日本）法をより深く理解できることを示そうと試みた。特に第10章では，馴染みのある現代の法，あるいは，大学で学ぶ機会が多い憲法や刑事裁判，さらには民法の解釈など，現代の日本法の諸論点から法思想史にアプローチ，「接近」しているが，それによって，逆に法思想への理解も深めてもらえると考えている。

法思想史についても，近年，いくつかの優れた教科書が出版されている。本書では，長年，法思想史の授業を担当してきた経験から，他にも以下のような特徴的な工夫も施している。

まず，序章3で整理しているように，本書全体を通じて法思想史全体の流れを理解してもらえるように工夫している。その際，自然法思想・自然権思想によって全体の統一感を出すように試みた。多様な法思想が相互に影響を与え合ってきたことを強調している近年の法思想史の研究状況と必ずしも一致はしないが，法思想史の全体像をつかんでもらうために，自然法思想・自然権思想を軸として，各法思想の位置づけや相互の関係を明確にした。また，ヨーロッパ，アメリカの法思想史は，2000年以上の歴史をもつものではあるが，本書では扱う対象を，特に重要であると考えられる法思想に限定した。その結果，個々の法思想についてかなり分厚い説明を提供することができている。個々の法思想についての記述が短くなると，どうしても，重要な点が省略されていたり，論理の展開が追いにくくなったりするということも生じるだろう。もちろん，そういった空白部分を自分で調べることは大変勉強になることだが，空白部分が多いと，そもそも法思想史に関心をもってもらうことも難しくなるかもしれないと考えた。さらに，個々の法思想についての記述を分厚くした工夫から，それぞれの法思想のコンテクストの詳細な説明も可能になった。今日では，例えば，「抵抗権」と言っても具体的なイメージはつかみにくいのではないだろうか。ロックが『統治二論』で抵抗権を説いた背景にあった国王の専制政治，独立前のアメリカ植民地に対するイギリス議会の横暴なども詳細に記しているため，抵抗権についてのイメージをつかむとともに，ロックの意図やアメリカの人々がロックに頼った理由についてより深く理解してもらえるだろう。

本書では，執筆の担当についても工夫している。（ヨーロッパ）大陸の法思想については，神原先生と鈴木先生，（おもに）英米の法思想については戒能が執筆している。それぞれ，長年研究を続けてきた領域について執筆していることで，例えば，カント，ヘーゲルが扱われている第6章などでは，翻訳があっても見過ごされがちな重要な部分，ベンサム，オースティンに関する第8章などでは，翻訳はないが，当該法思想の理解にとって有用な「古典」「原典」も引用できている。また，鈴木先生は，古代ローマの法思想（第2章）や近代ドイツの法思想（第7章）などを執筆されたが，近代ドイツの法学者たちがどのようにローマ法と向き合っていたのか，大変詳細に示されている。神原先生は，ルソー（第5章）とカント，ヘーゲル（第6章）をご担当されたが，そこでも，ルソーからカント，ヘーゲルへの影響や各法思想の違いについて大変詳細に説明されている。すでに触れた法思想史の全体の流れだけでなく，各法思想の間の具体的な影響関係や差異についても示せていると思う。さらに，法思想史の授業を担当してきて度々感じてきたことに，抽象的に法思想を論じるだけでは中々関心をもってもらえないということがあった。本書では各々の法思想と，同時代の具体的な法制度，裁判所の判決，法解釈などを絡めた説明が随所でなされている。教える側からすると，そのような具体的な影響を示すことで，法思想の意義を示すことも比較的容易になると思われる。

本書が刊行されるまで，校正の段階では，戒能の勤務校の同志社大学法学部の３年生で，戒能のゼミに所属している髙橋愛暉さんと上田航雅さんに全体を隅々までチェックしてもらった。誤字・脱字はもちろん，漢字・ひらがなの表記の統一，さらには，個々の文章表現などについても数多くの貴重なご指摘をいただいた。また，一橋大学大学院の太田寿明さんにも，全体を丁寧にご確認いただいている。もちろん，本書に誤りがあれば執筆者の責任であるが，内容面でも分かりにくいところを指摘してもらい，完成度を高めることができた。心から感謝申し上げたい。

最後に，本書をご担当いただいた法律文化社編集部の舟木和久さんに記して御礼申し上げたい。特に校正から刊行に至る段階は，新型コロナ・ウイルスの影響が根強く残っていた時期で，京都や日本全国で緊急事態宣言が出されていた時期とも重なっていた。通常通りのお仕事は難しかったのではないかと拝察しているが，校正から刊行に至る過程も，大変丁寧，かつ着実に進められていた。また，執筆者の内，戒能は，『イギリス法入門――歴史，社会，法思想から見る』（法律文化社，2018年）に続いて，舟木さんに大変お世話になっている。その『イギリス法入門』でも，基礎法学の観点からイギリス法を説明するという舟木さんのご企画，着眼点に大いに助けられたが，この度も，①法思想史の全体の大きな流れをコンパクトに示す，②ヨーロッパ，アメリカの法思想史の現代の日本法への影響を具体的に示す，という大変興味深い視点を提供いただいた。法思想史を専門とする研究者が必ずしも多くない中，法学教育における法思想史の教育の位置づけをより積極的に発信する必要性を感じている方も少なからずいると思う。その意味でも，今回は大変貴重な機会をいただいたと執筆者一同，衷心より感謝している。

2020年６月14日

共著者を代表して

戒能　通弘

法思想史を読み解く〔第2版〕 目　次

第2版はじめに
初版はじめに

序　章　古典／現代法から法思想史を学ぶ意義　1
1　法思想史とは何か？　1
2　現代の日本法と法思想史　4
3　本書の概要　5

第Ⅰ部　古代・中世の法思想

第1章　自然法思想の誕生
——アリストテレスの自然法思想　13
1　ソフィストの自然法思想　14
(1)　ギリシア・アテナイの民主政　14
(2)　ソフィストと自然法の視点　15
2　ソクラテスとプラトン　17
(1)　ソクラテスと悪法　17
(2)　プラトンのイデア論と『国家』　20
3　アリストテレスと自然法，正義　23
(1)　人間の自然と自然法　23
(2)　アリストテレスの正義論　27
ま と め　31

第2章　自然法思想と実定法——自然法とローマ法　33
1　ヘレニズム時代のギリシア哲学　33
(1)　地中海世界の変容　33

(2) ストア派　35
(3) エピクロス派　36
(4) 懐疑派　37
2　ローマの法思想①——共和政期を中心に　38
(1) ローマ人の特性　38
(2) ローマ法の厳格さと属人主義　39
(3) ローマの拡大と法の変容，法務官の活躍　40
(4) 法学者の役割　42
3　キケロの自然法思想　42
(1) キケロとローマの政治　42
(2) 国家，法についての思想　43
4　セネカの国家，法に関する思想　44
5　ローマの法思想②——共和政期以後　49
(1) 自然法，万民法，市民法の意味　50
(2) 具体的な問題①——代物弁済の問題　51
(3) 具体的な問題②——危険負担の問題　51
6　ローマ法のその後　52
まとめ　53

第3章　自然法思想とキリスト教
——アウグスティヌスとトマス・アクィナス　55
1　アウグスティヌスの保守的自然法思想　55
(1) キリスト教とローマ帝国およびフランク王国　55
(2) キリスト教への回心　56
(3) アウグスティヌスの国家論　58
(4) アウグスティヌスの法理論　61
2　アクィナスのキリスト教的自然法思想と抵抗権　64
(1) 叙任権闘争と12世紀ルネサンス　64
(2) 神学と哲学の研究　65
(3) アクィナスの国家論　66
(4) アクィナスの法理論　67
(5) アクィナスの抵抗権論　70

(6)　アクィナスの正義論　71

まとめ　73

第Ⅱ部　近代法思想の誕生

第4章　近代自然権・自然法思想
——ホッブズ，ロックと近代国家　77

1　ホッブズの自然権思想　78

(1)　ホッブズの自然状態と自然権　78
(2)　ホッブズの自然法と国家　82

2　ロックの自然法思想　87

(1)　ロックとフィルマー　87
(2)　ロックの自然法と自然権　90
(3)　ロックの抵抗権論　92

まとめ　97

第5章　自然法思想から人民主権論へ
——ルソーの社会契約論　99

1　自然法論とルソー　100

(1)　自然人・自然状態・自然法　102
(2)　社会状態と自然法　104
(3)　自然法の拘束力　105
(4)　『不平等論』から『社会契約論』へ　107

2　ルソーの法思想——『社会契約論』　108

(1)　国法の原理　108
(2)　『社会契約論』の課題　108
(3)　先行理論批判　109
(4)　社会契約の性質　110
(5)　一般意志論　113
(6)　主権論　115
(7)　主権と統治の区別　117

(8) 人民集会 118
(9) 主権の制限 119
まとめ 122

第6章 近代市民革命後の法思想
——カント，ヘーゲルのドイツ観念論 125

1 カントの法思想 126
(1) カント法思想の著作と課題 126
(2) 自由の哲学 127
(3) 適法性と道徳性 128
(4) 法の定義 129
(5) 私法論 130
(6) 公法論 132

2 ヘーゲルの法思想 136
(1) ヘーゲルとフランス革命 136
(2) ヘーゲル『法の哲学』の課題 137
(3) ヘーゲルの自由意志論と法哲学の構成 138
(4) 抽象法 140
(5) 道徳性 141
(6) 人倫①——家族と市民社会 141
(7) 人倫②——国家 144

まとめ 148

第Ⅲ部 近・現代の法思想

第7章 ドイツにおける法実証主義
——歴史法学，概念法学から自由法運動へ 153

1 法典論争と歴史法学派 154
(1) ナポレオンの支配からウィーン体制へ 154
(2) 法典論争 155
(3) 歴史法学派の形成 158

2 歴史法学からパンデクテン法学・概念法学へ 159

3　ドイツ民法典の制定　163
4　自由法運動の法解釈論　164
(1)　イェーリングの「概念法学」批判　165
(2)　自由法運動　168
(3)　ヘックの利益法学　170
まとめ　172

第8章　イギリス型法実証主義の確立
——ベンサムとオースティンの自然法批判　176
1　ベンサムの自然法，自然権批判と法実証主義　177
(1)　ベンサムの時代のイギリス　177
(2)　ベンサムの自然法論・自然権論批判　178
(3)　ベンサムの功利主義と法実証主義　182
2　オースティンの法実証主義と分析法理学　187
(1)　ベンサムとオースティン　187
(2)　オースティンの法実証主義，分析法理学とメインの歴史法学　189
まとめ　193

第9章　アメリカの法思想
——自然権思想，歴史法学からリアリズム法学へ　196
1　アメリカ独立期の法思想　197
(1)　アメリカ独立宣言とジョン・ロックの自然権思想　197
(2)　違憲審査制と法思想　200
2　法形式主義の時代　202
(1)　歴史法学　202
(2)　ラングデルのケース・メソット　205
3　プラグマティズム法学とリアリズム法学　206
(1)　ホームズ，パウンドのプラグマティズム法学　206
(2)　リアリズム法学　211
まとめ　215

第10章　現代の日本法と法思想史——まとめにかえて　217
1　憲法とのかかわり　217
(1)　アメリカ，イギリスの憲法と自然権・自然法思想，法実証主義　217
(2)　日本国憲法，ドイツの憲法と自然権・自然法思想　218
(3)　基本的人権の保障・国民主権と法思想史　220
(4)　法思想史の観点から見る違憲審査制　222
(5)　生存権と法思想史　224
2　刑事，民事の裁判とのかかわり　225
(1)　刑事裁判と法思想史　225
(2)　法思想史研究と法解釈　229

引用・主要参考文献一覧
人名索引
事項索引

コラム

〈1〉ソクラテスの裁判　18
〈2〉裁判の正義と立法の正義　30
〈3〉古代ローマ（キケロ）の共和政　44
〈4〉トピカ的思考　45
〈5〉近世の新ストア主義——リプシウス　48
〈6〉ドナティスト論争とアウグスティヌス　62
〈7〉アクィナスの返還理論とサラマンカ学派　72
〈8〉ホッブズとクック　85
〈9〉ロックとアメリカのインディアン　93
〈10〉近代自然法学派：グロティウスとプーフェンドルフ　101
〈11〉ルソーとジュネーヴ共和国　106
〈12〉ルソーと共和主義　121
〈13〉カントの永遠平和論　135
〈14〉ヘーゲルとプロイセン国家　147
〈15〉ヘーゲルの承認論　149
〈16〉民族精神とヴィルヘルム・アルノルト　162
〈17〉19世紀ドイツ法学に関する研究　173
〈18〉ベンサムの功利主義とトロッコ問題　183
〈19〉オースティンの法命令説と現代イギリスの法理学　191
〈20〉独立宣言とリバタリアニズム　199
〈21〉ルール・事実懐疑主義とリアリズム法学　214
〈22〉法思想史と死刑制度　228

序章　古典／現代法から法思想史を学ぶ意義

1　法思想史とは何か？

本書は，法思想史の教科書である。そして，その副題にもあるように，法思想史の古典，原典に焦点を当てつつ，古代ギリシア・ローマの時代から，20世紀半ばに至るまでのヨーロッパ，アメリカの法思想史を，現代の主に日本法への影響を明らかにしながら，分かりやすく説明することを主要な目的としている。だが，そもそも「法思想」とは何なのか，また，「法思想史」，特に，ヨーロッパ，アメリカの法思想史を学ぶことは，日本の法学を学ぶ人たちにとって，どのような意義があるのだろうか。

例えば，福祉国家の思想，その逆の，市場を重視する自由至上主義（リバタリアニズム），伝統を重視する保守主義などの「政治思想」ならば，おそらくイメージはわきやすいのではないだろうか。政治を行う，あるいは批判する上で，国家の理想のあり方を考えること，政治を支える思想について考えることの重要性はよく知られている。このような国家のあり方をめぐる問題は，「どのような理念に基づく法を制定するのか」という問題でもあるので，当然，法思想にも関わってくる問題である。ただ，そのような政治思想と関わりが強いとされる憲法以外の，民法や刑法，さらには陪審制度といった特定の法制度に関しても，それぞれを支える法思想を見つけることが可能である。

法思想は，政治思想と比べてイメージがつかみにくいものであるが，それはどのようなものであろうか。そのきっかけとして，本書の**第8章**で扱う，18世紀から19世紀にかけてイギリスで活躍したジェレミー・ベンサム（1748-1832）の法思想を少し紹介したい。

ベンサムは，快楽の最大化，苦痛の最小化を目指す最大多数の最大幸福の原理，功利主義を提唱していた。そして，ベンサムは，刑罰は苦痛を生み出すため，刑法の規定を定めるためには，それが，より多くの苦痛・害悪を除去する必要があると論じていた。さらにベンサムは，より一般的に，法は人々の自由を制限するものであるため，それが良い理由で支えられた良い法である必要があると論じていた。ベンサムは，それぞれの法には，それが最大多数の最大幸福を実現することを示す，それぞれの法を正当化する理由が伴っていなければならないと考えていたのである。

法にはそれを支える理由が必要であるというベンサムの主張は，より具体的な法制度を検討してみると，理解しやすいものとなる。ここでは，イギリスの陪審制度を例として挙げてみたい。

イギリスの陪審制度の歴史は古く，その起源を13世紀にまで遡ることができる。イギリスでは，今日でも重大な刑事事件は陪審によって裁かれているのであるが，裁判の重要な部分である，被告人が犯罪を行ったのか否かといった事実問題を一般市民の陪審員に完全に委ねてしまうこと，その陪審員の評決が単に有罪，あるいは無罪といったもので判決理由が示されないため，上訴が困難であることなど様々な難点が指摘されている。また，陪審員としての仕事が大きな負担となっており，召喚されても応じない人が増加して，イギリスでは陪審員不足も大きな社会問題になっている。ただ，以上のようなマイナス面にもかかわらず，陪審制度の廃止論がイギリスで高まることはないようだ。歴史的には，専制的な政治を行う国王が裁判に圧力をかけようとした際，国王の影響を受けやすかった裁判官ではなく一般市民に事実認定を委ねることで，より公平な裁判が保障されると考えられてきた。また，今日でも国民の自由を不当に制限するような不当な法律に基づいて起訴がなされる際，判決理由を述べる必要がないことから，陪審員はその法律を無視して無罪の評決を下すことが可能とされている。様々な難点をもつイギリスの陪審制度であるが，国民の自由を守るという理由によって支えられているのである。

このような法や法制度を支える理由は，より体系化されたものになると「法思想」と呼ばれるようになる。そして，すでに見たベンサムが，功利主義，あるいは，本書の**第8章**で詳しく検討する法実証主義という法思想に基づいて，

18世紀のイギリスの刑法を批判するとともに，新しい刑法典を作り出そうとしていたように，現在の法や法制度の多くは，何らかの法思想によって形作られたものであるか，その影響を受けたものになっている。法思想は，既存の法，法制度を支えるとともに，それらを作り出す際も，大きな役割を果たしてきたのである。

では，何故，本書が扱っているようなヨーロッパ，アメリカの法思想史が重要になってくるのだろうか。再びベンサムに依拠すると，ベンサムは，法を作る人間は，それが適切な理由によって支えられていることを示す責任があると論じるとともに，そのような理由がなければ法は単なる命令になってしまい，権力をもった人ならば誰でも作ることができるものになってしまうとも述べていた。ここで注意すべきなのは，本書の**第1章**で扱う紀元前の古代ギリシアの時代からのヨーロッパ，それからヨーロッパの法思想を引き継いだアメリカでは，法が「権力をもった人ならば誰でも作ることができるもの」と考えられることが一般的ではなかったということである。特に古代ギリシアのアテナイでは，紀元前5世紀までには民主政が発達して，（女性や奴隷を除く）人々は，ある程度，平等であると考えられるようになったことで，権力をもった人が自分に都合の良い法を作るといったことが難しくなっていく。そもそもベンサムが述べていたように，法は人々の自由を制限するものであって，また，古代ギリシアのアテナイのように，人々の関係が平等に近いものであると考えられるならば，人々を説得し法を安定させるために，法が理由，思想に基づいていることが求められるだろう。このように，法と法思想が不可分なものであるという見方は，ヨーロッパ，そして，アメリカの伝統になっていく。さらに，ヨーロッパ，アメリカでは，特に大きな変革期において，法思想に基づいて新しい政治，法体制を作ろうとする試みも度々行われ，例えば，**第4章**で見るジョン・ロック（1632-1704）の法思想はアメリカの憲法に，また，**第5章**で扱われるジャン＝ジャック・ルソー（1712-78）の法思想はフランスの憲法に影響を与えている。本書で扱う，古代ギリシア・ローマの時代から，20世紀半ばに至るまでのヨーロッパ，アメリカは，各国の法を支えてきた，あるいは作り出してきた法思想の宝庫であると言えるだろう。

2　現代の日本法と法思想史

日本の法も，ヨーロッパやアメリカの法の影響を強く受けており，本書で扱うようなヨーロッパ，アメリカの法思想史は，大きく関連している。周知の通り日本では，1868年の明治元年より始まったとされる明治維新により，西洋化，近代化が急速に推し進められた。法律全般についても，西洋化，近代化が急がれ，憲法典のみならず，民法典，刑法典，商法典，訴訟法典などが一挙に導入されている。そして，これらの法典は，総じてドイツ法の影響を受けており，大日本帝国憲法（1889年公布）は，ドイツ・プロイセンの影響が強く，民法典（1896年，98年に公布）には，ドイツ民法典の第1草案（1888年）の影響があるとされている。一方，第二次世界大戦後は，日本国憲法を始め，刑事訴訟法，労働法など，広い範囲でアメリカ法の影響が見られる。特に日本国憲法（1946年公布）は1788年に発効したアメリカ合衆国憲法の影響が色濃く見られるものであり，例えば，それぞれの冒頭の前文も，「われら合衆国の人民は，……われらとわれらの子孫の上に自由の恵沢を確保する目的をもって，ここにアメリカ合衆国のために，この憲法を制定し確立する」（合衆国憲法），「日本国民は，……われらとわれらの子孫のために，……わが国全土にわたつて自由のもたらす恵沢を確保し，……この憲法を確定する」（日本国憲法）とあり，両者は極めて近い。ドイツ民法典，アメリカ合衆国憲法を支えている，あるいはそれらを形作った法思想は，日本の民法や憲法をも支えていると言えるのであって，本書が扱うヨーロッパ，アメリカの法思想史は，日本の法律にも大きく関係しているのである。

以上，「法思想」とはどのようなものなのか，また，ヨーロッパ，アメリカの法思想が日本の法律と密接な関わりをもつことを説明してきたが，本書では，その副題「古典／現代からの接近」にもあるように，「古典」に焦点を当て，原典を引用しつつ，ヨーロッパ，アメリカの法思想の流れが説明される。その上で，「現代」，より具体的には「現代の日本法」からヨーロッパ，アメリカの法思想に「接近」することで，現代社会や現代の日本法をより深く理解するとともに，より多様な視点から日本の法を検討してもらうことを狙いとしている。すでに見たように，法や法制度には，それらを支える理由や法思想が必要であると考えられてきた。また，ヨーロッパやアメリカでは，法思想によって新たな法や法制度を構想する試みが繰り返され，実際の法や法制度に大きな影響を与えている。そして，そのような法思想によって形作られたドイツ民法典，アメリカ合衆国憲法に近いものを現代の日本が継承している。ならば，ヨーロッパやアメリカの法思想を学ぶことによって，現代の日本法のより深い理解，より多様な理解も可能になる。そこに，ヨーロッパ，アメリカの法思想史を学ぶ意義を見出すことができるだろう。

例えば，日本国憲法第3章の自由権の規定はアメリカ合衆国憲法の修正条項の自由権規定の影響を受けているとされる。そして，そのアメリカ合衆国憲法の自由権の理念，さらにアメリカ合衆国の建国の理念には，本書**第4章**で説明するように，ロックの自然権思想の影響を見ることができる。人間の生まれながらの権利，自然権を侵害する法は法ではないとロックは主張していたが，憲法に反する法を無効とする違憲審査制に連なる考え方と言えよう。また，日本国憲法では「国民主権」が採用されているにもかかわらず，その国民の代表である国会の両院の立法であっても最高裁判所の違憲審査権によって覆されることは，人民主権の理念を打ち立てた，**第5章**で扱われるルソーの「一般意志」のもつ限界や危うさとも関連している。一方，近年の欧米では，抽象的な基本的人権の規定を憲法において定め，その具体的な内容を判断した上で，その判断に基づいて基本的人権の規定を侵害する立法を違憲無効とする権限を裁判官に与えていることへの批判がある。日本でも，2013年に非嫡出子の法定相続分についての民法の規定が憲法14条1項に反して違憲無効とされた際，裁判官の権限を越えたものではないかとの批判もあった。そのような批判の先駆者は，実は，**第8章**で扱われているベンサムであり，ベンサムの自然権に対する批判は，今日の基本的人権の規定に対する批判にも応用できるものである。

3　本書の概要

このように，ヨーロッパやアメリカの法思想は，現代の日本法をより深く理解したり，ある制度を擁護，あるいは批判したりする視座を与えてくれるヒントの宝庫と言えるだろう。本書では，そのような「現代からの接近」の視点，現代の日本法への影響を意識しつつ，以下のような，ヨーロッパ，アメリカの法思想の４つの大きな流れが説明される。

①まずは，現代の日本の憲法，あるいはアメリカ合衆国憲法を基礎づけていると考えられる「自然法思想」の起源を紀元前４世紀のギリシアのアリストテレス（前384-前322）まで辿りたい。自然法思想とは，今日の民法や刑法のような実定法とは別に人間の本性などに基づく自然法があって，実定法はその自然法と合致する形で制定されなくてはならず，自然法に反する実定法は法ではないとする法思想である。**第１章**でアリストテレスに至る自然法思想の誕生の経緯を解説した後，**第２章**では，紀元１～２世紀に全盛期を迎えたとされるローマ帝国における人間の「自然」と，大陸法系の国々の法に大きな影響を与えたローマ法との関係などが説明される。続く**第３章**では，キリスト教に基づく自然法思想を集大成したトマス・アクィナス（1225頃-74）の法思想などについて説明されるが，封建的な色彩が強かった中世のヨーロッパにおいて，国家に抵抗する「抵抗権」についてアクィナスがどのように考えていたかも示される。そして，ようやく**第４章**で，ロックの法思想が扱われる。アリストテレスから始まり，キリスト教と自然法思想を結びつけたアクィナスを経て，現代にもつながるような，より世俗的な自然権思想を示したトマス・ホッブズ（1588-1679）の後にロックは，自然法は，人々の生命，自由，財産に対する自然権，固有権を与えており，国家の役割は，それらの自然権をより良く保障することであると主張した。ロックは，アクィナスとは違って，自然権を侵害するような国家への抵抗権を明確に認めていた。**第９章**で見るように，1776年のアメリカ独立宣言はロックの法思想の影響を強く受けたものであり，そこでアメリカの人々は，生まれながらの権利である自然権，基本的人権をより良く保障するためにイギリスから独立し，新たな国家を作ると宣言している。

本書は，以上のような自然法思想，自然権思想の成果を結果として補足するような法，法制度を生み出した法思想，そして自然法思想，自然権思想に対抗的な法思想も扱っている。

②ロックの自然権思想は，17世紀イギリスの国王の専制政治から人々の権利を守ることを目的としていた。そして，国家の干渉を防ぐという意味で，ロッ

クに代表される自由の考え方は，「消極的自由」と呼ばれているが，そのようなロックとは対照的な思想を示したのが**第5章**で扱われるルソーである。ルソーは，ロックとは違って自由だけでなく平等を重視していた。そして，ルソーは，「人民主権」を徹底して，人民が法の決定者となるような「社会契約」が必要であると主張した。詳しくは**第5章**で説明されるが，社会の「一般意志」に従うという社会契約を結ぶことで，各人は自分自身の決定に従うことになって自由になるとルソーは論じていたのである。ルソーは，現在の「社会権」の考え方を広める上でも大きな影響力をもっていた。一方，ドイツでは，**第6章**で説明されているように，自由とは何かを哲学的に突き詰めたイマヌエル・カント（1724-1804）が，ロックにも見られるような世俗的利益の追求を当然視するような自由観を批判している。そして，第二次世界大戦後，ナチス・ドイツの暴虐の反省のもとに作られたボン基本法にも影響を与えた「人間の尊厳」の観念を示している。また，同じく**第6章**では，より深い視点から弱者の保護の必要性も説いていたゲオルク・ヴィルヘルム・フリードリヒ・ヘーゲル（1770-1831）の法思想についても説明されている。

③上記の②の流れは，ロックの自然権思想に由来するような「自由権」の不十分な所を補完する形にもなっている「人民主権」「社会権」などを根拠づけた法思想を中心としているのに対して，ここでまとめられるのは，自然法思想，自然権思想の考え方そのものに正面から対抗している「法実証主義」と呼ばれる法思想である。法実証主義とは自然法は存在せず実定法のみ存在する，したがって，どのような内容の法であっても正規の手続を経ていれば，法として認められなければならないという法思想である。**第7章**で説明されるように，ドイツでは19世紀に，自然法に基づく法典化構想に対抗する「歴史法学」が誕生している。フリードリヒ・カール・フォン・サヴィニー（1779-1861）は，自然法に基づくドイツ統一民法典を導入しようとする動きに対して，ドイツの法律に一定の影響を与えていたローマ法を参考にして（歴史的方法），それを体系化する（体系的方法）ことから開始すべきであると論じ，ドイツで大きな影響力を獲得している。その内，歴史的方法は，ローマ法の中で，19世紀ドイツでも通用するものを拾い出すことに専ら関心を集中するため，自然法への関心が薄れ，さらに，サヴィニーを継承したゲオルク・フリードリヒ・プフタ

(1798-1846) は，法を体系化することに専念するようになり，自然法や道徳といったものへの関心がさらに薄まって行って，「概念法学」へ向かっていった。そして，その成果に基づいて，1896年にドイツ民法典が公布されているが，日本の明治民法典は，その草案を参考としたため，**第7章**で説明される法思想は，現在の日本の民法典にも影響を与えていると言えるだろう。一方，18世紀後半のイギリスにおいてベンサムは，自然法，自然権に反する法は法ではないとすることの弊害の大きさを指摘して，法実証主義を説いている。詳しくは**第8章**で説明されるが，ベンサムは，「自然」という言葉の曖昧さに着目し，例えば自然権思想は，それぞれの人が，人間の本性に基づく権利を主張することにつながり，自然権を侵害する法は法ではないとすることで，法への不服従を誘発してしまうのではないかと論じていた。同じく**第8章**で説明されるように，イギリスではその後，ジョン・オースティン (1790-1859) を経て，言論の自由などの自由主義と結びついた法実証主義が定着する。アメリカや日本の制度は，憲法における基本的人権の規定，違憲審査制に支えられていて，自然法思想，自然権思想に由来するとも考えられるが，議会主権に基づく憲法体制が今日のイギリスでは採用されている。一方，ドイツでも19世紀に法実証主義が登場しているが，それは，**第7章**で見るように，やや複雑な過程を経ている。

④上記の③に含まれる法思想は，産業革命の時代の法思想でもあった。産業革命の時代においては法的安定性が重視されていて，**第7章**で扱われる「概念法学」という法思想は，産業革命の要求に適うものでもあったが，20世紀の初頭にはその限界が露になってくる。概念偏重ではなく，法解釈によって法原則，法文と社会の間のギャップを埋めることの必要性が強調されるようになった。そして，**第7章**で説明されている「自由法運動」「利益法学」といった法思想が登場してくる。一方，**第9章**で見るように，アメリカでも，19世紀後半から20世紀初頭にかけて，産業革命に即した「法形式主義」と呼ばれる法思想が登場して，契約自由の原則を機械的に適用して企業活動を促進するような判決が下されている。ただ，アメリカでも，20世紀の初めには，そのような裁判が社会の実態とかけ離れていることが批判されるようになり，**第9章**で解説されるオリヴァー・ウェンデル・ホームズ (1841-1935) の「プラグマティズム法学」，ロスコー・パウンド (1870-1964) の「社会学的法学」「リアリズム法学」

などが登場する。④に含まれる法思想は「法解釈の法思想」とも呼べるものであるが，現代の日本の法解釈のあり方を考える際にも参考にできるものがある。

以上のように，大きく４つの流れに分けて法思想史が解説されるが，**第10章**では，古代ギリシアから20世紀半ばのヨーロッパ，アメリカの法思想史から，どのように現代の法，日本法を考えることができるか，全体のまとめとして示される。ヨーロッパ，アメリカの法思想に対して「現代（日本）法からの接近」を試みるが，あくまでも例示的なものであり，2000年以上の歴史をもつヨーロッパ，アメリカの法思想史から，様々な含意を読み取ってほしいと考えている。

そして，法思想史の観点から現代の法について考えてもらうために，本書では可能な限り，法思想家たちの古典，原典に読者が直接触れることができるように工夫して，原典を数多く引用している。現代の日本法は，繰り返しになるが，様々な優れた法思想によって生み出されてきた法や法制度に立脚している。ただ，法学の研究が細分化していて，スケールの大きな法思想を示すことは現代ではますます難しくなっている。一方，例えばロックの言葉は，アメリカの独立革命の父たちに影響を与え，ルソーはフランス革命後の体制に影響を与えている。彼らの原典に直接触れることで，法思想が法，法制度のみならず社会をも動かすこともあったということを実感してもらえるならば，法思想史という分野もより身近なものになるのではないだろうか。もちろん，法思想家たちは，自らが生きた時代の課題と向き合っていたのであり，各章の冒頭などで各々の法思想家が焦点を当て克服しようとした法，政治制度，さらには社会の状況についても，できるだけ分りやすく説明することを試みている。

また，より理解を深めてもらうために，①当該法思想の後の時代への影響，②当該の法思想をめぐる研究の動向，③本文の内容と関連するトピックを取り上げたコラムを**第１章**以降の各章に原則として２つ設けた。なお，各章末には本文と特に関連がある参考文献とその簡単な説明を追加している。さらに各章で引用された原典を巻末に挙げている（引用した際は可能な限り本文に，該当する章や節を挙げた。引用部分の〔　〕は本書の執筆者による補足である）。また，各章で参考にされた，より発展的な主要参考文献も巻末にリストアップされている。関心をもってもらえるならば，翻訳については，引用された章や節を手がかりとして，書物全体にも当たってほしい。加えて，教科書の性質上，各章末や巻末で取り上げた参考文献は最低限のものに止めているが，それらを手に取って，より広い関心をもっていただけるならば幸いである。

なお，本書は，第Ⅰ部「古代・中世の法思想」(第1章〜第3章)，第Ⅱ部「近代法思想の誕生」(第4章〜第6章)，第Ⅲ部「近・現代の法思想」(第7章〜第10章）という構成を取っており，特に第7章〜第9章の近代以降の法思想と現代の日本法との関連を強調した構成になっている。しかしながら，当然，その第Ⅲ部で扱われる法思想もそれ以前の法思想から影響を受けつつ，それらを克服することを目指していたのであって，ヨーロッパ，アメリカの法思想史の，現代の日本法への影響を理解するためには，本書全体の理解が必要である。本節で見た法思想史の4つの流れ，相互の関係は，本書全体を理解するための指針となるものでもあるが，第1章以降でも他の章へのクロス・リファレンスを設けることで，本書への理解を深めてもらう工夫をしている。

◆参考文献

森村進編『法思想の水脈』(法律文化社，2016年)

導入部の0講で，編者によって，哲学的アプローチ，歴史的アプローチといった法思想史のアプローチについて説明された後，1講の古代ギリシアの正義論から15講のポストモダン法学まで，多くの章で2人の思想家を対比させながら，重要な法思想について説明されている。法制史や法社会学の研究者なども執筆に参加しており，分かりやすく説明されているとともに，専門性も高いテキストになっている。

中山竜一・浅野有紀・松島裕一・近藤圭介『法思想史』(有斐閣，2019年)

非常に包括的であり，これまでのテキストでは扱われていなかった法思想についても丁寧に説明されている。また，豊富で有用な相互リファレンスもあり，全体の連続性やつながりも示されており，重要な用語について行き届いた説明もされていて，構成も工夫されている。コラムなどを用いて日本の法思想やイスラム法への言及もなされており，西洋に限定されないグローバルな法思想史への関心も喚起している。

西村清貴『法思想史入門』(成文堂，2020年)

「人間はいかに生きるべきか」という哲学的な問いが法思想史の理解にとっても重要であることが強調されていて，哲学と法との関わりという観点から法思想史が描かれている。また，基本的に各章で1人の思想家を扱うという構成になっており，最近の研究動向に基づいた記述にもなっていて，それぞれに丁寧な説明がなされている。著者の専門であるドイツの法思想についての記述も大変充実している。

第 I 部
古代・中世の法思想

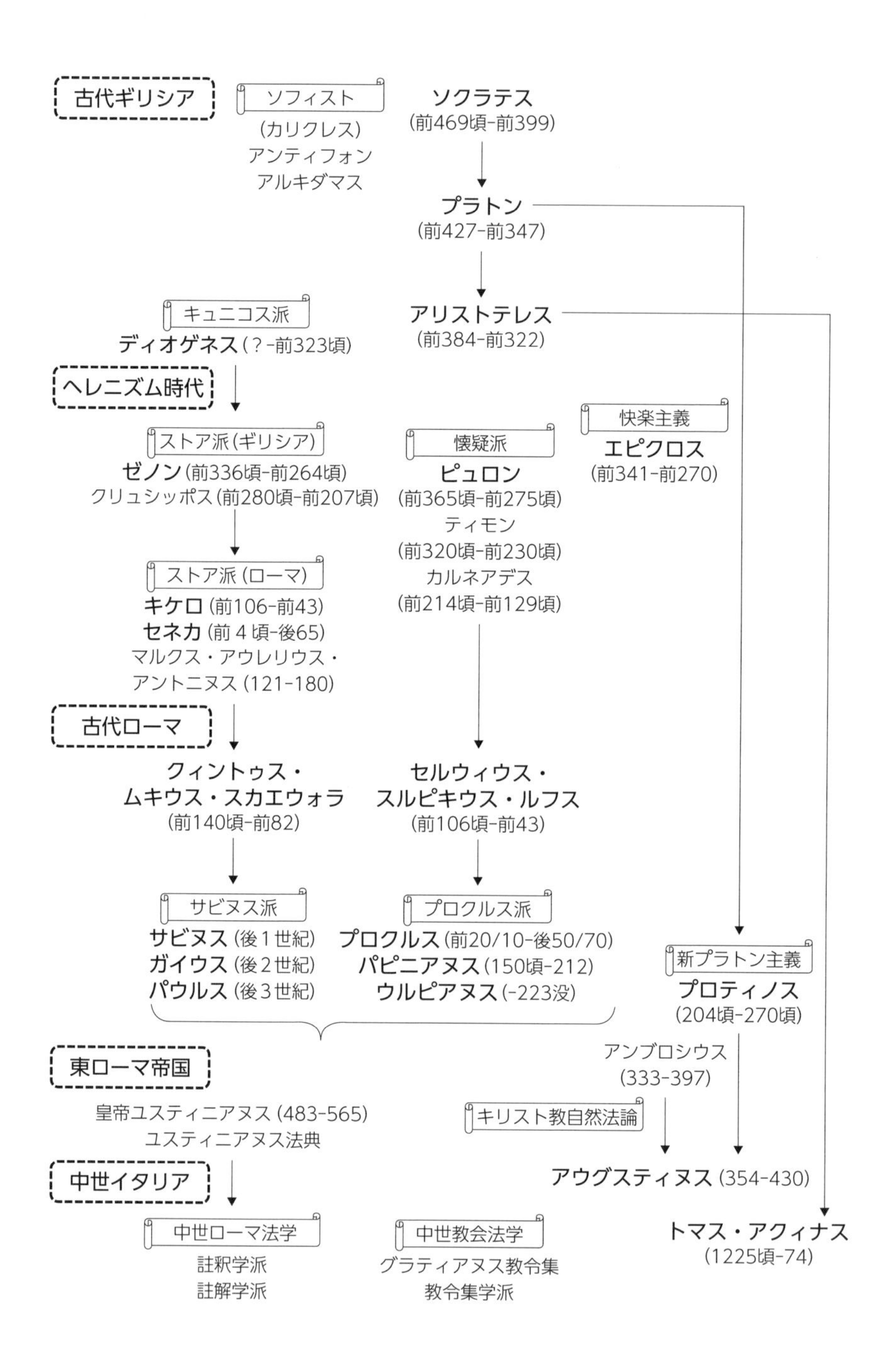
古代ギリシア
ソフィスト
(カリクレス)
アンティフォン
アルキダマス
ソクラテス
(前469頃-前399)
プラトン
(前427-前347)
キュニコス派
ディオゲネス(?-前323頃)
アリストテレス
(前384-前322)
ヘレニズム時代
快楽主義
エピクロス
(前341-前270)
ストア派(ギリシア)
ゼノン(前336頃-前264頃)
クリュシッポス(前280頃-前207頃)
懐疑派
ピュロン
(前365頃-前275頃)
ティモン
(前320頃-前230頃)
カルネアデス
(前214頃-前129頃)
ストア派(ローマ)
キケロ(前106-前43)
セネカ(前4頃-後65)
マルクス・アウレリウス・
アントニヌス(121-180)
古代ローマ
クィントゥス・
ムキウス・スカエウォラ
(前140頃-前82)
セルウィウス・
スルピキウス・ルフス
(前106頃-前43)
サビヌス派
サビヌス(後1世紀)
ガイウス(後2世紀)
パウルス(後3世紀)
プロクルス派
プロクルス(前20/10-後50/70)
パピニアヌス(150頃-212)
ウルピアヌス(-223没)
新プラトン主義
プロティノス
(204頃-270頃)
東ローマ帝国
皇帝ユスティニアヌス(483-565)
ユスティニアヌス法典
アンブロシウス
(333-397)
キリスト教自然法論
アウグスティヌス(354-430)
中世イタリア
トマス・アクィナス
(1225頃-74)
中世ローマ法学
註釈学派
註解学派
中世教会法学
グラティアヌス教令集
教令集学派

第*1*章　自然法思想の誕生
――アリストテレスの自然法思想

本章では，ヨーロッパ，それからアメリカの法思想に大きな影響を与えた自然法思想の誕生の背景を紀元前5世紀前後のギリシアの法思想に焦点を当てて説明したい。

紀元前8世紀になると，それまで散居していたギリシアの人々は，小さな地域ごとに集まってポリス（都市国家）を形成するようになる。ギリシアの人々は地中海地域に植民して植民市も作ったが，植民市を含めるとそのようなポリスは1500ほどあったと言われる。そして，統一国家が作られることはなく，ギリシア語を話すこと，信仰を同じくすること，また，オリンピックの起源であるオリンピアの祭典などに参加することによってゆるやかな連合体が形成されていた。最も大きなポリスであった最盛期のアテナイでさえ人口は25万人ほどであり，300万～400万人ほどの人口があった時期もあると言われる古代エジプトと比べてもその規模は大きくない。その一方で，よく知られているように，古代ギリシアの哲学は今日まで影響力をもち，法思想の面でも自然法思想を生み出し，今日の法思想の基礎を築いたのは古代ギリシア，特にアテナイであった。何故，そこまでの影響力をもつようになったのだろうか。

まず考えられるのは，ギリシアの政治文化である。中心的なポリスであったアテナイでは，早くも紀元前5世紀半ばには民主政が最盛期を迎えていた。そこでは，裁判所や役所などが集まっていたアゴラ（広場），民会が開催されたプニュクスの丘などでの議論が重視されるようになってくる。民会は各ポリスにも古くからあり，市民たちが民会を開催し，そこでの議論によってポリスの運命を決するようになっていったのである。そうすると，万人に支持されるような根拠，理由に基づいた議論が生き残ることになり，また，目指されるようになった。そのような背景もあって，ギリシアは，ソクラテス（前469頃-前

399)，プラトン（前427-前347)，アリストテレス（前384-前322）といった偉大な哲学者を生み出したのであった。

ただ，安定した民主政も長くは続かず，アテナイを中心とする民主政のグループとライバルで貴族政治を行っていたスパルタを中心とするグループで対立が生じて，ペロポネソス戦争（前431-前404）に突入してしまう。そして，アテナイは，最終的にスパルタに破れてしまい，貴族派が実権を握るようになったが，その後，専制，暴政と続き，紀元前403年に民主政が復活するなど，政治体制や法律も目まぐるしく変化していた。そのような混乱の中，現実にある法を批判する視座，自然法の視点が登場したのであった。

1　ソフィストの自然法思想

（1）ギリシア・アテナイの民主政

古代ギリシアの法思想は，このアテナイを中心に発展している。アテナイは当初は王政であったが，その後，貴族政に移行している。そして，その貴族政では貴族出身のアルコンと呼ばれた役人が統治しており，国政を監督する評議会も，そのアルコンの経験者，すなわち少数の貴族によって独占されていた。戦闘も馬に乗った貴族同士の一騎打ちが主流であった。しかしながら，その後，交易が盛んになって，ヨーロッパから金属が輸入されて武具が安価になったことで，多くの平民も戦闘に参加するようになり，密集隊形，人海戦術が主流になっていった。

実は，このポリスにおける戦闘の形態の変化が，アテナイの民主化への動きを促進したのであった。密集隊形が主流になると，当然，それだけ多くの人員が必要となり，より多くの平民が戦争に参加するようになった。また，集団として戦ったため，ポリスの市民間の平等意識も強まったといわれている。さらに，国防において平民が大きな役割を果たしたことで，当然，彼らの発言力も強まり，紀元前6世紀には民主政が成立する。そして，大国アケメネス朝ペルシアとのペルシア戦争（前500-前449）での勝利に重装歩兵，軍船の漕ぎ手として平民が活躍したこともあって民主化が進み，紀元前5世紀の半ばにはアテナイの民主政が最盛期を迎えることになった。

民主政の最盛期のアテナイでは，市民は貧富の差にかかわらず参政権を与えられていた。また，アテナイ市民であって成年男性であるならば，誰でも参加，発言することができた民会が国政の最高議決機関とされ，決議案が多数決で可決されれば拘束力をもった。その民会の定足数は6000人で，年40回ほど開催され，戦争や外交，財政問題などが話し合われていたという。一方，裁判も民主的に行われており，くじ引きで選ばれた陪審員が民衆裁判所において投票で判決を下しており，役人もくじで選ばれている。アテナイの人口の３分の１を占めていた奴隷や，在留外国人とともに女性にも参政権は与えられていなかったが，多くの市民が政治や裁判に参加できるようにするために民会手当や陪審員手当も支給されていた。それにより，市民の政治参加は進み，世界で初めて民主主義が実践されたと言えよう。

さらにアテナイはデロス同盟という軍事同盟を結び，民主政を他のポリスにも波及させるとともにギリシア全土に影響力を及ぼすようになったが，同じくペロポネソス同盟という軍事同盟を結んでいたスパルタと覇権を争うようになり，紀元前431年にペロポネソス戦争に突入した。「スパルタ教育」という言葉があるように，スパルタは軍国主義的な制度をもち貴族政的な統治がなされていたが，アテナイを中心とする民主政ポリスの連合とスパルタを中心とする貴族政ポリスの連合が全ギリシアで対決したのであった。そして，長い戦乱の後，アテナイは敗れ，紀元前404年に降伏している。

（2）ソフィストと自然法の視点

このようなアテナイの混乱は，その法思想のあり方を大きく変えることになった。アテナイで法は「ノモス」と呼ばれていたが，それは慣習法を中心とするものであった。先祖伝来の慣習法が法の基礎になっており，慣習法こそが真の法規範であり，制定法は慣習法を補うものであった。言い換えると，当初のアテナイの人々はポリスの法秩序をあらかじめ与えられたもので，客観的なもの，正しいものとして考えていたということになる。

しかしながら，ペロポネソス戦争前後には，ノモスをそのように客観的なもの，正しいものと捉える見方が大きく動揺するようになる。デロス同盟（民主政），ペロポネソス同盟（貴族政）の双方に，民主政主義者，貴族政主義者の双方がいて，アテナイも紀元前404年に降伏後，貴族政が民主政に取って代わり，続いて少数者の支配となり，その後，民主政が回復されるなど，目まぐるしい制度改革を経験している。さらに，戦争や貿易によって他のポリスの法秩序を見聞することによって，自らの法秩序，ノモスの客観性，正しさに疑問がもたれるようになったのである。

そのような状況の中，活躍したのがソフィストと呼ばれる弁論術の先生であった。すでに見たように，アテナイでは民会が国の最高議決機関とされており，民会の数多くの参加者を納得させるような議論が重視されていた。ソフィストは対価を取って，政治の指導者を目指す富裕層などに弁論術などを教えていたのであったが，「ソフィスト」の元来の意味は「知識人」であって，法思想家と呼べるようなソフィストもいて，紀元前５世紀の後半以降には，従来の法秩序，ノモスへの鋭い批判が目立ってくる。その際彼らは，人間の作ったノモスとピュシス（自然）が命じる内容が食い違っていることを強調していた。

例えば，プラトン（☞本章２（２））の『ゴルギアス』という書物に登場するカリクレスという（架空の）人物は，「強者の自然権論」と呼ばれる思想を示している。カリクレスは，１（１）で見たような，女性や奴隷を除くすべてのアテナイ市民に国政に参加する平等な権利を与えていたアテナイの民主政が市民間にあった自然的優劣を無視していると批判している。強者と弱者，有能なものと無能なものに同じ権利を与えるのは，力，能力とも本来は不平等である人間の「自然」に反していると批判しているのである。一方，人間の間の平等を説く「弱者の自然権」の論者たちもいて，例えばアンティフォンは，ギリシア人も異邦人も口と鼻で息をして手でものを食べるという点で変わりなく，市民とそれ以外を区別するのは「自然」に反すると論じていた。また，アテナイでは戦争の捕虜や異民族の人々など，人口の３分の１を奴隷が占めていたが，奴隷制を「自然」の観点から批判していた論者もいた。奴隷は，家内や農業の雑事，あるいは銀山などの鉱工業で酷使されており，国政に参加する権利は認められていなかったが，アルキダマスは，奴隷制などの身分差別を反自然的なものと断じていた。

このように古来の慣習法を基礎とするノモスを「自然」に反すると論じたソフィストたちは，法への無批判な服従ではなく，「自然」に反する法の改変を求めた点で新しく，また，現状の法を批判する視点を提供したことは，法思想の歴史においても重要な意味をもっていた。さらに，法が法であるためには，それが成立した手続のみでなく，内容も正しいものでなくてはならないという「自然法思想」のさきがけであったと見ることも可能である。しかしながら，本章で検討するアリストテレスやそれ以降の自然法思想とは違い，「有能なものと無能なもの」「口と鼻で息をして手でものを食べる」というように，自然の捉え方が稚拙で一面的であるという欠点があった。また，上記の「強者の自然権論」のカリクレスのモデルとされる政治家のクリティアス（前460頃-前403）が，ペロポネソス戦争にアテナイが敗退した直後の反民主政の政権において指導的な役割を果たしていたように，自らの信条を自然なものとし，それに反する法制度を変革，転覆させようとする危険な性質もソフィストの法思想には見られた。このような無政府状態，アナーキーの危険に対して，法秩序，ノモスと自然は対立するものでないとして法への服従を説いたのがソクラテスであった。

2　ソクラテスとプラトン

（1）ソクラテスと悪法

ソクラテスは哲学の祖として良く知られているだろう。ソクラテスは生粋のアテナイ人であったが，ペロポネソス戦争の終結後，アテナイに民主政が回復された後，そのアテナイの市民によって裁判にかけられて紀元前399年に刑死している。

ギリシア中部のデルフォイにあるアポロン神殿の巫女（みこ）の口をかりて伝えられる神託は，すべてのギリシア人にとって神聖なものとされ，戦争の際など，重要な決定はこの神託に基づいてなされていた。伝えられているところによると，ソクラテスの弟子が「ソクラテスより知恵のあるものはいない」という神託を授かり，そこからソクラテスの知的探求が始まったとされている。

ソクラテスは自らに知恵があるとは思っていなかったので，この神託に驚き，自分より知恵があると考えられる人を訪ねては，その人々に実際は知恵がないこと，さらにそのことを彼らが自覚していないこと（無知）に気づくよう

〈コラム１〉 ソクラテスの裁判

ソクラテスが不知であることを自覚していたのは，「知恵を愛する人（フィロソフォス）」だからであり，哲学者（フィロソファー）の見本ともされる人である。また，ソクラテスは，「良く生きること」とは「不正を行わないこと」であると説き，人々の生き方，道徳を問う倫理学の始祖と考えられることもある。このようなソクラテスがなぜ刑死しなければならなかったのだろうか。

ソクラテスの罪状は，「ポリスの神々を信じず，別の神霊のようなものを導入したこと，さらに，若者たちを堕落させた罪」であった。前者について言うと，ソクラテスは，伝統的なアテナイの神々でなく，何らかの超自然的・霊的存在から教えを受けていたということが問題とされた。また，後者に関して言うと，ソクラテスが影響を与えたとされるものに，ペロポネソス戦争でスパルタに敗れた紀元前404年に降伏後，30人政権と呼ばれる，民主政とは相容れない少数者支配において指導的な役割を果たした若い政治家が複数いたことが問題になった。本文で触れたクリティアスもその１人であった。アテナイではその後すぐに民主政が回復され，ソクラテスが影響を与えた政治家たちも死亡しており，さらに，30人政権の時代の罪は，内乱を終息させるために民主政によって恩赦の対象となっていたため，「若者たちを堕落させた罪」という曖昧な罪状になったのであった。

ソクラテスの裁判は，民衆裁判所で，一般市民から選出された500人の陪審員によって裁かれているが，多数決で決定されていて，有罪280人，無罪220人となり有罪とされた。また，刑罰に関しては，告発側，被告人側の双方が量刑を提案して陪審員が投票する形になっていたが，告発側の提案の死刑が360人，ソクラテスが提案した罰金刑が140人で，死刑が多数ということで死刑が確定したと言われている。民主政の中でこのような判決が下されたことは，ソクラテスの弟子たちに大きな衝撃を与え，その内の１人のプラトンは，次に見るように，哲学者の支配を提唱するようになった。

になる。ソクラテスは，詩人，職人，政治家に「ソクラテス式問答法」を仕掛けたのだが，それは相手が分かっていると思っていることの矛盾を突く方法で，例えば，「勇気とは何か」といった難問を立て，相手の答えを逐一反証するという極めて厳しいものであって，相手の無知をさらけ出すものでもあった。その結果，ソクラテスは，上記の神託を「知恵がないことを認識しているソクラテスが一番知恵あるものである」と理解するようになったのだが，彼に直接論破されたものはもちろん，自分の無知を暴かれることを恐れたアテナイ市民によっても恐れられ，紀元前399年に民衆裁判所によって死刑を宣告されている（☞本章コラム１）。

法思想史の上で重要なのは，死刑の宣告を受けた後の言葉や行動であった。ソクラテスは，友人であったクリトンに脱獄をすすめられるが，アテナイの法を擬人化して，次のように語らせたとされている。

>「……お前はわれわれと国家とに対してどんな苦情があって，われわれを滅ぼそうとするのだ？ まず第一にお前が生を受けたのはわれわれのお蔭ではないのか，われわれの保護の下でお前の父はお前の母を娶りお前を産ましたのではないのか。だからいっておくれ，われわれ法律のうち婚姻に関するもので，何かお前が欠点として非難するものがあるのか」と。「一つもありません」と僕〔ソクラテス〕は答えるだろう。（『クリトン』第12節）

ここでは婚姻に関する法が取り上げられているが，アテナイの法秩序，ノモスと自然を対立させ，後者によって前者を徹底的に批判したソフィストとは違い，ソクラテスは，ノモスがあるからこそアテナイの市民はその生を受け，生存できると論じることで，ノモスが自然と一致することを説いたのであった。このような自然と法秩序，ノモスが合致することは，次節で見るアリストテレスによってより具体的な形で示されることになる。

一方で，ソクラテスはすべての法秩序，ノモスが自然に基づいていると考えていたわけでなく，悪法が存在することも認めていた。しかし，ここでもソクラテスは，アテナイの法に自身に向けて次のように語らせている。

>お前が望みさえしたなら，あの裁判の途中には，まだ追放の刑を提議することも出来たし，また今お前が国家の意志に逆らってしようとしていることも，あの時ならばその同意を得て実行することが出来たのだ。しかるにあの時お前は，死ななければならぬことになってももがきはしないと高言を吐き，むしろ追放よりも死を選ぶといったのだった。ところが今はこれに反して，前言にも恥じず，われわれ国法を無視してこれを滅ぼそうとしている。自ら市民として遵守するとわれわれに誓った契約や合意に背いて逃亡しようとしているお前は，最も無恥な奴隷でもしそうな振舞いをするのだ。（『クリトン』第14節）

ソクラテスは，孔子，釈迦，イエス・キリストと並んで「四聖」と呼ばれることもあるように，自身の知恵・知識について謙虚であることとともに，「良く生きること」「不正を行わないこと」を説いていた。それを貫くために，たとえ不当な判決であっても，脱獄という不正を犯すことは許されないと考えていたのであった。アテナイの民主政のもと，多数決でこの判決が下されたのであるが，ソクラテスの弟子であり彼を敬愛していたプラトンは，民主政を徹底的に批判するようになる。

（2）プラトンのイデア論と『国家』

プラトンはアテナイの有力貴族の家柄の出で，政治の道に進むことが期待されていたが，ソクラテスとの出会い，そして28歳の時の紀元前399年に民主政によってソクラテスが刑死に至ったことに衝撃を受け，「国家とは何か」「正義とは何か」といった哲学的な探求に向うようになった。ここで紹介する，50歳から60歳頃に書かれたと言われる『国家』というプラトンの主著もソクラテスを登場させて理想の国家を語らせており，プラトンはソクラテスの思想を発展させることを目指していた。

プラトンの哲学の基礎にあったのはイデア論であった。難解なプラトン哲学の中でも特に難解なものであるが，例えば，「美のイデア」「正義のイデア」は，表面的なものでなく，「美そのもの」「正義そのもの」を指していた。例えば，「円」とは定点から等距離にある点の集まりであるが，現代の機械を使ったとしても多少はズレが出てしまい完璧な円を描くことは不可能であろう。しかし，数式を解く時など私たちは「完璧な円」を想定しているのではないか。そのようないわば「心の目で見る」真の姿がイデアであり，プラトンは「正義」などについてのイデアを示そうとしたのである。また，すでに見たように，ソクラテスは，「勇気とは何か」などと人々に問いかけ，その答えを逐次反駁していたが，このような問いをなす以上，「勇気とは何か」といったことへの完全な答えを前提としていたとも考えられる。プラトンのイデアは，ソクラテスにおけるそのような完全な答えを明示化したものであったと捉えることもできるだろう。

プラトンがその主著である『国家』において論じたのは，「正義とは何か」，すなわち，正義のイデアについてであり，さらにその正義のイデアに合致する国家の具体的なあり方も示されている。

プラトンは，個人における正義と対応させて国家の正義を論じている。プラトンは個人のレベルでは，人間の魂は①理性の部分，②気概の部分，③欲望の部分から成り，それらを調和させることこそが，人間の正しさ，正義であると論じている。また，個々の人間とポリスが基本的に同一の構造をもつとしたプラトンは，ポリス，国家も，①理性を体現する統治者，②気概をその性質とする戦士，さらには③欲望が支配的な性質であった生産者，から成っていると論じていた。そして，個々の人間の場合と同じように，この三者間の秩序と調和がもたらされる時，ポリス，国家の正義が実現されると論じている。

個人，そしてポリス，国家における３つの性質が調和することが正しい個人，正しいポリス，国家であって，そこに正義のイデアが顕在しているとプラトンは論じていたのであったが，むろん，現代の私たちが即座に納得できるものではないだろうし，プラトンの直観に基づくものであるという見方も可能であろう。ただ，プラトンによるポリス，国家の正義の観点からの民主政批判は，当時のギリシア政治の状況を鋭く突いている。

プラトンによると，民主政の基本的な原理は自由と平等であったが，そこで許されていた自由は，何を話してもよい言論の自由と，ありとあらゆることをすることが許されていた放任であって，ポリス，国家において人々の欲望が野放しになってしまうと論じていた。プラトンはさらに，過度の自由やポリス，国家における人々の欲望を野放しにすることは善悪の価値の相対化につながるとも考えていた。「良く生きること」とは「不正を行わないこと」であると説いていて，実際，そのように生きていたソクラテスを刑死させたアテナイの民主政は，まさしく価値が相対化され，確固とした善悪の基準を失っていた状態であったと言えるだろう。また，プラトンは，能力に関係なく人々に平等な機会を与えて，教育や訓練を受けていないくじで選ばれたものが政治を担うことにより，必要な欲望と不必要な欲望を区別できず，民衆の欲望に過度に応えるような政治を行い，一種の無政府状態に陥ってしまうとも論じていた。

プラトンはポリス，国家がこのような状況に陥るのを防ぐために，理性的な部分によって欲望的な部分が統制されていることが必要であると論じていた。そして，そのためには哲学者が王になる必要があると，プラトンはソクラテスに語らせる形で論じている。

> 哲学者たちが国々において王となって統治するのでないかぎり，……あるいは，現在王と呼ばれ，権力者と呼ばれている人たちが，真実にかつじゅうぶんに哲学するのでないかぎり，すなわち，政治的権力と哲学的精神とが一体化されて，多くの人々の素質が，現在のようにこの二つのどちらかの方向へ別々に進むのを強制的に禁止されるのでないかぎり，……国々にとって不幸のやむときはないし，また人類にとっても同様だとぼくは思う。(『国家』第５巻473D)

プラトンは，哲学者の王，哲人王について『国家』で詳しく論じているが，その具体的な育成方法も詳細に述べられている。それは，公教育を幼少の頃から施し，20歳でその中から選抜されたものに算術や幾何学などを教える。そして，30歳から５年間は哲学的な問答法が教えられ，さらに15年間，軍隊や官職といった実務を経験した後に最終的に資質が精査され，50歳でようやく指導者として認められるという過酷なものであった。ここでプラトンは，「美のイデア」「正義のイデア」といったイデアを統括するイデア中のイデアであった「善のイデア」を哲人王は習得しなければならないと論じていた。完全なる知恵を習得することでようやく，必要な欲望と不必要な欲望を区別して人々を導くことができる哲人王になることができるのであった。

ただ，プラトンの理想のポリス，国家は過度に厳格な側面をもつものであった。例えば，プラトンは，次のようにソクラテスに論じさせて詩人を魂の理性的な部分ではなく感情的な部分に訴えかける危険な存在であるとして，ポリス，国家から追放することを提案している。

> 一国が善く治められるべきならば，その国へ彼〔詩人〕を受け入れないことの正当な理由をもつことになるだろう。ほかでもない，彼は魂の低劣な部分を呼び覚まして育て，これを強力にすることによって理知的〔理性的〕部分を滅ぼしてしまうからだ。それはちょうどひとつの国家において，たちの悪い連中を権力者にして国をゆだね，よりすぐれた人々を滅ぼしてしまうようなもの。それと同じく，……作家（詩人）もまた，人間ひとりひとりの魂のなかに悪しき国制を作り上げるのだと，われわれは言うべきだろう……。(『国家』第10巻605B)

さらに，プラトンの哲人王の構想は極めて非現実的なものであった。実はプラトンは60代になってシチリア島にあったシラクサという地で哲人王を育成することを試みていたが，結果は無残な失敗に終わっている。

プラトンの思想の問題点は，理性の支配を哲人王の支配，「人の支配」によって実現しようとしたことにあったと言えるだろう。プラトン自身の実験が失敗したように，現実世界で哲人王を育成することは極めて困難であろうし，そのような体制を打ち立てることはさらに困難なものであろう。プラトン自身も晩年の『法律』という著書で，自然に基づく法に支配者も服するべきであるとして「法の支配」の思想を説くようになっているが，自然法思想はアリストテレスによって，より説得力をもって説かれている。

3　アリストテレスと自然法，正義

（1）人間の自然と自然法

プラトンは紀元前387年頃に，アテナイ郊外にアカデメイアという学園を創設している。そこでは数学，幾何学などが教授されるとともに，プラトンの理想国家の指導者を育成すべく哲学の教育もなされていた。本節で検討するアリストテレスも，ギリシア北部のスタゲイラという地で生まれ，アテナイに移って，紀元前367年からプラトンが亡くなる紀元前347年までの20年間，プラトンのアカデメイアで学んでいる。そして，アテナイと敵対的関係にあったマケドニアのアレクサンドロス大王（☞第２章１（１））の家庭教師を務めた後，アテナイに戻って，50歳になる頃にリュケイオンという自らの学園を作り，教育，研究に専心している。アリストテレスは青年期の20年間，アカデメイアで学んでいたのだが，以下で見るように，アリストテレスの哲学，法・政治思想は，プラトンのものとは大きく異なるものであった。

まず，アリストテレスはプラトンのイデア論を，人間の世界を説明するのに役に立たないとして退けている。前節で見たように，プラトンによってイデアは，いわば事物の真の姿であって肉眼では見えず，厳しい訓練を受けた哲学者のみそれを知ることができるとされていたが，アリストテレスは，現実の事物の中にこそ本性は内在しており，その本性はその事物の目的にもなっていると考えていた。そして，アリストテレスはこの目的を形相と呼び，それが実現されることで可能態から現実態になると論じていた。例えば，桜の木の種子（可能態）は，成長した桜の木というその本性を有しているのであって，それを目的，目標（形相）としており，その本性が実現されることで現実態になると論じていたのである。

人間の正しさを肉眼では見えない観念的な正義のイデアから考えたプラトンとは違って，アリストテレスは人間の本性，自然も，人間の内にあるものであって，人間が目的とするところのものであると考えていた。そして，アリストテレスは，「人間は本性的にポリス的な動物である」から，その本性として共同生活をするよう定められているのであり，夫婦，家族，村落を形成し，最終的にはポリスを形成することになると論じていた。ポリスで生きることこそが人間の内にある本性であり，それは人間が目的，目標としなければならないものであった。

このようなアリストテレスの議論は，当時の現実に即した経験的なものであったと一般的に理解されている。しかしながら，確かにプラトンのイデア論のような抽象性はないが，現代の私たちがアリストテレスのこの議論を経験的と見なすことには少し無理があるとも考えられる。ただ，古代から中世においては，人間であれ植物であれ，あらゆるものには実現すべき何かがあってその目的に向っていると考えられていた。アリストテレスは，どこかに実現すべき目的，目標があると考えつつ，経験的に観察していたのであり，そこから，「人間は本性的にポリス的な動物である」と論じたのであった。

アリストテレスの法思想は，その人間の本性，自然の議論と密接に関係していた。まず，アリストテレスはポリスの法秩序には自然的なものと人為的なものがあるとしたが，その際，移り変わる人為的なものとは対照的に，自然的なもの，すなわち，自然的な法は不動のものであるとアリストテレスは論じている。

> いくつかのものは，劣悪性と直接に結びついた名前をもっている。……行為にかんしては姦通，窃盗，殺人がそうである。これらすべてとこのたぐいのものは，それ自体劣悪であるがゆえにそのような呼び名で語られているのであって，それの超過と不足がこうした名で語られるわけではない。それゆえ，これらにかんして「正しい」ことはけっしてなく，これらはつねに誤りなのである。（『ニコマコス倫理学』第２巻第６章）

姦通，窃盗，殺人などを禁止する法は不動のもので，自然的な法であり，あらゆる国で禁止されなければならないものであった。また，本章1（2）で見たソフィストが人間の自然に基づく自然的なものと人為的なノモスを区別・対置して，前者によって後者を変革することを試みていたのと対照的に，アリストテレスは，ポリスの法秩序においては，各々の法律において自然的なものと人為的なものが結合しており，相互に影響を与えていると考えていた。その理解によると，例えば，死刑の執行方法を定める法律も，「人を殺してはならない」という自然的な法を含んでいることになる。現代の日本の法律でも道徳的な規範は前面に出ていないことが多いが，アリストテレスは，ポリスの法秩序，ノモスの大半は，現実社会に適用できるように，自然的な法を人為的な法によって補ったものと考えていたと言えるだろう。殺人などを禁止する法はあらゆる国で強制される自然的な法であるが，それを実定法でどのように定めるかは，各国の状況によって異なってくるということにもなる。

なお，アリストテレスは，姦通，窃盗，殺人などを禁止することは直知によって明らかであると考えていたようだ。一方，「人間は本性的にポリス的な動物である」とする上記の人間の本性，目的と関連する市民の軍役義務，市民の財産の尊重，家族養育義務などもアリストテレスにおいては自然的な法であったという解釈もある。現実社会で用いるために，それらにも実定法による補足が不可欠となるだろう。

以上のアリストテレスの法思想の特徴，そして意義は，ソフィストの法思想と比較すると明らかになる。まず，ソフィストの「自然」が，「有能なものと無能なもの」「口と鼻で息をして手でものを食べる」といった稚拙で直観的なものであったのに対して，アリストテレスは，すべての事物は目的，目標としての本性をもつという古代，中世に特徴的な思考方法を取りつつ，その人間の本性，自然として「ポリスで生きること」を挙げている。「強者の自然権論」のカリクレスが自らの信条を「自然」としていたのとは対照的に，アリストテレスの「本性」「自然」は，本章1（1）で見たような，多くの市民が政治や裁判に参加していた当時のギリシア人，アテナイの人々の生き方を反映したものであったと言えるだろう。

さらに，すでに触れたことであるが，ソフィストが自然的な法と人為的な法を対置していたのに対して，自然的な法と人為的な法との結合をアリストテレスは主張している。例えば徴兵期間などについて具体的に定めた法律も，アリストテレスの考え方によると「ポリスを守る」という自然的な法を含んでいることになる。そして，「ポリスで生きること」という人間の本性，自然からポリスを守る軍役義務が自然的な法とされるならば，上記の徴兵に関する具体的な法律も，「ポリスで生きること」という人間の本性，自然に基づいていることになるだろう。ソフィストの法思想は，「自然」に反する法，制度を転覆させ，ポリスをアナーキーに陥れる危険性を有していたが，アリストテレスの法思想では逆に，人間の本性，自然によってポリスの法秩序の安定をもたらすことになる。その一方で，人間の本性に反する人為的な法に従わせることには限界があるとアリストテレスが考えていたという解釈も示されている。

以上のアリストテレスの法思想は，次章以降のいくつかの章で検討される自然法思想の原型とも言えるものであろう。まず，現状の法秩序，ノモスを批判するだけであったソフィストの「自然」とは違って，アリストテレスが自然的な法を国家の法の不動の基礎としていることが注目される。アリストテレスは自然的な法と人為的な法の結びつき，関係を強調して，人為的な法，実定法が自然的な法を含んでいると論じ，自然的な法を補うものとして実定法を捉えていたが，実定法が自然法から導かれることは，アクィナスによっても強調されている（☞第3章2（4））。その一方で，自然法に反する法は法ではない，「悪法は法ではない」とする，ソフィストにも見られ，さらにキケロ（☞第2章3（2））でも明白になっている自然法思想の特徴をアリストテレスに見出すことも可能である。アリストテレスが「ポリスで生きること」を人間の本性，自然としていたため，そのポリスを支えているすべての法秩序，ノモスが人間の自然に基づいたものになり，自然的な法によって実定法を批判する視座がアリストテレスにはなかったという理解が示されることもある。しかしながら，アリストテレスが，ポリスで生きることを人間の本性，自然であるとしたのは，ポリスが人々の幸福に役に立つかぎりにおいてであった。次に見るように，アリストテレスは僭主政などを正しくない政体と断じており，いかなるポリスの法であっても従う義務があるとは考えていなかったと思われる。

（2）アリストテレスの正義論

本章では最後にアリストテレスの正義論について説明する。前節で見たように，プラトンは，人間そしてポリスにおいて，理性，気概，欲望の調和に正義のイデアが顕在していると論じていたが，アリストテレスは，より経験的にポリスの正義を分析し，さらに，望ましい政治体制，国制を分析している。

アリストテレスの正義は，広義の正義と狭義の正義に分けられる。このうち，広義の正義とはポリスの法であるノモスに従うことであって，ノモスに反することは不正であるとアリストテレスは考えていた。その際，古代ギリシアの時代のポリスの法秩序，ノモスには道徳的なものが含まれていたことに留意する必要がある。

> 法〔ノモス〕は，たとえば戦列を離れず，逃亡せずに武器を投げ捨てないというように勇気ある人が為すことを命じるし，またたとえば姦通せず暴行を加えないというように節制の人が為すことをも命じるし，さらには，他人を殴らないとか誹謗中傷しないというように温和な人が為すことをも命じる。ほかの徳と悪徳にかんしても同様に，法は，或る事柄を命じ，別の事柄を禁じている。（『ニコマコス倫理学』第5巻第1章）

上記の「勇気」「節制」など，ポリスにおいて「徳」であると考えられていたことをなすようノモスは命じていたのであり，そのノモスに従い，他者に対して適正にふるまうことが広義の正義であった。

一方，アリストテレスには，公平であること，一方に偏らない均等という徳に焦点を当てた特殊的正義の観念もある。そして，その特殊的正義は，矯正的正義と配分的正義に分類される。アリストテレスの広義の正義はプラトンと同じく正しい人間についての考察である。それに対して，矯正的正義，配分的正義は裁判や立法にかかわるものであり，「複数当事者間の正しい関係性」という欧米の正義についての考え方の基礎になっている。

さて，矯正的正義とは，人々の間の交渉関係において，一方が失ったものと，その償いのためになされる支払いの間に均等が成り立つことを要求するものであった。アリストテレスのリュケイオンでの講義のノートから編集された『ニコマコス倫理学』においては，それを矯正することが正義に属するような，人々の間に不均等な状態を作り出す行為が列挙されているが，それらは今日では「裁判の正義」と呼ばれるものに関係している。アリストテレスが挙げている例としては，自発的にそのような関係が形成される随意的なものとして，販売，購入，貸金，質入，貸与など，そうでない非随意的なものとして，窃盗，侮辱，監禁，強奪，傷害などがある。このような行為から不当に利益を得た一方の当事者からその利益を奪って，損失を被ったもう一方の当事者に与えることで，当事者の間に均等を回復することが矯正的正義であった。アリストテレスが非随意的なものとして挙げているものは現在で言うと刑事裁判で扱われるものであるが，アリストテレスの時代は，そういった訴訟も個人対個人の私的訴訟として扱われていた。したがって矯正的正義は，今日では不法行為の損害賠償などに関係する正義である。その際，例えば，立派な人，貴族といった当事者の価値には関係なく，一方が失ったものと，その償いのためになされる支払いの間の均等が目指されるのが矯正的正義の特徴であることをアリストテレスは強調している。

他方，財産や名誉など，社会における共同のものの配分について，各人の価値に比例して各人に多く，あるいは少なく配分することを要求するのが配分的正義であった。例えば，戦士の間で戦利品を配分する際，戦勝への貢献度といったその価値に応じて，ＡがＢより２倍貢献したのに，戦利品の配分が同じであるならば，そこには正義はないと言えるだろう。アリストテレス自身は同じポリスの市民の間で分割されるものの配分における正義として，その対象を「名誉や財貨，他の諸価値」としているが，この配分的正義は，公職や公権力の配分に関わるものでもあった。また，一部の論者によって当時のアテナイでは，市民の民衆裁判所での陪審員としての公務への報酬，アテナイが外国から輸入した小麦などの公的機関による配分，植民地を開拓した際の土地の配分などで，配分的正義が問題になっていたのではないかと指摘されている。

いずれにせよ，すでに見た人間の本性の議論と同様，正義の考察においてもアリストテレスは，プラトンとは違ってポリスでの経験から一般的な原則を導き出していることが明らかである。少し長くなるが，以下は，アリストテレス自身による矯正的正義と配分的正義の比較である。矯正的正義の観念が実際の裁判にも基づいていたことが分かるだろう。

〔矯正的正義は,〕自発的であろうが本意に反しようが，もろもろの係わり合いにおいて生まれるものである。そしてこの正義は，先の「配分的正義」とは異なる性格をもっている。その理由は，以下の通りである。すなわち，まず共通のものの配分にかかわる正義のほうは，つねに，すでに述べたような比例関係に基づいている。実際のところ，もし共有の財貨から配分がおこなわれるという場合であれば，関係するそれぞれの当事者からそこに投入された貢献分が互いにもつ比と，同じ比に基づいてその各人に配分されるだろう。そして，この種類の正義に反するような不正もまた，比例関係に反したものなのである。

これに対して，係わり合いにおいて成り立つ〔矯正的〕正義は，……なんらか「等しいもの」ではあるのだし，その反対の不正もなんらか「等しくないもの」ではある。けれども，ここで言う「等しい」は，配分の場合の比例関係に基づくものではなく，算術に基づく，そのものずばりの等しさのことである。なぜなら,「高潔な人」が「劣悪な人」からふんだくろうが,「劣悪な人」がふんだくろうが何の変わりもないことであって，また姦通したのが「高潔な人」だろうが「劣悪な人」だろうが，同じことだからである。法は，これらの人の一方が不正を加えた人間であり，もう一方が不正を加えられた人間である場合にも，かれらの一方が損害を与えてもう一方が損害をこうむった場合にも，むしろ損害の相違だけに着目して，両方の当事者を同等の人々として扱っている。

それゆえ，ここでの不正とは，不等であり不公平な関係のことだから，そこで裁判官はこれを，均等化しようとするのである。なぜなら，片方が殴り，もう片方が殴られるとき，あるいは片方が殺し，もう片方が殺されるとき，こうむった状態とおこなった行為が互いに対して等しくない関係になったまま，分断されているからである。そこで裁判官は,「損害」により「利得」を減殺することで，均等化しようとするのである。(『ニコマコス倫理学』第5巻第4章)

なお，アリストテレスの国制論，正しい国家についての考察は，公権力の適正な配分を論じることと関連している。本節（1）で見たように，人間の本性は「ポリスで生きる」ことであったため，当然，公権力を行使する人は，知的にも道徳的にも優れていなくてはならず，そのような価値に基づいて公職は配分されなくてはならないとアリストテレスは考えていた。そして，非合法の力で権力を握るとされた僭主政，恣意的な自由に基づき権力が配分される民主政は正しい政体ではないとされ，その一方で，君主政，貴族政，ポリティアといった政体は，正義に適ったものと論じている。僭主政とは，血筋とは関係なく，権謀術数や武力によって君主になったものによる政治であるが，それは，知的，道徳的な卓越性（優れていること）に比例するのではなく，権力闘争がうまいか否かによって公権力が配分され，民主政も同じく知的，道徳的な卓越性ではなく，アテナイで見られたようにくじ引き（運）の良し悪しを基準として

〈コラム２〉　裁判の正義と立法の正義

ソフィストのようにノモスを批判する絶対的正義ではなく，また，プラトンのように観念的な正義のイデアではなく，ポリスにおける正義の分類と体系化を実証的に行ったこと，法学の領域に関わる矯正的正義，配分的正義の精緻な考察により，アリストテレスの正義論は後代の法学に大きな影響を残している。

まず，矯正的正義，裁判の正義に関して言うと，そこでの原理が算術的な等しさであって，「『高潔な人』が『劣悪な人』からふんだくろうが，『劣悪な人』がふんだくろうが何の変わりもない」というアリストテレスの分析は，対象とした不法行為だけでなく刑事事件の裁判にも当てはまるところがある。刑事裁判における正義は応報的正義と呼ばれ，犯罪の重さに応じた刑罰を科すことを要求するものであって，アリストテレスはその分析をしていなかったとされる。しかしながら，2019年に日本で高まった，いわゆる「上級国民」への処罰が甘いという不満は，社会的地位に関係なく犯罪に応じた処罰が下されるべきであるという不満とも考えられる。また，ヨーロッパの裁判所などに見られる「正義の女神像」は目隠しがされていることが多いが，目隠しがある正義の女神像は，16世紀から増えていったようだ。目隠しは正義の女神が前に立つ者の顔を見ないことを示しており，法は貧富や権力の有無にかかわらず万人に等しく適用されるという裁判の理念が反映されたもので，アリストテレスの分析が裁判の正義の本質を捉えていたことが分かる。

一方，アリストテレスの配分的正義論においては，本文で見たように，一定の価値基準に応じて比例的に財産や名誉，公職や公権力を配分することが正義に適うとされている。この配分的正義は，その後，財産や権利をどのように配分するかを扱う「立法の正義」として論じられるようになる。アリストテレス自身は，例えば専門職の人が３の利益を得て単純作業の人が２の利益しか得ないことがあるとしても，前者が生み出す価値が６，後者が４ならば，その配分は正義に適うという「功績」を正義の基準と考えていた。19世紀には，「必要に応じた配分」という考え方が登場して，共産主義で有名なマルクス（1818-83）は，「能力に応じて働き，必要に応じて受け取る」と論じていた。マルクスはアリストテレスのものとは相容れない「必要性」という価値基準を信奉していたが，価値基準に応じた比例的配分というアリストテレスの枠組みに即して論じていた。

公権力が配分される，いわば悪平等原理に基づいていたために正しい政体ではないとされている。知的，道徳的な卓越性の多寡によって公権力が配分される正しい政体であるとアリストテレスが考えていたのが，君主政，貴族政，それから，公職が，知的，道徳的な卓越性をもつと考えられた一定以上の財産所有者に優先的に配分されるポリティアという政体であった。

ま　と　め

以上本章では，自然法思想の成立という観点から，古代ギリシアの法思想を検討した。まず，アテナイの政情不安という要因はあったものの，紀元前5世紀以降にソフィストが，アテナイの伝統的なノモス，民主政を「自然」の観点から批判したことが，実際にある法とは違う「自然」，あるいは理念によって実定法を批判するという自然法思想の源泉と考えられる。ただ，ソフィストは，ノモス，人為的な法と自然を対置して，人為的な法を批判すること以上のものを生み出すことはなく，その際の自然とされたものも，強者の自然権論のように一面的で狭いものであったため，むしろアナーキーを促進してしまうというマイナス面があった。このように，自らの考える自然によってノモスを批判し，ひいてはアテナイの体制を作り変えてしまおうというソフィストに警鐘を鳴らしたのがソクラテスであった。ソクラテスは，不当な死刑判決を受け入れる形で脱獄という不正を犯すことを退け，さらにノモスが人間の自然に基づいており権威をもつことを，身をもって示したのであった。

ソクラテスの死を重く受け止めたプラトンは，民主政ではなく，哲人王の支配を打ちたてようとするが，その試みは挫折している。その後，アリストテレスによって，後代の自然法思想の輪郭が示されている。本章で強調したように，自然的な法をポリスの法の不動の枠組みとする点，実定的な法と自然的な法との結びつきを強調している点，さらに，必ずしもすべての法への服従義務があるわけではないとされていた点は，後代の自然法思想に，より洗練されつつも受け継がれたところであった。

◆参考文献

三島淑臣『〔新版〕法思想史（現代法律学講座3）』（青林書院，1993年）

戦後の日本の法思想史研究をリードした研究者による法思想史の教科書である。扱っている時代は本書と同じく古代ギリシアから20世紀半ばと幅広いが，ソフィストとソクラテスの違い，ソクラテス，プラトンからアリストテレスに至る自然法思想の萌芽の過程など，古代ギリシアの法思想の流れをつかむ際にも大変参考になる。

小沼進一『アリストテレスの正義論——西欧民主制に活きる法理』(勁草書房，2000年)

実定法学者による研究書で，アリストテレスの正義論について，その倫理学や人間観と関連させつつ原典に即した詳細な解説がなされている。実定法の学者らしく，当時の裁判制度についても，陪審員の役割，訴訟の種類，訴訟の手続やかかる日数などが詳細に説明されており，アリストテレスが矯正的正義を論じた背景が見えてくる。

プラトン（納富信留訳）『ソクラテスの弁明』(光文社，2012年)

ソクラテスの裁判の全貌がプラトンによって示されていて，ソクラテスが「正しい人」であったことが描かれている。ソクラテスが自らを弁護しているが，相手に自身の主張を語らせつつ，それと相反する前提を相手に認めさせて相手の矛盾をつく論駁(ろんばく)など，ソクラテス式問答法の一端を知ることもできる。また，「不知の自覚」などのソクラテスの思想を，その充実した解説から読み取ることも可能である。なお，同訳者による『プラトンが語る正義と国家——不朽の名著『ポリテイア（国家)』読解』（ビジネス社，2024年）は，プラトンの『国家』を読むための導入として，そのポイントが分かりやすく説明されている。

第2章　自然法思想と実定法
――自然法とローマ法

本章では，地中海世界の中心がギリシアからローマへと移り，古代ローマ帝国が繁栄した時期の法思想を扱う。

ギリシアでは，紀元前4世紀頃から，スパルタとアテナイを抑えて，アレクサンドロス大王のマケドニアが政治の主導権を握った。さらにマケドニアは，東方世界とも接触し，ギリシアの伝統とは異なる東方文化を摂取した。ヘレニズム時代の始まりである。これによってギリシアに新たな哲学が登場する。第1章で見たように，ギリシアではポリスを基礎とした哲学が発達したが，東方のペルシアとの接触により，今やこの基礎が大きく動揺し，ポリスを越えた思想，つまりコスモポリタニズム（世界市民主義）が生まれた。

この思想は，地中海世界の次なる支配者であるローマ帝国にも受容され，政治家や法律家に大きな影響を及ぼした。ローマ帝国も，徐々にその支配領域を拡大し，ローマ市民以外の人々と接触するようになった。ローマ市民と非ローマ市民の人的・物的交流が盛んになる中で両者の間の法的紛争も増加していった。この問題に対応するため，あらゆる人々に適用可能な法を構想する必要が生じた。このとき取り入れたのがギリシア哲学のコスモポリタニズムであり，これをもとに形成されたのが万民法である。

以下で，ヘレニズム時代のギリシア哲学と，その影響を受けたローマの法思想について説明しよう。

1　ヘレニズム時代のギリシア哲学

（1）地中海世界の変容

アリストテレスの死後，ギリシア哲学は当時の地中海における政治情勢を背景に大きな変化を見せる。マケドニアは，まず，フィリッポス２世（在位前359-前336）に率いられ，紀元前338年のカイロネイアの戦いでアテナイなどを破った。翌年にコリントス同盟（またはヘラス同盟）を結び，ギリシアにおける支配を強化した。次に，フィリッポス２世の子であるアレクサンドロス大王（在位前336-前323）が，マケドニアとギリシアの連合軍を率い，紀元前334年に東方のペルシアへ進出し，征服することによって，大帝国を築き上げた。ここからヘレニズム時代が始まる。

この東方遠征によりギリシア世界と東方世界との交流が行われるようになったのだが，この２つの世界では政治のあり方に大きな違いがあった。ギリシアの政治は民主政治である。すなわち，ポリスにおいて自由で平等な市民が討論を通じて政治を行った（☞第１章１（１））。しかし，東方世界の政治は専制政治であり，ギリシアの政治とは異質なものであった。

この違いを知るために跪拝礼（きはいれい）に関するギリシア人の見解を見てみよう。跪拝礼とは王に謁見する際に跪くというペルシア人の行為であるが，ギリシア人にとって侮辱的なものであった。東方遠征中，アレクサンドロス大王を交えた酒宴の席でマケドニア人が，人間と神に与えられる名誉は区別されるべきであり，特に跪拝は神にふさわしい，と述べ，続けて次のように言った。

> アレクサンドロス殿，よくお考えいただきたい。ギリシアの地へ帰られた時，一体あなたはこの世で最も自由なギリシア人に跪拝礼を押しつけるのか，あるいはギリシア人は免除してマケドニア人にこの不名誉をかぶせるおつもりか，あるいは栄誉に関する事柄からはあなた御自身がきっぱり手を切って，その上でギリシア人とマケドニア人からは人間にふさわしいギリシア風のやり方で栄誉を受け，夷狄（いてき）風の栄誉を受けるのは夷狄［ペルシア人］からだけにする，というおつもりなのか。（アリアノス『アレクサンドロス東征記』（紀元後２世紀前半））

ギリシア人とマケドニア人にとって神と人間とは同列ではない。彼らは，たとえ相手が王と言えども，同じ人間の前に跪くことはない，と考えていた。ここにギリシア・マケドニアとペルシアの文化的な違いが見られる。

こうした東方世界との接触を通じて，ポリスを基礎とするギリシアの伝統的な政治は動揺した。次にこのような状況を受けて新たに登場したギリシア哲学をストア派，エピクロス派，懐疑派の順に見ていこう。

（２）ストア派

ストア派の哲学者には，キュプロスのゼノン（前336頃-前264頃），クリュシッポス（前280頃-前207頃）などがいる。同派の創始者ゼノンは，はじめキュニコス派（「犬のような」という意味）の哲学者クラテスを師としていた。したがって，ストア派の思想はキュニコス派の思想に連なるものである。

キュニコス派と言えば，シノペのディオゲネス（？-前323頃）が有名である。彼は，質素な生活をし，貧乏を徳とする生き方をしていた。その生活ぶりは次のように伝えられている。

> 彼らは，飢えをしのぐために足るだけの食物と夏用のマントだけを用い，富とか名声とか門閥などは軽視して，質素に暮らすべきだと考えている。とにかく，彼らの或る者たちは，野菜とただ冷たい水だけを口にし，行きずりに見つけた遮蔽物（しゃへいぶつ）や酒甕（さかがめ）を寝座（ねぐら）として用いるのである。（『後期ギリシア哲学者資料集』15（ロ））

このように，ディオゲネスは，多くを持たず，また贅沢もしなかった。むしろ，貧乏を徳として生きた人であった。彼には面白いエピソードがある。例えば，ディオゲネスは，自分の前に立つアレクサンドロス大王に「なにか欲しいものはないか」と尋ねられ，「あなたがいると日陰になるからどいてくれないか」と答えた。欲のないこの態度に王は感心し，「自分はアレクサンドロスでなかったならば，ディオゲネスでありたい」と言ったという。さらに，「お前はどこの市民か」と問われ，「世界市民だ」と答え，人間が決めたものにすぎない国境は全く気にしない態度を示した。

ここに見られるディオゲネスの思想――贅沢を求めない平静な心とコスモポリタニズム――は，ストア派にも継承される。その創始者ゼノンもまた衣類や食べ物は質素であった。しかし，アテナイの人々に信頼され，彼の死に際して，人々は深く悲しみ，彼の哲学の功績をたたえ墓碑を建てた。また，マケドニア王アンティゴノス２世（在位前283-前239）はゼノンを失ったことを大変悲しんだという。

ストア派によれば，万物は，宇宙（自然），神，理性（ロゴス）（これら３つは同じことを指す）の秩序のうちに存在している。その秩序の中で人間は，他の動植物と同じように自己保存や生殖などの欲望をもつが，さらに理性ももち合わせ，それによって情動をコントロールするものとして作られた。快楽，苦痛，欲望，恐怖など様々な感情は「理性に耳を籍さない衝動」「魂の自然に反した非理性的運動」（『後期ギリシア哲学者資料集』252（イ））であり，人間は理性によりこれらの感情をコントロールし，動じることなく生きていかなければならない。これが人間にとっての自然であり，こうした自然に合致して生きることは，徳に従って生きることである。こうして人は平静な心（アパテイア）に達することができる。そして，この自然は，すべての人間に共通するものであり，国によって異なるものではない。ここからストア派のコスモポリタニズム（世界市民主義）が導かれる。また，人間は，同じひとつの自然の秩序に服する存在であるから，平等なものとして考えられる。さらに，自然は，人間ばかりでなく，法とも関係をもっている。すなわち，法の起源にあるものが自然であり，法は自然を基礎に作られるのであって，人為によるのではない。法と自然との関係について，次の引用を見てみよう。

> 正しさは，クリュシッポスが主張しているところによれば，……法や正しい理もそうであるように，自然においてあり，人のとりきめによるのではない。（『後期ギリシア哲学者資料集』256（イ））

このように人間のあり方や法の基礎として客観的な自然を肯定したり，人々の間の平等を強調したりするところにストア派の特徴がある。そして，ストア派は，ローマにおいても継承者を見つける。すなわち，セネカ（☞本章４），五賢帝の１人であるマルクス・アウレリウス・アントニヌス（在位161-180）などの哲学者である。法学者で言えば，クィントゥス・ムキウス・スカエウォラ（☞本章２（４））や，信義誠実・衡平を重視したサビヌス派（☞本章５）に継承される。

（３）エピクロス派

エピクロス派は，エピクロス（前341-前270）によって始められた。その思想は，しばしば「快楽主義」と言われる。しかし，これには注意が必要である。確かに，彼は，快楽を善であると言うが，欲望の赴くままに生活することを肯定したわけではない。彼の言う快楽とは，酒を飲んで騒いだり，異性と戯れたり，贅沢な食べ物を口にすることではない。そうではなくて，身体の苦痛（飢えや渇き，不健康）や精神の不安を取り除き，そうすることによって魂の平静（アタラクシア）に達することである。この状態で充足した人間はそれ以上に何かを求めることはないと言う。したがって，エピクロスもむしろ禁欲的で質素な生活を追求した。エピクロスは，病弱で病気がちであり，私たちが普段はあまり意識しない精神と身体の健康の価値をよく知っていたのである。

（4）懐疑派

懐疑派には，ピュロン（前365頃-前275頃），ティモン（前320頃-前230頃），カルネアデス（前214頃-前129頃）などがいる。懐疑派は，外界の物事の認識や，善悪や正不正などの価値の認識について，その客観性を疑う。彼らは，これらの問題について判断を停止し，何事にもいちいち動じることのない心の状態に達することを目標とした。以下はそのことがよくわかる文章である。

> 懐疑派の人々は，その目的とするところは判断の留保であり，それには平静心が影のようにつき従う，と説いている。……だが，或る人々の言うところでは，懐疑派の人々が目的として挙げていたのは，動じない心であり，また他の人々によれば，平常心だったということである。（『後期ギリシア哲学者資料集』92）

こうした不動の心のあり方に関してピュロンにおもしろい話がある。彼は，車が向かってきたり，断崖が迫ったり，犬が襲いかかってきたりするなど，自己の身に降りかかる危険も平然と受け止めたという。また，話し相手が途中でいなくなっても話を続けたり，自分の師が泥沼に落ちても助けようともしなかったりした。さらにある時，航海中に嵐に遭い，乗組員たちが絶望する中で，彼は，外で起こっていることにも無頓着に船内で餌を食べる子豚を指し，「賢者は，この子豚のように，かき乱されない心をいつも持たなければならない」と言ったという。

また，カルネアデスは，彼の名を取った「カルネアデスの板」が有名である。これは，海難事故の際，1人しか支えられない板にしがみついて助かったものが，その板にすがろうとするものを押しのけたことは道徳的にどのように評価されるのかという問題である。彼がこの例によって示したかったことは，このような場合の善悪や正不正の問題には決定的な結論が出ないということである。

このように客観的なものを否定するところに懐疑派の特徴がある。したがって，法思想の上では，制定法を超えて存在する客観的な正しさを認識することはできず，あくまで制定法を重視するという意味で実証主義へと連なる考え方である。ローマの法学者で言えば，セルウィウス・スルピキウス・ルフス（☞本章2（4））や，形式や論理を重視したプロクルス派（☞本章5）に影響を与えた。

2　ローマの法思想①——共和政期を中心に

（1）ローマ人の特性

古代ローマの歴史はおよそ次の通りである。紀元前753年の建国（伝承）から，王政期，共和政期（紀元前509～），アウグストゥス（在位前27-後14）の元首政期，五賢帝時代（96-180），軍人皇帝時代（235-284），ディオクレティアヌス帝（在位284-305）以降の専主政期を経て，395年に東西ローマに分裂し，476年についに滅亡する。前節で紹介したヘレニズム期のギリシア哲学は，古代ローマの法学者，さらにはそのアドバイスを受けた法務官にも影響を与えた。本節では特に共和政期とそれ以後の法や法思想を見ていこう。

もっとも，ギリシア人とローマ人の違いもある。ギリシア人と比べて，ローマ人は実践的性格をもつと言われる。第1章で見たように，ギリシア人は，自然・人間・国家をめぐる諸問題について，高度に抽象的な哲学を発展させた。これに対してローマ人は，生活や統治のために，水道橋，街道，浴場，闘技場などの様々な建築物を作ったり，種々の法制度を発展させたりすることが得意であった。したがって，ローマの法思想を見る場合も，彼らが実際の法的問題に取り組む中で，どのような解答を与えたのかに注目しなければならない。

（2）ローマ法の厳格さと属人主義

もともと法の形成者は宗教的行事を司る神官であり，法は宗教と未分化であった。それゆえ，法は儀式的な色彩が強かった。例えば，所有権の移転には握取（あくしゅ）行為が必要とされた。これは，譲渡人と譲受人が，天秤をもつ両者の仲介者と複数名の証人が立ち会うところで，決まった言葉を述べ，動作を行うというものである。また，契約締結のためには問答（もんどう）契約が必要とされた。これは，文字通り，当事者の問答により契約が締結されるもので，一方の当事者が「汝は誓約するか？」と問い，もう一方の当事者が「私は誓約する」と答えた。そして，裁判手続として，目的物やそのシンボルに触れ，一定の文言に沿って権利を主張しながら進行する法律訴訟というものがあった。この法律訴訟でもう１つ特徴的なことは，裁判過程が２段階に分かれ，国家権力は訴訟が成立するか否かを判断する第１段階にしか登場しなかったことである。現在の裁判官は裁判の全過程に関与していることと比べると，このようなローマの裁判のあり方は異質である。裁判の２段階構造は後の新しい裁判手続である方式書訴訟（☞本章２（3））にも引き継がれる。

共和政が始まるのは紀元前509年からである。ローマ国内では貴族（パトリキ）と平民（プレブス）の対立，すなわち，身分闘争が起こった。この闘争の成果として，平民の権利保護を任務とする護民官が設置された。そして，紀元前449年に12表法が民会で法律として制定された。12表法は，古来の慣習を成文化したものであった。これにより，それまで貴族に独占されていた法知識が公開され，法的安定性がもたらされた。「市民法は，法律，平民会議決，元老院議決，皇帝の命令，学者の権威から生じるものである」（パピニアヌス『学説彙纂』第１巻第１章第７法文）と言われ，法律である12表法は市民法の１つであった。この他にも平民会（平民により構成される議会）の議決を国法と認めるホルテンシウス法が紀元前287年に制定された。

さて，上記の12表法は，厳格に解釈され，運用された。紀元後２世紀の法学者ガイウス（☞本章５）は，その様子を次のように伝えている。

> そこで，切断された葡萄（ぶどう）の樹について訴訟を提起し，その訴訟で葡萄の樹という言葉を用いた者は，葡萄の樹についての訴訟を提起できる根拠となっている12表法が一般に樹木の

切断について述べているので，樹木という言葉を用いなければ敗訴したと伝えられる。（『法学提要』4-11）

このようにごく小さなミスでも敗訴になるほど，市民法の運用は厳格であり，柔軟性を欠いていた。また，もう１つの不便さは市民法の属人性にあった。つまり，市民法はローマ市民にだけ適用されるものであった。しかし，これらの特徴は，社会の変化の中で，殊にローマがその支配領域を拡大する中で不便なものとなった。

そこで，新たな法の発展に寄与したのが法務官である。法務官は，紀元前367年に置かれ，裁判の第１段階を主導した。その後，ローマ人と外国人との訴訟を専門に扱う外国人係法務官が置かれ，ローマ人の裁判を扱った従来の法務官は市民係法務官と呼ばれた。法務官は，法の素人であり，任期１年で報酬もなかった。しかし，法務官への就任は，将来，高級政務官に就任するための重要なステップであった。次項で法務官の活躍を見てみよう

（３）ローマの拡大と法の変容，法務官の活躍

イタリア半島の一都市でしかなかったローマは紀元前３世紀前半に同半島を統一した。この後も勢力を拡大し，最終的には地中海世界全体を支配することになる。また，これに伴いローマは農業国から商業国へと変わる。

この変化は法にも影響を及ぼした。ローマ市民と非ローマ市民の取引が増え，その結果，両者の間の法的紛争も増加した。しかし，先に述べたように市民法はローマ市民間の紛争にしか適用することができず，また，ささいな言い間違えも許されない厳格さは，ラテン語をよく理解できない非ローマ市民にとって不利に働いた。そこで，前項でも述べたように，従来の法務官に加え，紀元前242年に外国人係法務官が設置され，ローマ市民と非ローマ市民，あるいは非ローマ市民同士の紛争を専門に扱うこととなった。彼らの功績は，古い厳格な法律訴訟に代え，新たな訴訟として「方式書訴訟」を作り上げたことである。これにより，厳格な文言のやりとりは不要となり，主張の内容などを盛り込んだ方式書を作成することで訴訟を進めることができた。方式書訴訟は後に市民係法務官の訴訟でも認められるようになった。

方式書訴訟も法律訴訟と同じく2段階の手続であった。前項で述べたように，法務官は現在の裁判官とは異なり，訴訟の全過程に関与せず，第1段階の法廷手続においてのみ裁判を主導する。この段階で法務官は，当事者の話を聞きながら訴訟が成立するか否かを判断し，第2段階の審判人に審理内容を指示する方式書を作成する。方式書には，審判人の指定，請求，請求の原因，抗弁，判決の指令などが記載される。その後，訴訟は第2段階の審判人手続に移り，今度は審判人が方式書に従って証拠調べを行い，判決を下すことになる。

法務官は，自分の任期開始前に予め告示を発表し，任期中の裁判の方針（どのような方式書を使うか）を示した。これを法務官告示と言う。法務官は，自分だけでなく前任者の方式書を継承し併せて発表することで権利保護の連続性と法的安定性を提供した。この方式書は蓄積され，やがて一群の法，つまり法務官法となる。法務官法は名誉法や万民法とも呼ばれた。

法務官は法学者の助言を得ながら活動した。そのため法学者を通じてギリシア哲学の影響を受けることもあった。例えば，「法は善および衡平の術である」（ケルスス『学説彙纂』第1巻第1章第1法文）や「正義は各人に彼の権利を分配する恒常不断の意思である」（ウルピアヌス『学説彙纂』第1巻第1章第10法文）と言われるが，これらの善，衡平，正義などの概念はローマの法学者がギリシア哲学から学んだものである。そして，法務官も，彼らのアドバイザーである法学者を通じて，こういったギリシア哲学を取り入れ，方式書の中で信義誠実や衡平（一般条項的なもの）に基づいて判決を下すように指示することもあった。

法務官は，こういった概念を使って厳格で硬直的な市民法を現実の必要に合わせて修正し，新たな法を創造した。この点について「法務官法は，公の利益のために，市民法を補助し，あるいは補充し，あるいは修正するために，法務官が導入した法である」（パピニアヌス『学説彙纂』第1巻第1章第7法文）と言われる。ローマにおける市民法と法務官法・名誉法の関係は，ちょうどイギリスにおけるコモン・ロー（☞**第4章コラム8**）とその厳格さを緩和したエクイティに似ている。

法務官法が重視したのは，例えば，先述のような信義誠実や衡平の考慮である。また，特に外国人係法務官は，市民法に縛られず，商慣習などを参考に万民法を形成した。「万民法はすべての人類に共通である」（『法学提要』第1巻第

２法文第２節）と言われるように，非ローマ市民にも適用された。それにより，例えば，無方式の契約が認められるようになった。すなわち，従来の問答契約に加え，当事者の合意のみで契約が成立する諾成契約や，（当事者の合意と）物の引渡により成立する要物契約が認められた。また，従来の握取行為に加え，引渡だけで所有権が移転するようになった。

（４）法学者の役割

上述のように，法学者は法務官のアドバイザーとして活躍した。またそればかりでなく，訴訟当事者や審判人にも助言することもあった。いずれにせよ彼らは国家から独立した自由な立場で活動していた。

法学者の中にはギリシア哲学の影響を受けたものもいた。彼らはギリシア人から，種・類などの概念を学び，法の体系化に努めたり，自然法や衡平の思想を取り入れ，実質的正義を追求しようとした。例えば，ストア派の理論を受容したのは全18巻の『市民法』を残したクィントゥス・ムキウス・スカエウォラ（前140頃-前82）である。彼は，実定法を越えた正義を求め，信義誠実に基づく解釈を重視した。また，懐疑派の影響を受けたのはセルウィウス・スルピキウス・ルフス（前106頃-前43）である。彼は，人間の認識能力に限界があることを重視した。例えば，遺言において，被相続人の意思表示が曖昧（あいまい）であった場合，被相続人はすでに死亡しており，当人が遺言に込めた特別の意思は確かめようがないので，遺言の文言は当該社会の通例の意味で解釈するべきである，とした。

3　キケロの自然法思想

（1）キケロとローマの政治

キケロ（前106-前43）は共和政末期に活躍した。彼は，若い頃，ローマやアテナイで弁論，哲学などを学び，エピクロス派，懐疑派，ストア派の思想を吸収した。また，法については，スカエウォラ（☞本章２（４））に学んだ。政治の世界では紀元前80年に独裁官スラ（前138-前78）を相手とする裁判の弁護で勝利して名声を得たり，紀元前66年には法務官，紀元前63年には執政官の地位に就いたりした。また同じ頃，国家転覆を謀るカティリーナを論駁し，「祖国の父」と言われ尊敬を集めた。さらに，紀元前44年にローマの共和政を破壊しようとしたカエサル（前100頃-前44）が殺害された後，キケロは元老院で共和政の守り人としてオクタヴィアヌスを援護した。しかし，翌年に殺害された。

このように政治家，弁論家，文筆家として多彩な顔をもつキケロは，著作も様々な分野にわたる。弁論術に関する『弁論家について』（前55年），政治に関する『国家について』（前51年），『法律について』（前52年執筆開始），哲学に関する『義務について』（前44年），また『カティリーナ弾劾演説』（前63年）などの法廷や政治集会での弁論や弾劾の記録がある。

（２）国家，法についての思想

キケロは，共和政末期にカエサルが元老院を無視し，権力を掌握しようとしたことを強く批判した。キケロは，国家を「国民の物」と言い，国民を「法への同意と利益の共同によって結合された多くの人々の集団」と定義した（『国家について』第１巻第25節）。キケロによれば，国家は，専制君主のものではなく，国民すべてのものである。すなわち，共和政の尊重である（キケロの政体論については☞本章コラム３）。

また，キケロはストア派の法理論を継承している。キケロによれば，真の法とは，正しい理性，自然と一致するものであり，すべての人に適用され，永久不変である。また，法の分類として，個別の国家に固有の市民法と，あらゆる国家に共通する万民法を区別している。

このように法は自然との結合において正しさを保障されるものである。したがって，仮に国民自身がを受け入れるようなことがあっても，悪法は法ではない。キケロは次のように言う。

> たとえ彼ら〔国民〕がなんらかの有害な規則を受け入れたとしても，それを法律――それがどのような形のものであれ――と呼ぶことはできない。したがって，法律とは正と不正の区別，すべての事物のうちもっとも古く最初のものであるあの自然に即して表現された区別のことである。（『法律について』2-5）

このようにキケロは法や正しさを自然と結びつけており，法の構造について

〈コラム3〉 古代ローマ（キケロ）の共和政

共和政期ローマで政治を動かしていたのは元老院，政務官，民会である。元老院議員になれるのは政務官を経験した者であり，彼らが現役の政務官に助言を行った。政務官には大きな権力をもつ執政官や法務官などがあり，元老院の助言を受けて政治活動を行うが，拒否権を行使することもできた。また，護民官は，民衆の権利を侵害する政務官の政治活動や元老院に対して拒否権を発動した。民会は各政務官の選出母体であり，立法に関わる権利もあった。このように各機関が相互に抑制し合うことで国民の権利や自由が守られた。

しかし，共和政末期には，元老院を擁護する閥族派と平民会の平民派の対立に見られるように，このような政治システムが不安定になった。そのような時代を生きたキケロが説く国家のあるべき姿にはかつての共和政ローマがある。本文で述べた通り，キケロによれば，国家は国民の物，共通の法と利益をもつ人々の物である。したがって国家における法や利益は一人の人や一部の人々にだけ共有されるものであってはならない。為政者もこの法と利益を守らなければならない。キケロは王政，貴族政，民主政の3つの政体を挙げるが，これらのいずれか1つに政治を任せることはしない。なぜなら，王はいずれ僭主になり，貴族は党派性を帯び，民主政は混乱した群衆へと変化する。これが繰り返されるのは自然の理であり必然だからである（政体循環論）。このような不安定な政治から脱するためキケロは3つの政体の要素（王政の命令権，貴族政の権威，民主政の自由）を合わせた混合政を最善の政体とする。このようなキケロの混合政体論は共和政期ローマの政治システムそのものである。なお，政体循環論や混合政体論はキケロにのみ見られるものではない。古代ギリシアの歴史家ポリュビオス（前200頃-前120頃）も6つの政体を区別し政体循環説と混合政体論を唱えた。

後の時代にアリストテレスやキケロの思想をもとに共和主義の思想が作れられた（☞第5章コラム12，第9章1（2），第10章1（3））。現代でもポーコック，スキナー，ペティット，ヴィローリ，サンデルなどが共和主義に注目する。もっとも，彼らが重視するポイントは一様ではない。為政者や市民の徳，支配に対する自由，法の支配，市民の政治参加，祖国愛を強調する者もある。豊富な内容を含む古典から私たちが学ぶことは多い。

ストア派から学んでいることがよくわかる。

4　セネカの国家，法に関する思想

紀元後1世紀はイベリア半島出身者が政治や文化で活躍するようになった。

〈コラム4〉　トピカ的思考

古代ギリシアおよび古代ローマの政治集会や法廷において弁論は重要な技術である。第1章でもアゴラでの討論を舞台に展開されるギリシアの民主政，弁論の教師としてのソフィスト，そしてソクラテス裁判が紹介された。本章でもキケロやセネカは弁論に秀いでることで出世したことに触れた。アリストテレスの『弁論術』『トピカ』やキケロの『弁論家について』には弁論の技術がまとめられている。現代でも法の世界でこれを再評価したのがフィーヴェク『トピクと法律学』(1954年)であった。

弁論の技術の1つとして，他者を説得するために「一般に承認されている意見(単数形トポス，複数形トポイ)」が使われた。これは大きく2種類に分けられる。1つは熟練を要するものであり，もう1つは熟練が不要のものである。後者は「当該分野の専門家の意見に従うべし」という比較的単純なものである。以下で前者について詳しく説明しておこう。

熟練を要するものは，相関，類似，対立といったトポスを使って命題が作られる。例えば，「AがBに帰属するならば，Bと似たCにもAが帰属する」とか「対立するものは帰結においても対立する」などである。これを実際の法的問題に適用すると次のようになる。例えば「売主は神を祭るための道具を売ることはできない」とする法律があるとしよう。「この法は買主にも適用されるか」と問われた時，相関関係のトポスを使って「相関関係の相手方である買主にも適用される」と言える。また「神を祭るための道具でない場合には適用されるか」と問われれば，対立のトポスを使って「神を祭るためのものではない道具の売買は禁じられていない」と言える。

もう1つ莫大損害の問題を見ておこう。ローマ法では，土地の売買の際，売主が適正な価格の半額未満で売ってしまった場合，売主は，契約を取り消して土地を返してもらえたり，あるいは適切な額になるよう売価を上げることができた。そこで「この法は，売主だけでなく，買主にも適用され，適正な価格よりも高額の値で土地を買ってしまった買主も契約を取り消すことができるのか」が問題となった。例えば，中世の法学者たちは，類似のトポスを使って「買主も売主と類似した立場に置かれているのだから，この法を買主にも適用して，買主も契約を取り消すことができる」と考えた。確かに，これは1つの結論であるが，しかし，別のトポス，例えば対立のトポスを使って「法は売主についてのみ規定しており，買主については規定していないから，この法は買主には適用できず，買主は契約を取り消すことはできない」という結論も可能であった。

この莫大損害の例のように，あるトポスを使ってある結論を導き出すことはできるが，別のトポスを使えば別の結論を導き出すこともできる。結論が複数ある場合，トポスを使ってなんらかの結論を得ても，その結論が妥当であるかまでは決められない。これを決めるにはまた別の基準が必要である。そこで近世以降は実質的な論拠に基づいた判断が重要であると考えられるようになった。莫大損害の問題で言えば，近世であれば衡平思想や等価性が重視された。例えば，近世自然法論者であり，『戦争と平和の法』（1625年）などを著し，「国際法の父」とも言われるオランダのグロティウス（1583-1645）は，双務契約における平等性を重視し，契約正義を追求した。また，18世紀であれば契約自由の思想が結論の正否を決める論拠となった（☞第７章）。

セネカ（前４頃－後65）もスペイン出身であるが，ローマへ移り，弁論，法律，哲学を学んだ。その後は，財務官などの要職に就いた。しかし，39年と41年にそれぞれ父と息子を亡くし，41年には姦通の嫌疑がかけられ，コルシカ島に流刑された。ようやく49年に赦免を受け，幼少期のネロ帝（在位54-68）の家庭教師となり，また法務官にも就任した。ネロ帝はセネカの指導を受け，「ネロの５年間」と言われる善政が行われたが，59年にネロ帝が母親を暗殺し暴政が始まると，セネカは引退を申し出た。65年にはセネカはネロ暗殺計画の嫌疑をかけられ，自決を命令され，死去した。著書には，家族の死や流刑を背景に書かれた『怒りについて』（41年頃）や，『心の平静について』（53年頃），『賢者の恒心について』（55年頃），そして，晩年の60年代に書かれた『摂理について』『倫理書簡集』などがある。

このようにセネカの生涯は波乱に満ちたものであった。上記の彼の著作には不幸な運命にいかに向き合うべきかについてのメッセージが多く含まれている。それは，感情のコントロールを重視するストア派の思想の影響を強く受けたものであった。例えば，セネカは『倫理書簡集』の「書簡107」で，宇宙の法則，自然と合致して生きていくことで，人生において降りかかる偶然の苦難に耐え，魂の平静さを保たなければならない，と言う。さらに『幸福な生について』（58年頃）の一節で次のように言う。

> さしあたりは，すべてのストア派の人々のあいだで意見が一致している点，すなわち，その教義に言う「自然」には賛同する，と言っておこう。英知とは，自然にもとらないこと，自然の理に従い，自然を範として自己を形成することなのである。／したがって，幸福な生とはみずからの自然（の本性）に合致した生のことであ〔る〕。（『幸福な生について』3.3）

ここでセネカは，ストア派が言う自然に合致した生き方に賛意を示している。また，人はみな同じ1つの自然に服するということから，以下のように人間の平等やコスモポリタニズムもセネカの認めるところである。

まず，平等について，セネカによれば，主人も時には奴隷から恩恵を受けることは明らかであるので，奴隷が低く見られることはおかしい。人間はみな同じ始まりと同じ起源をもっており，誰かがより高貴であるということはなく，人間のすべてに共通の親は宇宙である。

また，国家を越えたコスモポリタニズムについてもセネカは次のように言う。

> ここで二つの国家を心に描いてみよう。一つは，大きく，真の意味で共同のもので，そこには神々も人間も包摂され，そこではわれわれが目をやって問題にするのがこの僻隅（へきぐう），あの僻隅というものではなく，われわれのその共同体の境界を太陽で測る国家である。もう一つは，われわれが偶然の生によって割り当てられた国家である。これはアテーナイ人やカルターゴー人のそれであったり，あるいは，どこか別の都市（国家）のそれであったりするだろうが，ともかく，万人にかかわる国家ではなく，特定の人々にかかわる国家である。(『閑暇について』4.1)

最後にセネカが国家や法の起源・性質についてどのように考えていたかを確認しておこう。セネカは人間が欲に溺れる以前と以後とを区別して論じる。この方法は後にアウグスティヌスが採用するところとなる（☞第3章1（3））。

セネカは『倫理書簡集』の「書簡90」で国家や法について，およそ次のように述べている。はじめ人間は，連帯して共同社会を営み，幸福に生きていた。政治も，自然の掟に従って，優れた者（賢者）に委ねられた。この統治者は，人々の生活に配慮することに努め，自らの力を誇示したりすることはなかった。しかし後に，人間の貪欲（所有欲）によって，この連帯は引き裂かれていく。王の心に悪徳が忍び込み，あらゆるものを我がものとし，支配しようとして，独裁が始まる。これを是正するために必要とされたのが法律であった。例えば，平等を実現するためにソロン（前640頃-前560頃）やリュクルゴスなどの賢者が立案した法律である。このように法律は人間の欲望が生み出したものである。

〈コラム５〉　近世の新ストア主義――リプシウス

古代ストア派の思想は近世のユストゥス・リプシウス（1547-1606）にも大きな影響を与えた。リプシウスが活躍したのは宗教対立が激しい時代である。1517年，ルター（1483-1546）が「95箇条の論題」を提示したことにより宗教改革が始まり（☞第４章），各国の諸侯らはカトリックとプロテスタントに分かれ対立した。教会はますます暴力的になり，無秩序が訪れようとしていた。このような混乱の時代にリプシウスは新たな規範・秩序を求め，それを古代ストア派の思想に見たのである。彼は，文献学者であり，その著作にはプラトン，アリストテレス（☞第１章），ローマの歴史家タキトゥス（55頃-120頃），本章のキケロ，セネカなどの言葉が数多く引かれている。特にタキトゥスとセネカが多い。

リプシウスは，ケルンのギムナジウムで学び，後にルーヴァン大学で法律学を学んだ。その後，ローマでタキトゥスの書に触れ，文献学・歴史学・政治学を学んだ。そして，ルター派のイェーナ大学，カトリックのルーヴァン大学，カルヴァン派のレイデン大学，最後に再びルーヴァン大学で教えた。リプシウスはもともとカトリックだが，イェーナ大学ではルター派に，レイデン大学ではカルヴァン派に改宗した。また，１度目のルーヴァン大学ではイェーナ大学時代に行った反カトリックの演説が出版されてしまい，身を危険にさらした。２度目にルーヴァン大学に赴いた時にはカトリックに改宗している。彼の代表的な著作は，『恒心論』（1584年），『政治学』（1589年）であり，そこでは節度，紀律，克己などの精神が説かれる。彼の書は官僚制の整備や軍隊の紀律化にも有用と見られ，政治や軍制の改革に携わる人たちにも参考にされた。

リプシウスは，セネカ『倫理書簡集』の「書簡66」を引きながら，理性を賞賛し，理性による肉体の支配を説く。人間にとって，宇宙，神，自然，理性に合致して生きることこそ大事であり，害悪や誘惑に惑わされずに心の安定を得なければならないと言う。もっとも，古代ストア派とリプシウスには相違点もある。例えば，古代ストア派は運命や不安に対して超然たる態度でいることを説くが，リプシウスは情念を理性で統御・抑制し，不安をぬぐい取るべきであると言う。また，古代ストア派は個人に降りかかる運命に対して安心立命を得ようとしたが，リプシウスは，戦争，ペスト，飢饉など，国家や社会に関わる出来事に対する個人の心のありようを述べた。さらに，古代ストア派は神を宇宙，自然，理性と同視したが，リプシウスにとって神はキリスト教の唯一絶対の神であった。

セネカは，このような欲深い生活とは反対の質素な生活を高く評価し，次のようなエピソードを紹介する。キュニコス派のディオゲネス（☞本章１（２））は，杯を使わなくとも水をおいしく飲むことができると言って杯を壊してしまったり，家ではなくただの甕（かめ）の中で生活したりした。肉体の世話を簡単に済ませる人，つまり衣食住に贅沢しない人が賢者である。セネカによれば，賢者は，自然と真理を探求し，人生を律する法を追求し，普遍の秩序に従い，偶然の出来事をも受け入れる人であった。

5　ローマの法思想②——共和政期以後

紀元前27年からアウグストゥスが政治を主導した。この時代は元首政と呼ばれる。共和政を尊重しつつも，実質的にはアウグストゥスの帝政であった。さらに，彼の死後もネロ帝の暴政を間に挟みながらも五賢帝の時代が続くなど，政治的に安定した時代が訪れた。

この時期に法形成を主導したのは，前時代の法務官に代わり，皇帝であった。法務官の告示は徐々に変更されなくなり，ハドリアヌス帝（在位117-138）により130年頃に『永久告示録』として固定化された。こうして法務官による法形成は行われなくなってしまった。その反面，勅法（皇帝の命令）が大きな影響力をもつようになった。また，裁判も，方式書訴訟に代わり，特別審理手続が現れ始めた。これは，皇帝あるいは官吏により一貫して行われる裁判で，法律訴訟や方式書訴訟のような２段階ではなく，国家権力が全過程に関わるものであった。また，法学者は法的問題に対する「解答権」を皇帝より与えられ，その解答は，法的拘束力はなかったが，ひときわ高い権威を認められることになった。ただ，自由に活動した前の時代と比べて，法学者は国家との関わりを強めることにもなった。

この時期に形成された２つの学派がある。１つはサビヌス派である。同派は，ストア派の自然法論の影響を受け，信義誠実や衡平，実質的正義を重んじた。サビヌス（後１世紀）のほか，ガイウス（後２世紀）やパウルス（後３世紀）などがいる。そして，もう１つがプロクルス派である。同派は，現実を超えた客観的なものの存在を疑う懐疑派の影響を受け，形式と論理を重んじた。プロクルス（前20/10-後50/70）のほか，パピニアヌス（150頃-212）やウルピアヌス（-223没）などがいる。両派の考え方をいくつかの点から見ておこう。

（1）自然法，万民法，市民法の意味

まず，自然法，万民法，市民法の意味の違いである。特に前２者の関係について，ウルピアヌス（プロクルス派）は対置するが，ガイウス（サビヌス派）は一致させている。

まず，ウルピアヌスは，自然法を，人間も含めた動物の法だと言う。それは，メスとオスの結合（人間で言えば婚姻），また子の出産と養育である。他方，万民法は，この自然法と対置させられ，人間にのみ関わる法であるとされる。

次にガイウスの見解を彼の『法学提要』の一節から見てみよう。

> 法律と習俗に支配されるすべての国民は，ある場合には自己に固有の法を用い，ある場合にはあらゆる人びとに共通の法を用いる。すなわち，ある国民が自己のために制定する法はその国民に固有の法であり，あたかも自己に固有の法であるかのように市民法と呼ばれる。これに対して，自然の理がすべての人びとの間に定める法はすべての国民において等しく遵守され，あたかもすべての民族がその法を用いるかのように万民法と呼ばれる。（『法学提要』1-1-1）

このようにガイウスによれば，万民法は自然法と結びつけられたものであり，自然法および万民法と対置されるのが市民法である。内容から見ると，自然法および万民法はあまねくすべての人々に妥当するが，市民法は特定の人々にしか妥当しない。例えば，ガイウスの『法学提要』によれば，問答契約において，「汝は誓約するか？」「余は誓約する」という誓約（ラテン語）が市民法であり，その他の用語（ギリシア語）によるものが万民法である。このように，自然法と結びついた万民法は普遍的妥当性を与えられたものとなっている。

時代を遡(さかのぼ)れば，この分類はアリストテレス（☞第１章３（1））に行き着く。アリストテレスは，自然法を「いたるところにおいて同一の妥当性を持〔つ〕」もの，人為的な法（市民法）を「こうであってもまたはそれ以外の仕方であっても本来は一向差支えを生じない」もの，つまり国によって異なってもよいものと言う（『ニコマコス倫理学』第５巻第７章（1134b））。ストア派を介して，キケロやガイウスもこの区別を採用し，法を，あらゆる市民に共通の法と特定の市民の法に区別した。

（2）具体的な問題①——代物弁済の問題

また，売買と交換，加工，行為能力と権利能力，代物弁済などに関する議論でも両派の違いがみられる。これらのうち代物弁済を見てみよう。代物弁済とは，例えば，借金をした債務者が金銭の代わりに物を給付するように，本来の債務に代えて他の給付をして債務を消滅させることである。実質を重視するサビヌス派は，履行とは債権者に満足を与えるものであるから，代物弁済によって債権者が満足を得られるのなら，当該債権は消滅する，と言う。これに対して，形式を重んじるプロクルス派は，履行とは予め約束された内容を実現することであるのだから，代物弁済によっても当該債権は消滅しない，と言う。

（3）具体的な問題②——危険負担の問題

しかし，このような違いも後代の両派の法学者たちの間では徐々に小さなものになった。例えば，ワインの売買契約における危険負担の問題に関して，当時ライバル関係にあったパウルス（サビヌス派）とウルピアヌス（プロクルス派）の見解を見てみよう。

古代ローマにおいてワインは，ワイン農家にある壺に貯蔵されたまま売買契約された。買主は，契約後，3日間の間に試飲することができた。この後，売主は壺からワインを計り分け買主に引き渡した。では，契約から引渡の間，樽の破損などによりワインが滅失したり，酸化や菌によりワインが変質・腐敗・劣化したりした場合，その危険は誰が負担するか。

伝統的な考え方によれば契約時に危険は買主に移転し，買主が危険を負担する。すなわち，危険負担の債権者主義である。

しかし，これでは買主に酷ではないかということで，危険の移転を契約時ではなく引渡時に修正する考え方が主張された。これがパウルスの立場であった。実質的正義を重んじるサビヌス派らしい考え方である。

次にウルピアヌスの見解であるが，確かに，彼も一般的には買主が危険を負担すると言い，伝統的な原則を考慮している。しかし，契約から引渡まで一定の期間があるワインの売買に関しては，その特殊性を考慮して，この原則を修正し，例外的に売主の負担となる場合があるという。1つは，一定期間の危険を売主が引き受ける旨の特約がある場合である。もう1つは，そのような定めがない場合でも，危険の移転時期を契約時から少し後にずらして買主を過度な負担から解放しようとした。ただ，パウルスのように引渡時とするのは一般的ではないので，ウルピアヌスは試飲時としたのである。買主は試飲の期間が過ぎてから危険を負担する。このようにプロクルス派であるウルピアヌスも，原則を考慮しつつも，必要に応じてそれを修正している。

以上のワイン売買の危険負担の問題では，サビヌス派のパウルスも，プロクルス派のウルピアヌスも，伝統的な原則に固執することなく妥当な結論を得ようとしている。

なお，特定物売買の危険負担に関する債権者主義はフランス民法を介して我が国の民法にも引き継がれた（旧534条）。ただし，2020年４月１日の改正法施行で同条は削除されている。

6　ローマ法のその後

235年から軍人皇帝の時代が始まり，284年にディオクレティアヌス帝が皇帝になってからローマでは専主政が始まる。この時代から法学者は支配の道具となり，法学は衰退していった。

この時代には法形成は勅法の形で皇帝によりいっそう主導されるようになった。その反面，法学者には過去の学説を理解し，援用する能力がなくなった。426年に制定された「引用法」がその様子を物語っている。まず，この法によれば，法的効力をもつと認められる過去の学説は，パピニアヌス，パウルス，ガイウス，ウルピアヌス，モデスティヌス（３世紀）の著書と，その中で引用されるものだけに限定される。これらの学説で意見が分かれた場合には多数意見を採り，同数の場合にはパピニアヌスの意見に従う。このように学説の効力は，法学者による自由な解釈ではなく，機械的な手続によって決められることとなった。

その後のローマ帝国は，375年からゲルマン諸部族の侵入を受け，395年に東西に分裂し，476年にはついに西ローマ帝国が滅亡する。以後，ローマ法も西ヨーロッパからしばらく忘れられることとなる。

これに対して，東ローマ帝国（ビザンツ帝国）は15世紀まで存続した。そして，ローマ法はここで生き延びることになる。東ローマ帝国の皇帝ユスティニアヌス（在位527-565）の力は強大で，彼は分裂していたローマを一時再び統合し，かつての大帝国を復活させたこともあった。彼はまた，宗教の世界も自らの支配下に置き，2つの権力が並び立つヨーロッパとは異なる皇帝教皇主義を実現した。そして，武器だけでなく，法においても権力を強化しなければならないとし，6世紀半ば，古代ローマの法学説を集めた『学説彙纂（いさん）』，初学者用の教科書である『法学提要』，皇帝の命令を集めた『勅法集』『新勅法集』から成るユスティニアヌス法典を完成させたのだった。

ま と め

本章では，まずヘレニズム時代において変容したギリシア哲学を確認した。ストア派は，運命への対応として，自然に従って生き，アパテイアに達すること，また人間は同じ1つの自然に服する存在であるゆえに平等であること，さらに個々の国家を越えた世界市民であること（コスモポリタニズム）を説いた。エピクロス派は，快楽を肯定し，心身の不安を取り去ることでアタラクシアに達すると説いた。懐疑派は，人間の認識能力の限界を認め，善悪や正不正の客観性を疑った。

次に，このようなギリシア哲学を受容しながら発展したローマの法思想を確認した。特にストア派の理論は，スカエウォラ，サビヌスやガイウスなどのサビヌス派に継承され，信義誠実や衡平を重視するものであった。他方，懐疑派の理論は，ルフス，プロクルスやウルピアヌスなどのプロクルス派に継承され，形式や論理を重視するものであった。また，自然法や万民法の意味についても，ギリシア哲学から学んだが，論者により違いも見られた。ガイウスは，自然法と万民法を結びつけ，これらを個々の市民を越えた普遍的妥当性をもつ法と考えた。これに対して，ウルピアヌスは，自然法と万民法を対置し，自然法は人間を含めた動物すべてに妥当する法，また万民法を人間固有の法とした。

さらに，キケロは，ストア派と同じように，自然法と市民法の法構造を構想し，セネカは，ストア派の禁欲思想に学びながら，人間の堕落の以前と以後を区別する国家論・法理論を考えた。

ローマ法の行方は東西ローマで異なったものとなる。西ローマ帝国では，その滅亡とともに一旦忘れられてしまった。それに対して，東ローマ帝国では皇帝ユスティニアヌスにより『学説彙纂』などから成る法典が作られた。

この後，西ヨーロッパで再びローマ法が注目されるのは12世紀である。『学説彙纂』がイタリアのボローニャ大学で研究され始める（☞第３章２（１））。その後ローマ法はヨーロッパ各地に広まり，各国の法文化の基礎となった。それは遠く近代ドイツにも大きな影響を及ぼすことになる（☞第７章）。

◆参考文献

ベーレンツ，オッコー（河上正二訳著）『歴史の中の民法』（日本評論社，2001年）
ローマ法（学）について現行法と関連づけながら解説する。適宜，哲学との関係やローマ法文も紹介されている。また，訳者による「補講」などは日本民法とも関係づけられており，歴史的コンテクストの中で民法を学ぶことができる。

山本光雄『ギリシア・ローマ哲学者物語』（講談社，2003年）
難解な哲学も，哲学者の人となりや，エピソードを手がかりに接近すると，身近なものになる。本章との関係では，ヘレニズム期の哲学者たちのプロフィールや思想の特徴を知るのに有益である。また，本書第１章で登場する哲学者たちも取り上げられているので，参考にしてほしい。

マンテ，ウルリッヒ（田中実・瀧澤栄治訳）『ローマ法の歴史』（ミネルヴァ書房，2008年）
王政から共和政を経て帝政にいたるまでの古代ローマの法制度について簡潔に解説している。ローマ法史の勉強に最適である。例えば，所有権の移転や契約の締結のあり方や訴訟の変化などについて，通史的に理解することができる。

第3章　自然法思想とキリスト教
――アウグスティヌスとトマス・アクィナス

本章では２人の神学者の法思想を扱う。１人はアウグスティヌス（354-430）であり，もう１人はトマス・アクィナス（1225頃-74）である。いずれも中世において古典古代の知的遺産（☞第１章，第２章）を継承しながらキリスト教の法思想を発展させた。

ただ，彼らの活躍した中世は，およそ５世紀末から15世紀にまで及ぶ長い時間である。それゆえ両者を取り巻く状況はかなり異なっている。特に世俗国家とローマ・カトリック教会の関係は中世を通じて大きく変化していく。

以下では，まずアウグスティヌス，次にアクィナスの順に，それぞれが活躍した時代背景を押さえながら，彼らの法と国家に関する思想を見ていこう。

1　アウグスティヌスの保守的自然法思想

（１）キリスト教とローマ帝国およびフランク王国

イエス（前７頃／前４頃－後30頃）は，隣人愛や唯一絶対の神のみを認める一神教を説き，ローマ帝国の支配下で抑圧されていた民衆の支持を得るようになった。しかし，彼はローマ帝国に反逆したかどで紀元後30年頃に処刑されてしまう。その後，ペテロ（-64頃）やパウロ（-60以後）など彼の弟子たちがイエスの教えを広めるべく活動を始め，キリスト教が成立した。しかし，多数の神々を認める多神教であるローマ帝国は容易にはキリスト教を認めなかった。ネロ帝やディオクレティアヌス帝（☞第２章２（１））の迫害は有名である。帝国の圧力を受けながらも，次第にキリスト教は民衆の間に広まり，コンスタンティヌス帝（在位306-337）が313年にミラノ勅令によって容認し，さらにテオドシウス帝（在位379-395）が392年に国教化した。

476年に西ローマ帝国が滅んだ後，続いてゲルマン諸部族がヨーロッパ各地で王国を建設した。その中でもフランク王国は強大な力を得て広範な領域を支配するようになった。そして，フランクの国王たちは，支配の正統性を獲得するためにキリスト教との関係を強化した。すなわち，メロヴィング朝を開いたクローヴィス（在位481-511）は，他のゲルマン諸部族が異端のキリスト教・アリウス派であったのとは異なり，496年に正統派のアタナシウス派に改宗した。時代は下り，カロリング朝を開いたピピン３世（在位751-768，小ピピン）は，いわゆる「ピピンの寄進」により，イタリア北東部のラヴェンナを教皇に献じ，それが教皇領となった。また，ピピン３世は，その子であるカール大帝（在位768-814）とともに，教皇より塗油（人や物に油を塗る儀式）された。さらにカールは800年に教皇よりローマ皇帝の冠を与えられた。こうしてフランクの国王たちはキリスト教会に接近することで自らの支配の正統性を得たわけだが，これに対して教会側が欲したのは国王たちによる保護であった。

キリスト教がヨーロッパの政治世界に徐々に浸透していく中で，キリスト教の教義を哲学的に基礎づけようと尽力したのが教父であった。本節のアウグスティヌスもその１人である。彼らの研究の関心は国家や法にあり，ストア派の理論（☞第２章１（２））が利用された。ストア派の理論とキリスト教の思想は，世界市民主義的な精神をもち，また人間の平等や禁欲を重視する点で共通している。反対に相違点は，ストア派が宇宙，自然，理性の客観的な秩序を構想したのに対して，教父たちは神により創造された秩序を構想した点である。

（２）キリスト教への回心

重要な教父の１人であるアウグスティヌスは，354年，ローマ帝国領内の北アフリカのタガステに生まれた。父は市参事会に勤務し，母は熱心なカトリック信者であった。両親はアウグスティヌスの出世に期待しており，アウグスティヌスは，初めカルタゴで学び，後にイタリアへ渡ってローマ，次いでミラノで学び，そこで修辞学の教師となった。その後，同地で洗礼を受け，再び北アフリカに戻り，ヒッポの司祭・司教に就任した。アウグスティヌスの晩年，ゲルマン民族のヴァンダル族が北アフリカへと侵入し，ヒッポを包囲した。430年，彼は同地で死去する。アウグスティヌスの著作は，『自由意志』（395年完成)，『告白』(400年完成)，『神の国』(426年完成）など多数ある。

アウグスティヌスがキリスト教へ回心するまでには紆余曲折があった。彼が洗礼を受けたのは30歳頃である。そこに至るまでに彼を悩ませたのは肉欲に溺れる自己との戦いであった。また，人間の悪について考察する中でマニ教へ接近し，後に離反するという知的格闘もあった。これらの事情は，彼の国家論や法理論の前提となる悲観的な人間観を理解する上でも有益であると思われるので簡単に説明しておこう。

アウグスティヌスは『告白』の中である女性との関係について記している。それによれば，彼は，カルタゴで学んでいた370年頃からその女性と同棲するようになり，彼女との間に息子も生まれた。しかし，アウグスティヌスはこの女性と結婚することなく別れてしまう。女性の身分（コンクビーナ）がきわめて低く，その身分の違いゆえに婚姻が法的に許されなかったようだ。その後もアウグスティヌスは「情欲の奴隷」となり，「肉欲の習慣」に身を任せて他の女性とも関係をもってしまう。

アウグスティヌスはこのような人間の欲望に悩んだ。そこでまず彼を惹きつけたのは当時ローマ帝国内で禁止されていたマニ教であった。マニ教の思想は善悪の二元論である。魂は善であり，肉体は悪であり，人間は悪の要素である肉体から解放されるために禁欲生活を行うべきである，とされる。したがって，マニ教によるならば，悪はそもそも人間の内にあるということになる。初めアウグスティヌスはこういったマニ教の考え方に傾倒していた。しかし，悪が元々人間に存在するものであるならば，悪について人間自身の責任を問うことができなくなる。アウグスティヌスはしだいにマニ教の思想に疑問を抱くようになり，プロティノス（204頃-270頃）の新プラトン主義やアンブロシウス(333-397）の自由意志についての考えに触れることによってマニ教から離れていった。プロティノスは，プラトンの「善のイデア」(☞第1章2（2)）と同じように，世界の根源に「一者」を置き，そこから世界は善いものとして創造されたと言う。このようにプロティノスは，世界において善悪を区別するマニ教の二元論とは異なり，一元的な世界観を採る。また，アンブロシウスは，万物は本来善いものとして創られていると考えた。では，悪とは何かと言えば，それは「善の欠如」であり，その原因は人間の自由意志にあると言う。つまり，本来は善のために使用するよう神から与えられた自由意志を人間が欲望により悪用することにより「善の欠如」が生ずるのである。こうした考え方に触れアウグスティヌスは悪の原因を人間自身，人間の自由意志に求めることができるようになった。

人間の欲望について悩み考え抜いたアウグスティヌスは386年にキリスト教に回心する。彼はその場面について『告白』第８巻第12章第29節の中で次のように語っている。突然，「とれ，よめ。とれ，よめ」という声が聞こえ，その意味を「聖書を開き，最初の章を読め」との神の命令と解釈した。次の文章は，その命令に従って聖書を目にしたときのアウグスティヌスの心境である。

> それ〔聖書〕をひったくり，ひらき，最初に目に触れた章を，黙って読みました。／「宴楽と泥酔と淫乱，争いと嫉みをすてよ。主イエス・キリストを着よ。肉欲をみたすことに心を向けるな。」／私はそれ以上読もうとは思わず，その必要もありませんでした。というのは，この節を読み終わった瞬間，いわば安心の光とでも言ったものが，心の中にそそぎこまれてきて，すべての疑いの闇は消え失せてしまったからです。（『告白』第８巻第12章第29節）

本節（３）（４）で詳しく説明するが，アウグスティヌスの悲観的な人間観（欲深い人間），人間の欲望（支配欲）から成立した国家，そして人間を罰し，矯正し，秩序と平和をもたらす法という発想は，このようなアウグスティヌス自身の生き方から導き出されてきたものと言ってよいであろう。

（３）アウグスティヌスの国家論

アウグスティヌスの国家論は『神の国』の中で展開される。まずはその前提となる彼の歴史哲学を確認しよう。それは，大まかに言えば，人間は「神の国」か「地の国」のいずれかに生きており，最後の審判でいずれの国の人間であるかが判定され，「神の国」の人間には救済が与えられるというものである。

アウグスティヌスは人間の歴史を，神の創造に始まり，アダムとイブの楽園追放，罪を負った人間の生，そして最後の審判での救済で終わるものと考える。これは始まりと終わりがある直線的な時間概念である。それに対して，物事が生成・発展・成熟・没落のサイクルを繰り返すように，また，自然において四季が移り変わるように歴史を考えるのは円環的な時間概念である。ポリュビオスやキケロの政体循環論（☞第2章コラム3）もこれと同じである。一度没落しても再び生成・発展することが必然であり自然法則であるならば，人間も一度罪を犯したとしても再び正しい道へと戻るのであり，神の救済は意味をもたなくなる。アウグスティヌスはこのような円環的な時間概念を批判する。

さて，直線的な時間概念の中で「神の国」と「地の国」とが対立するわけであるが，それぞれどのような特徴を備えているのであろうか。アウグスティヌスは，「神の国」を「霊に従って生きることを選ぶ人間たちの国」，他方で「地の国」を「肉に従って生きることを選ぶ人間たちの国」と呼ぶ（『神の国』第14巻第1章)。「神の国」は，謙虚で敬虔な社会であり，神への愛がある。他方，「地の国」は，不敬虔な社会であり，自分への愛がある。「地の国」の人々が「肉に従って生きる」という意味は，不品行，汚れ，好色，泥酔，宴楽などの肉体の欲望だけでなく，偶像崇拝，まじない，敵意，争い，そねみ，怒り，論争，異端，ねたみなどの精神の悪徳も含んでいる。

これら「神の国」と「地の国」という2つの国は，それぞれ現実の教会と国家にそのまま対応しているわけではない。例えば，教会は一応不完全な「神の国」であるとされるものの，その中にも「地の国」に生きるものがいる。他方で国家にも「神の国」に生きるものがいる。したがって，現実には両者は混在しており，最後の審判で初めて区別されることになる。

ところで，最後の審判まで人間は国家の中に生きることになるのだが，アウグスティヌスは国家の役割をどのように見ていたのであろうか。国家の成立の仕方から見ていこう。もともと人間は，堕罪以前には自由で平等に愛をもって結合していた。しかし，他者を支配したいという欲望，つまり，支配欲に駆られ，自由意志を悪用し，人間が人間を支配するようになってしまった。こうして支配のために設立されたのが国家である。したがって，国家は人間の罪，支配欲が生み出したものである。その他にも，刑罰，私有財産制，奴隷制も人間の罪の所産とされる。ただ，人間の欲望が原因で成立した国家にも次のような役割が与えられている。神への愛に生きる敬虔な人々，つまり「神の国」の人々も礼拝や信仰生活のために地上の秩序や平和を必要とする。そこで強制力をもつ国家は，法で人間を矯正し，「神の国」の人々のために秩序や平和を保障するのである。このようにアウグスティヌスが国家を支配機構と考えている点について，有名な盗賊団の例を見ておこう。

> 正義が欠けていれば，王国は大盗賊団以外の何であるか。というのは，盗賊団も小さな王国以外の何であるか。盗賊団も人間の小集団であって，親分の命令に支配され，仲間同士の協定にしばられ，分捕品は一定の原則にしたがって分けられるのである。もしこの悪［人の集団］がならず者の加入によって大きくなり，場所を確保し，居住を定め，都市を占領し，諸民族を服従させるようになると，いっそう歴然と王国という名称を獲得することになる。（『神の国』第4巻第4章）

アウグスティヌスにとっては，王国と盗賊団との違いが相対化され，いずれも上位者から下位者への命令系統や分配のルールを備え，一定の領域と人々を支配する集団である点で同質である。両者はただ規模が違うだけである。

もちろん，国家に正義があれば，それは盗賊団とは異なったものになろう。しかし，アウグスティヌスは国家に正義があるとは考えていない。アウグスティヌスは，キケロ（☞第2章3（2））の国家の定義「法への同意と利益の共同によって結合された多くの人々の集団」に触れ，この中の「法への同意」とは正義があることであると言う。しかし，人間に正義があるか否かについてアウグスティヌスは悲観的に次のように述べる。

> 人間が神に仕えない場合には，その人間にはいかなる正義があると考えたらよいのか。神に仕えない場合には，魂が身体を，あるいは人間の理性が悪徳を支配することもできない。そして，もしこのような人間において，いかなる正義もないとすれば，疑いもなくこのような人間から成り立つ人々の集団においてもしかりである。（『神の国』第19巻第21章第2節）

上記の引用においてアウグスティヌスにとって，正義があるとは人間が神に仕えることであり，さらに神に仕えるとは人間の魂が身体を支配すること，つまりは理性が欲望をコントロールすることである。ところが，現実には人間の身体が魂に従うことは少ない。これでは人間はもはや神に仕えているとは言えず，そうである以上，正義も，「法への同意」も，そして，理想の国家もないことになる。このようにアウグスティヌスにとって，国家は，規模の違いこそあれ，本質的には盗賊団と同じ支配機構である。

最後に抵抗権についてアウグスティヌスの考えを見てみよう。アウグスティヌスにとって国家は強制力をもった支配機構であり，欲深く，悪に傾く人間を法によって矯正し，秩序をもたらすことを役目とした。このような国家に対する被支配者の抵抗権をアグスティヌスは認めない。古代ローマ帝国で暴政を働いたことで有名なネロ帝（☞第2章4，5）を「悪徳の頂点に上った人物」（『神の国』第5巻第19章）としながらも次のように言う。

> しかしながら，神が人の世のことをそのような支配者〔暴君〕たちにゆだねるのがふさわしいと判断したもうたときには，このような者たちにも，ただ至高の神の摂理によってのみ支配権は与えられたのである。（『神の国』第5巻第19章）

ここに見られるように，アウグスティヌスは正義に基づいて国家を変革することを認めなかった。これはドナティスト論争において国家権力による異端の排除や強制的な改宗を認めた姿勢と通底するであろう（☞本章コラム6）。

（4）アウグスティヌスの法理論

アウグスティヌスは，永久法，自然法，人定法からなる法秩序を構想している。このような法秩序の階層的な構造はストア派と似ている。ただ，その秩序の創造者としてキリスト教の神を置いている点はストア派と異なる。

まず，永久法とは秩序に関する神の理性・意志である。被造物の秩序は，存在の大小が区別された階層的な秩序である。被造物は，上位から天使，人間，動物，植物，無生物という序列の中に創造された。この秩序の中で人間は，理性をもつ「神の似姿」（『神の国』第12巻第24章）として創造され，人間以外の理性をもたない他の被造物を支配する存在である。

次に，自然法は，神の永久法が人間の内に刻印され，理性によって認識されたものである。これはまた「万物をもっともよく秩序づける正義」（『自由意志論』第1巻第6章第15節）とも言われる。自然法の内容は2種類あり，1つは「彼に彼のものを与えよ」であり，もう1つは「自分が欲しないことを他人になすことなかれ」である。例えば，「盗みの禁止」は永久法と自然法のいずれ

〈コラム６〉　ドナティスト論争とアウグスティヌス

ドナティスト論争とは「世俗権力の迫害に屈した聖職者の聖務は有効か，無効か」という問題をめぐる論争である。無効となると，その聖職者に叙品されたものや洗礼を受けたものは，その効果が否定され，仕事や生活に困難を生じる。

この論争の始まりはローマ帝国によるキリスト教迫害の時代にまで遡る。このとき世俗権力に屈した聖職者もいた。このような聖職者の聖務をめぐって有効派と無効派が対立したのであった。ドナトゥスというのは無効派の１人である。無効派は，一度教会に背いた者を「裏切り者」と呼び，その聖務の効果を否定するラディカルな立場であった。それに対して，有効派は，教会の混乱を避ける目的から，そのような聖務も有効とする穏健な立場であった。両者の調停が図られたこともあったが不首尾に終わった。そして，411年にドナトゥス派は異端とされ弾圧された。

上述の411年の出来事は，この問題に対する政治的解決であるが，宗教上の解決を与えたのがアウグスティヌスであった。彼は，聖務はそれ自体に価値があり，その価値は聖務を執り行う人間の人格とは関係がない，と主張した。したがって，聖職者が世俗権力に屈した人物であるか否かは，聖務の効果に何らの影響も及ぼさない。これは教会側の穏健的な立場と同じである。当時，キリスト教は国教となっており，ドナトゥス派のような宗教的熱狂や盲目的な道徳的理想主義ではなく，聖職者はこの世に生きる信徒に配慮して教会の組織と教義を確立する必要がある，と考えられた。

アウグスティヌスの『書簡』にはドナトゥス派に対する彼の強硬的な態度が見られる。例えば，アウグスティヌスは「言葉によって行動し，討論によって戦い，理性によって打ち勝たねばならない」と考えていたが，皇帝の勅令により，ほかならぬアウグスティヌスの故郷タガステの人々が改宗するのを見て，ドナトゥス派の改宗には国家権力の介入が有効であると考えるようになった（「書簡93」）。また彼は，教えによって神へと導くことは罰への恐れや苦痛と比べよいことだが，しかしそうしようとしない人たちには恐れと苦痛により強制することは有効であり，主の模範にかなうことである，とも言う（「書簡185」）。すでに見たように，アウグスティヌスは自分の自由な意志で教会に入ったにもかかわらず，異端者や異教徒を強制的に教会に入れようとする。後世，この考え方は『グラティアヌス教令集』（☞本章２（１））の「異端者は彼ら自身の救いへとその意思に反してでも強制されるべきである」に引き継がれる。なお，上記に示した聖務に関する有効派と無効派の２つの立場は，事効論と人効論，あるいは客観主義と主観主義と言われる。

によっても認められる。

> 盗みはたしかに，主よ，あなたの法〔永久法〕によっても罰せられますし，人間の心に記された法〔自然法〕によっても罰せられます。(『告白』第２巻第４章第９節)

最後に人定法は，人間によって作られた時間と空間に条件づけられた法である。それゆえ，状況に応じて変更される「時間的な法」(『自由意志論』第１巻第６章第14節）とも呼ばれる。人定法が必要とされる理由は，**本節（3）**で見た通り，人間の矯正のためである。人間の支配欲によって設立されたものとはいえ，人々の信仰の平和を保障するために強制力をもった国家が必要であった。人定法は，刑罰の恐怖により人間の欲望の拡大を抑え，平和と秩序をもたらすものである。もちろん，人定法はなんらの制限もなく国家によって自由に作られてよいわけではない。人定法の根源は永久法に求められる。アウグスティヌスは両者の関係について次のように言う。

> さてわれわれは，かの「最高の理性」と名づけられる法〔永久法〕につねに従わなければならない。この法によって悪人には悲惨な生が，善人には幸福な生が報いられる。さらに，時間的な法と呼ぼうといった法律〔人定法〕は，この法に従って正しく制定され，かつ正しく変更される。このような法は，だれでもそれを知る人には不変のもの，永遠のものとみなされるのではないだろうか。(『自由意志論』第１巻第６章第15節)

上記の「最高の理性」とは「神の法」「永遠の法」のことであり，人間の「時間的な法」はこれに従って制定・変更される。アウグスティヌスは人定法が永久法に従属することを強調している。

最後にアウグスティヌスの法理論において言及されることのある絶対的自然法と相対的自然法という言葉に触れておこう。これは国家論と連動した法の見方であり，セネカらストア派の哲学者からアウグスティヌスらの教父たちへと引き継がれた。セネカ（☞**第２章４**）も，アウグスティヌスも，その国家論において，人間が堕落する以前の自由で平等な理想的共同体と，それ以後の欲深い人間からなる共同体とが区別されていた。前者において妥当している法は絶対的自然法と言われている。それに対して，後者において，悪を懲らしめ平和や秩序を維持するための法は相対的自然法と言われる。したがって，国家の刑罰もこの相対的自然法によって基礎づけられたものである。

2　アクィナスのキリスト教的自然法思想と抵抗権

（1）叙任権闘争と12世紀ルネサンス

本節で扱うアクィナスの時代は，前節のアウグスティヌスの時代とはかなり状況が変化している。中世の初めにヨーロッパを支配したフランク王国は，9世紀後半に西部，中部，東部に3分割され，現在のフランス，イタリア，ドイツの基礎となる。このうち今のドイツの位置に当たる東フランク王国は「神聖ローマ帝国」と称する。ただし，「ローマ帝国」「神聖帝国」「ドイツ国民の神聖ローマ帝国」など時代により呼び方は異なる。同国は962年のオットー大帝の戴冠から1806年の消滅（☞第7章）まで続くことになる。

この新たな国家はキリスト教会とどのような関係にあったであろうか。例えば，神聖ローマ帝国皇帝オットー1世（在位962-73）は，自らを「キリストの代理人」とし，現実世界においてキリスト教理念を実現することを自らの使命とした。このようにオットー1世は教会への関与を強めたわけだが，制度としても，世俗国家が教会の人的・物的資源を掌握する帝国教会制が採られた。したがって，世俗国家と教会との関係は，表面的には相互に保護と正統性を与え合う関係でありながら，実際には帝国教会制の下で皇帝が聖職者の任命権を握るなどして皇帝が優位にあった。もちろん，このような関係に教会も抵抗し，叙任権闘争（1075-1122）へと発展していくのである。

叙任権闘争は神聖ローマ帝国皇帝ハインリヒ4世（在位1056-1106）と教皇グレゴリウス7世（在位1073-85）の間で行われた聖職叙任権をめぐる争いである。この時の出来事として以下に見る「カノッサの屈辱」（1077年）は有名である。両者の様々な攻撃・応酬が繰り広げられる中で，教皇グレゴリウス7世は皇帝ハインリヒ4世に破門を宣告する。破門は，封主が封臣に土地等の財産を貸与し，他方で封臣は封主に軍事的支援を提供する当時の封建制（レーエン制）の下で封主にとって大きな打撃となった。なぜなら，封臣は破門された封主に従う義務がなくなるからである。そのため自己の支配基盤の動揺を避けたい皇帝ハインリヒ4世は，皇帝の権威を示す装飾品を外し，雪の降る中，グレゴリウス7世が居留する城の門前で破門を解いてもらうよう懇願したという。これが「カノッサの屈辱」である。結局，ヴォルムスの協約（1122年）により皇帝が聖職者叙任権を放棄し，この争いは終了した。「神のものは神へ。皇帝のものは皇帝へ」という妥協的な解決であった。以後，ヨーロッパでは皇帝権と教皇権という2つの権力が並び立つことになる。これは，皇帝教皇主義を採り，教会を皇帝の支配下においた東ローマ帝国とは対照的である（☞第2章6）。この後，教会の権威は上昇し，イノケンティウス3世（在位1198-1216）の頃に最高期に達する。しかし，1096年から1270年まで7回にわたって行われた十字軍の派遣も聖地奪還を果すことなく終わり，また教皇ボニファティウス8世（在位1294-1303）がフランス王フィリップ4世（在位1285-1314）に捕らえられるアナーニ事件（1303年）も起き，しだいに教皇権は失墜していく。

文化史においては「12世紀ルネサンス」と呼ばれる大きな出来事が起こった。ゲルマン諸部族国家の支配の間に久しく忘れられていたギリシアやローマの古典が，アラビアを経由してヨーロッパに入ってきたのである。特にアリストテレス哲学が復興され，またアラビアの学問の成果も取り入れながら，哲学，科学，法学，医学，神学の研究が盛んになった。そして，その舞台となったのが，この時期にヨーロッパ各地で設立された大学である。例えば，ボローニャ大学，パリ大学，オックスフォード大学，ケンブリッジ大学などである。その中でもボローニャ大学は，イルネリウス（1100以前-1125以後）という修辞学者を中心にローマ法の『学説彙纂』（☞第2章6）の解釈を試みる中世ローマ法学研究の拠点となり，註釈学派・註解学派が形成された。また，法と法学の発展は世俗の世界だけでなく，キリスト教会でも見られた。例えば，修道士グラティアヌス（11世紀末-1150頃）が，矛盾する内容を含む種々の教会の法規範を整理し，その整合性に留意しながら『グラティアヌス教令集』（1140年頃）を編んだり，それを研究対象とする教令集学派が活躍するなどしたのである。

（2）神学と哲学の研究

このように教会の権威が最盛期を迎え，古典古代の学問の受容・研究が盛んな時代にアクィナスは，キリスト教神学を哲学的に基礎づけようとした。彼は，1225年頃，イタリアで生まれた。修道院で学んだ後，ナポリ大学で学び，ここでアリストテレス哲学に触れ，またドミニコ会に接近した。アクィナスは1245年にナポリでドミニコ会に入会するが，それには次のような話がある。

初め彼の家族は修道会への入会に反対しており，アクィナスをナポリから連れ出し，生地ロッカ・セッカに監禁してしまった。そして，アクィナスを翻意させようと，美女を雇って誘惑し，貞節を奪って，決心を揺るがそうとした。しかし，アクィナスは，情念を覚えながらも，これを追い払った。アクィナスの決心の固さを知った家族は，結局，入会を許可することになった。女性との関係でアウグスティヌスと対照的なアクィナスのエピソードである。

ロッカ・セッカからナポリに戻りドミニコ会に入会した後，ケルンで学び，同地で司祭となった。続いて，パリ大学神学部で1256年に学位を授与され，1259年まで教授を務めた。その後，イタリアとフランスを行き来しながら活動し，1274年にイタリアで死去した。

著作には，神学に関する書物，聖書の註解，討論の記録，アリストテレスの註解，論争の記録などがある。この中でも初学者に向けて書かれたという『神学大全』(1266-73年）は最も有名であろう。この本の中で様々な神学上の問題が扱われており，法についてのアクィナスの見解も知ることができる。また，政治に関わる書物として『君主の統治について』(1267年）がある。これは，理想の君主の姿を鑑に映し出す「君主鑑」というジャンルに属する書物であり，君主のあるべき姿について論じたものである。

（3）アクィナスの国家論

まず，アクィナスの国家論を確認しよう。アクィナスは，アリストテレスから目的論を継承した。すなわち，神はあらゆる存在に固有の目的を与えて創造したのであり，それらは自己の目的の実現を目指す。ここには，目的を意味する形相，可能態から現実態へ，といったアリストテレス哲学を見ることができる（☞第１章３（１）)。もっとも，アクィナスの場合，アリストテレス哲学を神の創造と関わらせ，キリスト教神学的に練り直していった点に特徴がある。

さて，あらゆる存在は階層的秩序の中にある。被造物の間の秩序は，上から天使，人間，動物，植物となる。より不完全なもの（下位のもの）はより完全なもの（上位のもの）のために存在し，使用されてよい。この秩序の中で人間は，前節のアウグスティヌスによっても「神の似姿」とされたが，アクィナスによっても理性的存在者として他の被造物とは異なる人間だけに固有な価値として「尊厳」が認められた。例えば『神学大全』2-2第64問第２項「罪人を殺すことは許されるか」で罪人は犯罪によって人間的尊厳を失い，非理性的動物と同じ状態になるという。この尊厳概念はやがてボン基本法に実定化されてゆく（☞第10章１（２））。また，このような階層的秩序は，当時の人間の社会について言えば，封建社会における封主と封臣の関係，領主と農民の関係を肯定したものとなっている。

アクィナスにとって，人間は社会の中で生きることが前提とされている。すなわち，アリストテレスと同じように，人間は本性的に政治的社会的動物である（☞第１章３（１））。人間は，神によって与えられた自己の目的，徳ある生き方を社会の中で追求するものとされる。そして，人間の本性から導かれる国家は，このように個人が善く生きることを追求できるよう，法を制定し，平和と秩序の確保や犯罪者の処罰など公共の福祉に配慮して，社会の維持に尽力し，人間の目的実現に助力することになる。

以上のように，アクィナスは，人間や，その本性から導かれる国家・法を肯定的に捉えており，悲観的なところがない。これは，人間の堕罪から国家が成立し，人定法による恐怖をもって欲深き人間を矯正しようとするアウグスティヌスの見方とは異なる。

（４）アクィナスの法理論

続いてアクィナスの法理論を見ていこう。アクィナスは法について次のような特徴を指摘する。まず，法は，行為の規則・規準であり，人間の行為の正不正や善悪に関わる実践理性の命令である。また，法の目標は，人間生活の究極目的である共同的な幸福・至福，共通善に向けられる。さらに，法は，人民あるいは公職者によって制定される。最後に，法は人々の行為を拘束するものであるから公布される必要がある。アクィナスはこれらの特徴を総合して法を次のように定義する。

〔法とは〕共同体の配慮を司どる者によって制定され，公布されたところの，理性による共通善への何らかの秩序づけ，にほかならない。（『神学大全』2-1第90問第４項）

アクィナスによれば，法には，永久法，自然法，人定法，新旧訳聖書に示される神法がある。ここでは前３者について見てみよう。これら３種類の法は階層的な秩序をなしている。

まず，永久法は，被造物の運動や秩序に関する神の計画（摂理）である。永久法は，自然法と人定法の上位にあり，この２つの法の妥当根拠となっている。したがって，下位の法は上位の法から導かれる。

次に自然法についてである。上述の永久法はすべての被造物を支配する。ただ，被造物の中でも理性的被造物である人間は，神の秩序を認識する能力として与えられた理性によって永久法を分有する。これが自然法である。自然法の内容としては，一般的には「善は為すべく，追求するべきであり，悪は避けるべきである」（『神学大全』2-1第94問第２項）。だが，これもまた階層的秩序の中で具体化される。すなわち，第１の自然法は，あらゆる存在に共通するもの，つまり，自己を保存する欲求と生命の保持である。また，第２の自然法は，人間も含めた動物に共通のもの，つまり生殖と子の養育である。そして，第３の自然法は，人間に固有のものであり，真理を認識すること，また共同生活の中で他者と親しく交際することである。

最後に人定法は，文字通り，人間が定めた法である。人定法により徳の完全性へと到達するための訓練を行う。法による刑罰への恐れを通じて，悪（特に快楽）から人間を遠ざけ，正しい生活が送れるよう人間を慣習づけるのである。はじめは刑罰への恐れによって行っていたことでも，最後には自己の意思から行うようになれば，有徳な者となれる。

人定法は自然法から導き出されるが，それには２種類の方法がある。１つは，①原理から結論を導く場合であり，もう１つは，②自然法を特殊的に確定する場合である。まず，①の方法を見てみよう。例えば，「何人に対しても悪を為してはいけない」という命令は具体的に何が禁止されるかが明らかではない。そこで，人定法において，「殺すなかれ」（殺人の禁止），「奪うなかれ」（強盗・窃盗の禁止）などが導き出される。次に，②の方法を見てみよう。例えば，

「罪のある者は罰せられるべし」という命令は，具体的にどのように罰せられるかが明らかではない。そこで，人定法において，生命・身体，自由，財産などに関わる刑罰の種類を定めたり，死刑，懲役や禁錮の年数，罰金の額など刑罰の程度を定めたりする。

以上が，アクィナスにおける永久法，自然法，人定法の内容である。ここで，一例として，所有権にかかわる人定法の例を見てみよう。それは，永久法との関連を保ちながら，次のように述べられている。

> しかるに，神的摂理によって確立された自然的秩序によると，より低次の物財は，それらでもって人間の必要とするものが充足される，ということへ秩序づけられている。したがって，人間的正〔人定法〕に由来するところの諸々の財物の分割と専有によって，人間の緊急必要性がこの種の財貨によって対処されるべきだ，ということが排除されるわけではない。(『神学大全』2-2第66問第７項)

ここでは，まず神の秩序において，人間と他の被造物の上下関係が確認され，また人間による他の被造物の利用が認められる。そして，そのための制度として人定法により所有権が認められると言う。

このように所有権が認められ，当然その侵害は禁止されるが，次に引用するように，緊急性が認められるのであればその侵害が許容されることもある。

> とはいえ，緊急必要性がきわめて緊迫かつ明白であって，その場にある物財でもって現在の緊急必要性に対処しなければならないほどである場合には――たとえば，或る人に危険が迫っていて，他の方法で対処することができない場合――或る人は他人の物財を，あからさまであろうと，秘かにであろうと取って，自分の緊急必要性に対処することが許されるのである。また，このような行為は厳密にいって窃盗ないし強盗にあたるともいえない。(『神学大全』2-2第66問第７項)

強盗であれ，窃盗であれ，他人の所有物を奪う行為は禁じられる。しかし，上記の通り，緊急の必要性があり，明白である場合にはそれも許容されると言う。杓子定規に原則を徹底するのではなく，例外を許容する柔軟な思考がある。

同じような話として有名な寄託の例がある。他人に武器を預けた寄託者が，祖国を攻撃する意図をもち，武器を返還するよう要求してきた場合，受寄者は預かっていた武器を返すべきか。本来なら預かった物は返すべきだが，この場合，アクィナスは寄託物の返還は有害であり，理性に反するという。

（5）アクィナスの抵抗権論

ここでは消極的な抵抗権として不服従，また積極的な抵抗権として暴君放伐についてのアクィナスの見解を見ておこう。

まず，アクィナスは消極的な抵抗として支配者への不服従を認めている。『神学大全』2-2第104問第6項で「キリスト信者は世俗的権力に従わなくてはならないか」という問題について，「従わなくてもよい」とする見解の理由として，アウグスティヌスの盗賊団の話（☞本章1（3））を引き，世俗権力が「不正をもって行使され，あるいは何らかの不正な簒奪（さんだつ）からして主権を取得したものであってみれば，キリスト信者は世俗的君主に従うべきではないように思われる」というものを紹介し，次のように言う。

> 人間は，正義の秩序が要求するかぎりにおいて，世俗的君主に従うよう拘束されている。したがって，君主の有する主権が正当なものではなく簒奪したものであったり，あるいは不正なことを命令する場合には従者はかれらに従うよう拘束されていないのである。（『神学大全』2-2第104問第6項）

ここでアクィナスは支配の正統性に疑いある世俗権力の支配に服従する義務はないと言う。

次に積極的な抵抗として暴君放伐の問題である。これに関するアクィナスの見解には曖昧なところがある。すなわち，アクィナスは『神学大全』では肯定的だが，『君主の統治について』では否定的な見解を見せている。

まず，アクィナスは『神学大全』2-2第42問第2項で「内乱は常に大罪であるか」という問題について，確かに内乱は王国の統一に反しており大罪に当たると言う。しかし，他方で「大罪に当たらない」とする見解の理由として「集団を暴君から解放する人々は賞賛される」というものを紹介して言う。

> 暴君の支配は正しくない。なぜなら，それは，アリストテレスによって，『政治学』第3巻，および，『倫理学』第8巻において，明らかなごとく，共通善へ向けて整えられてお

> らず，支配者の私的な善に向けられて整えられているのだからである。だから，こうした体制を揺るがすことは，内乱の特質にはあたらない。(『神学大全』2-2第42問第2項)

このようにアクィナスは暴君による統治をきわめて厳しく批判する。確かに，節度を越えた暴君放伐が行われ，暴君の支配以上の混乱が生じる場合には暴君放伐は諫(いさ)められるとも言うが，ここでは暴君放伐に肯定的である。

しかし，これと異なるのは『君主の統治について』の記述である。この本は，王へ献呈する目的で執筆されたものであり，そのような性格もあってか，暴君放伐を積極的に肯定する見解は見られない。アクィナスは次のように言う。

> しかし，これ〔暴君放伐〕は使徒の教えと一致するものではない。ペテロは善良で寛容な主人だけでなく，気難しい主人にも心から畏れをもって仕えることを教えているからである。「不当な苦しみを受けることになっても，神がそうお望みだとわきまえて苦痛を耐えるなら，それは御心に適うことなのです」[「ペテロの手紙1」2：19]。……／いまかりに誰かが私的な独断に基づいて支配者を，僭主であったとしても，殺害しようとすれば，そのことは民衆にとっても支配者にとっても，危険なことであろう。(『君主の統治について』第1巻第6章)

もちろん，同書の中でアクィナスも支配者が専横な態度に出ないようその権力を制限して注意するべきだと言い，暴君の存在を認めているわけではない。しかし，暴君放伐を実行しても倒せるとは限らないとか，また，上記のように使徒の教えに反するなどの理由で暴君放伐に肯定的な態度は見せていない。

(6) アクィナスの正義論

最後にアクィナスの正義論を見ておこう。人間は社会において徳ある生き方を目指すものとして神により創造された。アクィナスによれば，徳には，知恵，勇気，節制，正義という古代ギリシア以来の伝統的な徳のほか，信仰，希望，愛というキリスト教的な徳もある。

これらの徳の中で正義についてアクィナスは次のように言う。正義とは「各人に各人のものを与えよ」であり，一般的正義（あるいは法的正義）と特殊的正義に区別される。後者はさらに配分的正義と交換的正義に分けられる。この分

〈コラム7〉 アクィナスの返還理論とサラマンカ学派

アクィナスの返還理論は大航海時代のスペインで活躍したサラマンカ学派の法思想に影響を与えた。それは，スペインが征服したメキシコの原住民インディオの保護にとってきわめて実践的な意味をもった。

スペインは，コルテス（1485-1547）などの征服者コンキスタドールを派遣し，南アメリカの諸国のインディオを支配した。また，例えば『第２のデモクラテス』（1544-45年頃）を著したセプールベダ（1490-1573）はこの支配を理論的に正当化しようとした。彼は，「生来の支配者である主人と，生来の被支配者である奴隷がいる」というアリストテレス（☞第１章３（１））の『政治学』第１巻第２章に見られる議論に基づいて，インディオは自然本性上奴隷であり，主人であるスペイン人に支配されるべきと主張した。

これに対して，ラス・カサス（1484-1566）はインディオ保護に努めた人物である。メキシコの悲惨な状況に関する彼の報告をきっかけにインディオ保護を内容とする新法が制定された。この報告は1552年に『インディアスの破壊についての簡潔な報告』として刊行された。また彼は現地メキシコの司教としてインディオ問題に関する教会の裁判管轄権を主張し，インディオを乱暴に扱う世俗の裁判所から救おうとした。『インディアスの破壊をめぐる賠償義務論』（1564年）ではスペイン人の賠償義務について詳細に論じた。

ラス・カサスの他，インディオ擁護に関しては，スペインのサラマンカ大学を拠点に活躍し，後期スコラ学を牽引したサラマンカ学派の人物，ビトリア（1492頃-1546）やスアレス（1548-1617）などを挙げることができる。当時，インディオは，ヨーロッパ人から「野蛮人」とされ，人格を尊重されず，所有権も認められず，また国家秩序を形成する能力もないと見られた。これに対して，彼らは，アリストテレスやアクィナスの「人間は本性上ポリス的動物である」に依拠して，インディオの人格や所有権や統治能力を認めた。また，スペイン人がインディオから掠奪したものを再びインディオの手に戻すためにビトリアが活用したのが本節で見るアクィナスの返還理論であった。

古代のアリストテレス哲学と中世のアクィナスの返還理論が，近世の大航海時代においてインディオの保護という実践的意義をもったわけである。

類からアクィナスがアリストテレスの影響を受けていることがわかるであろう（☞第１章３（２））。

ここでは交換的正義のみ取り上げよう。これはアリストテレスの矯正的正義を継承したものであり，その対象とされるのは，自分の意思によらないもの，つまり非随意的なもの（窃盗・強盗，殺人・傷害・暴行，名誉毀損など）と，自分の意思によるもの，つまり随意的なもの（売買，使用貸借，消費貸借，賃貸借，寄託）である。これらの行為における当事者間の等しさ・均等が，中庸であり，正義である。そして，これらの場合に交換的正義を実現する行為が「返還」である。アクィナスは返還を次のように説明する。

> 返還するとは，再度，或る人を自らのものを専有する状態に置くことにほかならないように思われる。このように，返還においては事物にたいする事物をもってする報いに即しての正義の均等性が問題となるが，そのことは交換正義に属する。したがって，返還は交換正義の行為であって，たとえば賃借ないし寄託におけるように他者の同意をもってする場合にせよ，あるいは強奪や窃盗におけるように他者の意思に反してにせよ，或る人のものが他の者によって所有される場合にかかわるのである。（『神学大全』2-2第62問第１項）

ここでは，強盗や窃盗のように不正に他人の物を取得した場合だけでなく，他者の同意の下で他人の物を取得した場合も，返還が均等を回復する交換的正義の行為にあたると言われる。このようにアクィナスが返還を重視するのは，それが「救い」に必要であると考えているからである。

ま　と　め

本章では，中世に活躍した２人の神学者，アウグスティヌスとアクィナスの国家論および法理論を確認した。両者とも，古典古代のアリストテレス，キケロ，セネカ，ストア派の知識を継承し，自己の理論構成に役立てた。例えば，アウグスティヌスもアクィナスもストア派と似た階層的な法構造を提示していた。また，アウグスティヌスは，キケロの国家の定義に言及したり，セネカの人間の堕落以前と以後とを区別する考え方を採用していた。さらに，アクィナスもアリストテレスから目的論的世界観，正義論などを学んでいた。

もっとも，古典古代の著作と彼らとの間には大きな隔たりもあり，それがキリスト教の思想であった。ストア派の秩序は自然であったが，アウグスティヌスとアクィナスはキリスト教の神により創造された秩序であった。また，アウグスティヌスは，ストア派が前提とする自然法則に基づいた円環的な時間概念ではなく，直線的な時間概念を強調していた。

さらに，アウグスティヌスとアクィナスにも違いがある。人間観について，アウグスティヌスは，堕罪，人間の欲に着目し，悲観的なものであった。他方，アクィナスは，神に与えられた目的を実現する積極的な人間像を提示した。また，国家や法についても，アウグスティヌスは，国家は人間の罪の所産であり，法は悪に陥る人間を矯正するための手段であった。しかし，アクィナスは，人間は本性的に政治的社会的な存在であるがゆえに，国家は肯定され，また法は人間が自己の目的を実現するための助力となるものであった。

なお，アウグスティヌスもアクィナスも被造物の中で人間を特別なものと見ており，彼らの「神の似姿」「人間の尊厳」は，後世，例えばボン基本法の中で実定化される重要概念である。

◆参考文献

ロンメン，ハインリッヒ（阿南成一訳）『自然法の歴史と理論』（有斐閣，再版，1971年）

第1部で古代ギリシア・ローマ，キリスト教の自然法論を説明している。本章だけでなく，本書の第1章および第2章の理解にも役立つ。また，同種の書にA. P. ダントレーブ（久保正幡訳）『自然法』（岩波書店，1952年）もあるので，併せて読めば古代・中世の自然法論の理解が深まる。

柴田平三郎『アウグスティヌスの政治思想』（未來社，1985年）

アウグスティヌスの著作を網羅的かつ丹念に読み込み，その思想を再構成し解説する力作である。重厚な研究書であり，ややハードルは高いかもしれないが，時間，悪，国家などの重要テーマに関するアウグスティヌスの見解をよく知ることができる。同じ著者による『トマス・アクィナスの政治思想』（岩波書店，2014年）も大変参考になる。

稲垣良典『トマス・アクィナス』（講談社学術文庫，1999年）

トマス・アクィナス研究の第一人者によりアクィナスの生涯や思想的特徴が解説される。邦訳は同氏による『精選 神学大全2［法論］』（岩波文庫，2024年）が手軽で便利である。

第Ⅱ部

近代法思想の誕生

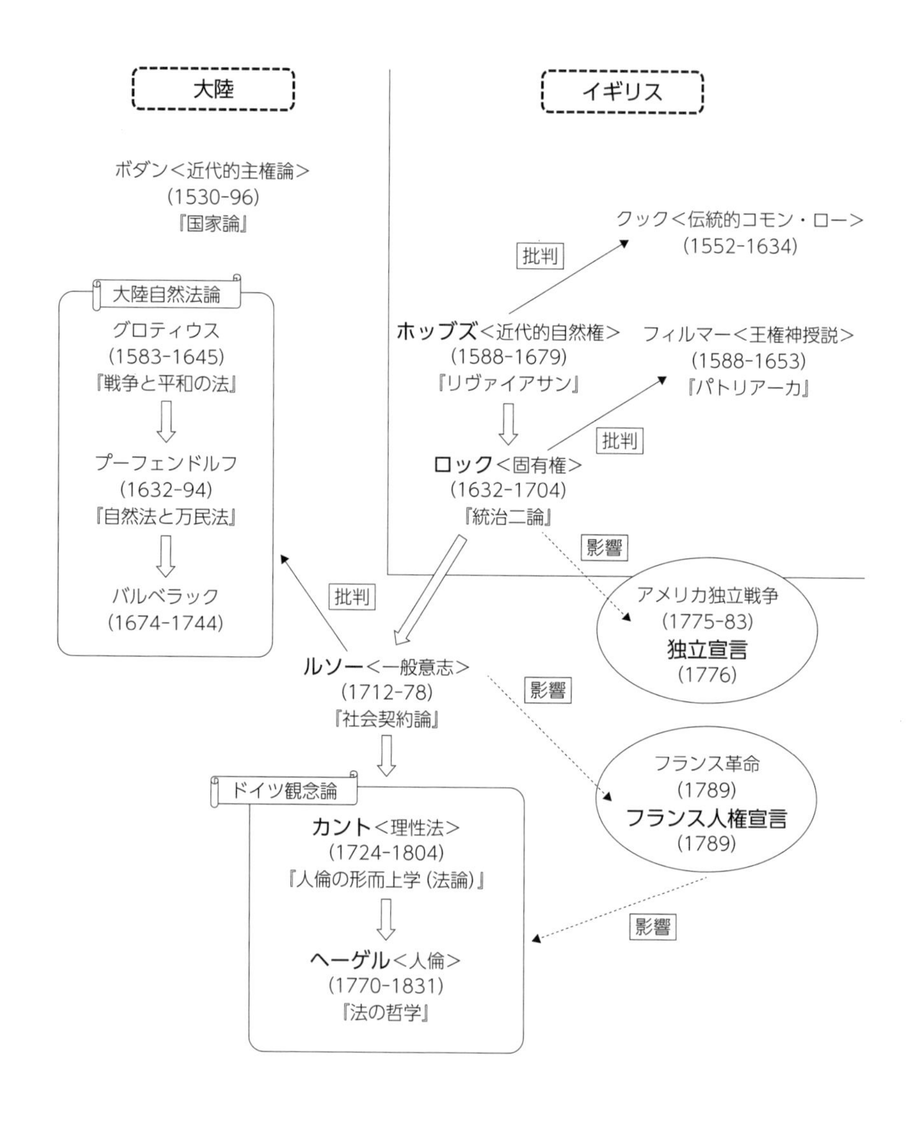

大陸
イギリス
ボダン＜近代的主権論＞
(1530-96)
『国家論』
大陸自然法論
グロティウス
(1583-1645)
『戦争と平和の法』
プーフェンドルフ
(1632-94)
『自然法と万民法』
バルベラック
(1674-1744)
クック＜伝統的コモン・ロー＞
(1552-1634)
批判
ホッブズ＜近代的自然権＞
(1588-1679)
『リヴァイアサン』
フィルマー＜王権神授説＞
(1588-1653)
『パトリアーカ』
批判
ロック＜固有権＞
(1632-1704)
『統治二論』
影響
アメリカ独立戦争
(1775-83)
独立宣言
(1776)
批判
ルソー＜一般意志＞
(1712-78)
『社会契約論』
影響
フランス革命
(1789)
フランス人権宣言
(1789)
ドイツ観念論
カント＜理性法＞
(1724-1804)
『人倫の形而上学(法論)』
影響
ヘーゲル＜人倫＞
(1770-1831)
『法の哲学』

第4章　近代自然権・自然法思想
——ホッブズ，ロックと近代国家

本章ではトマス・ホッブズ（1588-1679）とジョン・ロック（1632-1704）を取り上げるが，これらの法思想家はそれぞれ，ホッブズが近代的な法思想の確立に，ロックが近代的な自由権の成立に大きな影響を与えている。

そもそも「近代」という時代は，いつ開始されたのだろうか。様々な見方があり，かなり相対化されてきているが，ルネサンス，大航海時代，宗教改革後の15，16世紀以降に近代が開始されたという見方が一般的である。一方，「近代的な法思想」は，ホッブズによって，非常に分かりやすく示されている。その点は，近代以前の中世の時代を代表するアクィナス（☞第3章2（3））と比較すると明らかになってくる。すなわち，両者には，①アクィナスにおいては，人間の社会のあり方は，神が作った階層的秩序に沿ってあらかじめ決められていたのに対して，ホッブズにおいては，人々が主体的に社会，国家を作っていくと考えられていたこと，②①と関連するが，アクィナスが，王・貴族・平民といった階層的身分秩序を肯定していたのに対して，ホッブズが，人間が平等であることを前提に，社会，国家のあり方を考えていたこと，そして，③アクィナスの法思想は，「各人が分を果たすこと」が重要とされ，神による目的に人間を向かわせるため，専ら人々に義務を課す「自然法」が中心であったのに対して，ホッブズの法思想は，人々の権利，「自然権」を中心に考えられていたという違いがある。

アクィナス，ホッブズの法思想は，各々，中世，近代を代表するものであったが，その違いは，（近世）ルネサンス，宗教改革によってもたらされたものでもあった。ルネサンスは，14～16世紀にヨーロッパの各地に広まった文化を改革する運動のことで，中世とは違ってキリスト教，カトリック教会に支配されていなかった古代ギリシア・ローマの「再生」を目指しており，「神中心から人間中心」の文化への変革を意図していたが，キリスト教，カトリック教会の影響力が薄まっていき，あらかじめ神によって定められた秩序という考え方も薄まっていく。また，アクィナスの法思想は，カトリック教会を代表するものとなるが，16世紀初めのルター（1483-1546）の運動がきっかけとなった宗教改革により，身分制度とは対照的な「神の前の平等」を説くプロテスタントが力をもったことで，平等な諸個人を前提とした法思想への地ならしがなされている。

ホッブズの法思想は，ルネサンス，宗教改革の後に登場した，神によって定められたものではない，平等な諸個人により主体的に形成される社会，国家という社会観，国家観に基づいていたと整理すると分かりやすい。一方，ロックにおいては，キリスト教の影響が再び強くなるが，平等な諸個人が主体的に社会を作るという点は維持され，さらに，その法思想はアメリカ合衆国の独立宣言（☞第９章１（１））にも影響を与えることになる。ホッブズによって生み出された近代の法思想はロックにも受け継がれ，そのロックにより，生命，自由，財産に対する権利，すなわち，現代の自由権の基礎が示されている。

1　ホッブズの自然権思想

（１）ホッブズの自然状態と自然権

ホッブズは1588年に生まれて1679年に亡くなっているが，その間のイギリスは争いと革命に明け暮れた混乱の時代であった。ホッブズが生まれた直後には，カトリック教国のスペインの無敵艦隊が，イギリス国教会という独自の教会制度に基づいてプロテスタント寄り，反カトリックの国家となりつつあったイギリスへの侵略を試みようとしていた。当時の国王のエリザベス女王（在位1558-1603）は何とかその危機を乗り越えたが，そのエリザベス女王の死後，立て続けに内乱が続いてしまう。まず，エリザベス女王に続くジェームズ１世（在位1603-25）の息子，チャールズ１世（在位1625-49）が専制政治を行おうとしたため，国王の権限を制限しようとする議会との対立が激しくなる。チャールズ１世が，議会派の主張を受け入れ，課税には議会の同意が必要であることなどを認めて，1628年に「権利請願」を受入れると，一旦はイギリスにも平穏が訪れた。しかしながら，その翌年にチャールズ１世は議会を無視するようになり，約11年間，議会を全く召集せずに専制政治を行っている。そして，個人の信仰心を重視して民衆の側に立っていたプロテスタント系のピューリタンなど，新興の宗教勢力を弾圧している。その後，スコットランドで起きていた内乱を鎮圧するための戦費を調達する必要から，ようやく1640年に議会を召集したが，それまでの経緯から国王の権力を大幅に制限しようとするものも出てきた。そして，国王を支持する人々と国王に批判的な議会派との間での対立が激化し，1642年には内戦になってしまう。この争いは議会派の勝利に終わっているが，最終的に1649年にチャールズ１世が処刑され，王政が廃止されて共和政府が樹立された。ピューリタン革命と言われるこの革命の中心にいたのが，ピューリタンのオリバー・クロムウェル（1599-1658）であった。だが，彼もまた独裁色を強め，人々の反発が高まっていくと，その死後の1660年に王政復古が実現してチャールズ２世（在位1660-85）が即位する。しかしながら，その後継者のジェームズ２世（在位1685-88）がカトリック教徒を優遇したため，反発した議会が1689年にプロテスタントのメアリ２世（在位1689-94）とその夫のウィリアム３世（在位1689-1702）を即位させて「名誉革命」を実現させ，ようやくイギリスにも安定が訪れることになった。

ホッブズは，貧乏なイギリス国教会の牧師の子供であったが，裕福な親戚の援助もあって14歳の時にオックスフォード大学に進学している。当時，オックスフォード大学やケンブリッジ大学の卒業生は，親の跡を継いで各地の要職を務めた貴族や大地主の子息以外は，多くが弁護士や医者，牧師や教師になっていた。ホッブズも，名門貴族の家庭教師や秘書などの職に就いたが，研究のための比較的自由な時間があり，貴族に付き添ってフランスやイタリアに旅行に行ったりもして見聞を広めている。法曹界のトップの大法官を務め，国王側について議会側と闘っていたベーコン（1561-1626）の秘書を務めたり，議会派との戦いに敗れ，1646年以降パリにて亡命中であった皇太子時代のチャールズ２世に数学を教えたりしたこともあった。ホッブズ自身も，国王派であると疑われたことから身の危険を感じて，国王派と議会派の対立が激化し始めた1640年にフランスに亡命している。そして，名誉革命の10年ほど前に亡くなっているため，めまぐるしい政変，悲惨な内戦の時代に生涯を過ごしたことになる。

このような戦乱の要因の１つとしてホッブズは，宗教的な対立を挙げている。1640年からの国王派と議会派の対立の大きなきっかけも，チャールズ１世がピューリタンを弾圧したことにあったが，ホッブズは宗教の対立が善悪の基準の主観化につながり，継続的な争いを生み出してしまうと考えていた。ホッブズはまた，チャールズ１世と対立して，国王の権力を制限しようとした議会を主導していた法律家たちも，内乱を招いてしまったと激しく批判している。ホッブズには，有名な『リヴァイアサン』の基礎にもなっていた『法の原理』（1640年），『市民論』（1642年）という著書もあるが，以下，『リヴァイアサン』（1651年），晩年に執筆された『哲学者と法学徒との対話』に基づいて，そのような混乱を回避して人々に平和と安全をもたらすために絶対的な主権が必要であることを論証しようとしたホッブズの試みを説明する。

ホッブズの法思想を理解するには，まず，ホッブズの「自然状態」についての理解が必要である。ホッブズは，共通の権力，国家がない状態で人間はどうなるかを考えるために自然状態というフィクションを想定して，そこから望ましい国家のあり方を考察している。

本章の冒頭で述べたように，ホッブズはアクィナスとは対照的な法思想を展開していた。ホッブズの自然状態を理解する上で特に重要な差異は，アクィナスが，人間には神によって命じられた自然法という客観的な善悪の基準が与えられていて，そこから人々の義務が何かを考えていたのに対して（☞第３章２（４）），ホッブズが，人間の善悪の判断はあくまでも主観的なもので，もし何も対処がなされないならば，宗教上の争いなども決して止むことはないと考えていたことである。さらに，ホッブズには，アクィナス（1225頃-74），そしてアリストテレス（前384-前322）のように（☞第１章３），人間は社会性をもち，生まれながら社会で協調して生きるように作られているという想定もない。ホッブズは，『リヴァイアサン』で，善悪や正義についての客観的な基準がない中で，人間は「自己保存」のためにあらゆる手段を取る存在であると論じている。したがって，ホッブズは「自然状態」を次のように「各人の各人に対する戦争状態」として描いている。

> 正邪〔善悪〕と正不正の観念は，そこには存在の余地をもたない。共通の権力がないところには，法はなく，法がないところには，不正はない。強力と欺瞞は，戦争においてはふたつの主要な特性である。正義と不正は，肉体または精神のいずれの能力にも属さない。……そこには所有も支配もなく，私のものとあなたのものとの区別もなくて，各人が獲得しうるものだけが，しかもかれがそれを保持しうるかぎり，かれのものなのである。(『リヴァイアサン』第1部第13章)

ホッブズは，共通の権力がなくなったらどうなるかは，人々が平和な状態から内乱に陥ることが度々あることからも分かるのではないかと論じている。安定した国家がなく内乱状態が続いていたホッブズの時代のイギリスも，自然状態のモデルの１つとして考えることもできるだろう。そしてホッブズは，そのような状況においてもすべての人が平等に，自己保存，生き延びる権利をもつことを強調して，その自己保存の権利を自然権と定義している。上記のようにこの自己保存の権利，自然権を守るためにあらゆる手段が認められているため，極端な場合には自己保存という理由で他者を殺害する権利も各人は有することになる。相当に極端な人間像であるが，人々に共通するような，例えば，「人を殺してはならない」というような，生まれながら人々がもつだろう善悪の基準も，社会性もないというのがホッブズの想定であり，そういったものに頼らずに，国家，法の必然性，あるいは望ましい国家を描くというのがホッブズの課題であった。

では人々はどのように，その「各人の各人に対する戦争状態」を脱して，国家を作るようになるのか，また，望ましい国家の形とはどのようなものなのか。ここでもホッブズは「自己保存」への欲求から議論を進めている。

> 人びとを平和にむかわせる諸情念は，死への恐怖であり，快適な生活に必要なものごとに対する意欲であり，それらをかれらの勤労によって獲得する希望である。そして理性は，つごうのよい平和の諸条項を示唆し，人びとはそれによって，協定へとみちびかれうる。(『リヴァイアサン』第1部第13章)

ホッブズは，上記の「平和の諸条項」こそが「自然法」であると論じている。そして，次に見るように，その自然法から人々は国家を設立するようになると論じている。アクィナスの自然法のような客観的な善悪の基準はないというのがホッブズの出発点であった。その中でも，「自己保存」「生き延びること」はすべての人々が望むものであり，平和を獲得するために自然法に従うとホッブズは論じている。カトリック，イギリス国教会，ピューリタンと，宗教上の悲惨な対立を目の当たりにしたホッブズだが，誰もが同意する自己保存から自然法を導き出し，国家の必要性，さらには望ましい国家のあり方を描いたのであった。

（2）ホッブズの自然法と国家

ホッブズは，『リヴァイアサン』で自然法を以下のように定義している。

> 自然の法とは，理性によって発見された戒律すなわち一般法則であって，それによって人は，かれの生命にとって破壊的であること，あるいはそれを維持する手段を除去するようなことを，おこなうのを禁じられ，また，それをもっともよく維持しうるとかれが考えることを，回避するのを禁じられる。(『リヴァイアサン』第１部第14章)

このようにホッブズの自然法は，自己保存という世俗的目的に基づいたものであり，キリスト教，神の法に基づいていたアクィナスの自然法（☞第３章２（4））とは大きく異なっている。また，この自然法は，自己保存という「自然権」をよりよく実現するための法としても考えられる。ここでも，人々の義務の側面，自然「法」の側面が強調されたアクィナスのものとは違い，自然「権」，人々の権利を基礎とした議論が示されている。法と宗教の分離，人々の権利を保障する法といった法の見方は，現代法に近い法の捉え方であったと言えるだろう。本章の冒頭で述べたように，ホッブズは，現代法につながるような近代の法思想を明確に示していた。ただ，「自己保存」のために人々が従う自然法から創設される国家，ホッブズが考えた望ましい国家は，私たちの常識的な国家像とは著しく異なるものであった。

ホッブズは第１の基本的な自然法として，「平和を求め，それに従え」といったものを挙げている。そして，この基本的な自然法から「平和と自己防衛のために必要だと思う限り自然権を放棄すべきであり，他の人々に認めるのと同じ程度の自由をもつことで満足すべきである」という第２の法が引き出される。さらにホッブズは，この第２の自然法を「人類の平和を妨げる自然権を第三者に譲渡することを義務づける自然法」と言い換えた上で，そこから生じるものとして「人々は自然権を第三者に譲渡する信約（約束）を遵守すべきである」という第3の自然法を挙げている。そして，この信約を有効なものとするために，人々にそれを遵守させるのに十分強力な政治権力＝国家の設立が要請されるのであった。要するにホッブズによると，人々は国家がない状態，自然状態においては自己保存のため他者を殺害する権利さえ有していたが，その状態では自己保存は長続きしない。したがって，自己保存のために自然法に従うことになるが，それは自己保存のための自然権を第三者，すなわち主権者に譲渡する信約を結んで国家を創設することを命じているのであった。

なお，近年のホッブズ研究は飛躍的に進展しており，以上のようなホッブズの自然法の性格について，より厳密な解釈が示されるようになっている。これまで説明してきたように，ホッブズの自然状態においては客観的な善悪の基準もなく，神の法も存在していなかった。そこで，自己保存のため，「理性によって発見された戒律」である自然法に従うことになる。ただ，難しい説明になるが，ホッブズは決して無神論者ではなく，「平和を求め，それに従え」という基本的な自然法を，人間が理性によって発見する戒律としてのみではなく，神の命令でもあると考えていたとの解釈が示されている。神による客観的な秩序を否定したホッブズであるが，人間が理性によって発見する戒律と神の命令が合致することとなり，自然法に従うことが，合理的計算に基づくものではなく道徳的義務となると考えていたという解釈である。したがって，第1の基本的な自然法を受け入れるならば，その第1の基本的な自然法に続いて，第2，第3の自然法に従う義務が生じ，信約を人々に遵守させるために国家が設立されるのである。

『リヴァイアサン』においてホッブズは，国家が取りうる形として君主政と，貴族政，民主政を挙げている。したがって，政治的な最終決定権をもつ主権者としても君主や議会が考えられていた。ただ，実際には議会は内部分裂に至る可能性があるとして，君主政がより望ましいとホッブズは考えていた。その際，主権者に対して，人々は統治の形態を変更できず，主権を剝奪することはできず，また，主権の設立に抗議することも不正であるとホッブズは論じている。さらにホッブズは，人々が主権者の行為を非難することは正当ではなく，主権者のどのような行為も処罰することはできないとも論じていた。ホッブズの信約は自然状態における人々の間のものであって，主権者と人々の間に契約関係はなく，したがって契約違反を理由とする抵抗権は生じえないのであった。そして，主権者は人民の平和と防御に何が必要かを判断する権限とともに，以下で見るような聖書の解釈権，法律を作る独占的な権限などをもつとホッブズは断じていた。

ホッブズは何故，このような絶対的な権力を主権者に与えることが自然法によって命じられると考えていたのだろうか。その点について理解するためには，本節（1）で見たイギリス社会の問題点としてホッブズがより具体的にどのようなことを考えていたのかを理解することが必要である。『リヴァイアサン』は1649年に執筆が開始されたと言われているが，それはまさにチャールズ１世が処刑された年であった。そして，そのような内乱の最大の要因とホッブズが考えたのが，安定した権力がない中で各人が善悪の問題，何が正しく何が不正なのかについて私的に判断して，それを実現しようと暴力にさえ訴えたことであった。その中でもホッブズが問題視したのが，宗教上の自らの信念を，他者を押しのけてまで実現しようとする宗教上の対立であった。カトリック，イギリス国教会，ピューリタンの間の対立を目の当たりにしたホッブズは，安定した権力がない中では，教義，聖書の解釈についての果しない争いが続いてしまうと考えていたのである。そして，今とは比べ物にならなかったほど信仰心が強かった当時のヨーロッパやイギリスでは，宗教の違いを１つの要因として紛争や革命が起きてしまい，当然，数多くの死者も出てしまった。ホッブズは，相容れない様々な学説を広める聖職者こそがこのような内乱の要因であると考えており，主権者が，上述のように聖書の解釈権をもつことを正当化したとも考えられる。

ホッブズは法律家たちも，正不正についての私的な判断によって平和を乱していると考えていた。17世紀初めのイギリスでは，国王は絶対的逮捕権をもつと主張して，国王が法律に基づかずに自らに批判的な人々を逮捕することがあった。また，国王が議会の同意を経ずに新たな税を課すこともなされている。このような状況においてイギリスの法律家たちは，13世紀のマグナ・カルタの時代から，法に基づかずには逮捕されないこと，議会の同意がなければ税

〈コラム８〉　ホッブズとクック

『哲学者と法学徒との対話』というホッブズの著作は，そのタイトル通り，哲学者と法学を学ぶものとの対話の形で書かれているが，16世紀から17世紀にかけて活躍した法律家のエドワード・クック（1552-1634）に対する痛烈な批判が続いている。イギリスでは，13世紀頃に裁判制度が整備され，そこで運用が開始された判例法が今日でも法の中心を占めている。そして，イギリスの共通の法であったことから，判例法はコモン・ローと呼ばれるようになった。

クックを始め，コモン・ロイヤー（コモン・ローを扱った法律家）たちは，国王の権力を制限するため，コモン・ローやイギリス法の伝統的な法原則に依拠していた。クックなどは，コモン・ローは，長い期間に渡って優れた裁判官，法律家たちによって鍛え上げられてきたがゆえに最高の権威をもち，国王さえも，それには従わなくてはならないと論じていたが，例えば，人々は自らの同意なくして財産を奪われることはないといったことや，理由なしに拘束されることはないといったことがコモン・ローの原則であると主張された。この立場は「古来の国制論」とも呼ばれている。

本文でも見たように，コモン・ロイヤーたちは議会にも進出して，国王と真っ向から対立したが，ホッブズは，このような行為が主権者の力を弱めて内乱を呼ぶと批判するとともに，より法学的な観点からも批判している。クックは，窃盗を定義する際，不動産に付着したものを盗んだ際は不動産に対する不法行為になり，窃盗には当たらないとした。これは，コモン・ローの原則から導かれたものだが窃盗が厳しく罰せられていたために，例えば，価値のない倒木を盗んだ人が絞首刑にされ，逆に高価な立木を根ごと引き抜いて盗んだ人が損害賠償で済むことになってしまうとホッブズは指摘している。ホッブズによれば，コモン・ローも主観的なものに過ぎず，主権者が定めた法を正しいものとして受け入れるほかないのであった。

を課されないことがイギリス法の原則，伝統であったと反発した。法律家たちは関連する裁判で国王側と対立するとともに議会にも多数進出しており，そこでも国王と対立している。そして，1628年の議会において法律家たちは，絶対的逮捕権，議会の同意のない課税権の放棄などを要求する権利請願を提出し，国王が受け入れない限り，国王の政治に一切協力しない戦略を取った。この結果，国王はこれを承認し，法律によらなければ逮捕できないこと，議会の同意がなければ課税できないことを認めている。しかしながら，本節（1）でも見たように，その後，議会を無視し続けたチャールズ１世の政策に反発した議会は，1640年に11年ぶりに開催された議会で国王と再び対立して，1642年に内戦が勃発してしまう。

イギリスの法律家たちは，何が法であるかは，イギリス法の原則に習熟している法律家によって明らかにされるべきであるとして，「法律家の理性」の重要性を説いている。しかしながら，ホッブズは，法律家によって主権者であった国王の権力が弱められ，共通の権力，安定した国家が失われて内乱が生じてしまったと考えた。宗教の問題と同様に，「何が法か」という問題も，主権者によって決定されるべきであるとしたホッブズは，「(法律家の) 理性でなく権威が法を作る」と断じていた。より具体的にホッブズは，法を作る主権者の権限について以下のように述べている。

> 主権者に属するのは，各人が，かれの同胞臣民のだれからもさまたげられずに，享受しうる財貨は何であり，おこないうる行為は何であるかを，かれらが知りうるような諸規則を規定する，権力のすべてである。(『リヴァイアサン』第2部第18章)

結局，ホッブズが望ましいと考えた国家では，主権者が平和と防御に何が必要かを判断する権限，聖書の解釈権，法律を制定する権限を独占することになっていた。また，上記の引用にもあるように，何が人々の財産であるかも主権者が決定すべきであるとホッブズは考えていた。具体的には例えば，内乱や外国からの侵略を防ぐ軍隊のために資金が必要であるならば，主権者は，自身の裁量に基づいて人々の財産を取り上げることも可能であったであろうし，犯罪を防ぐために人々の行動の自由などを規制できると考えられていたのであった。内乱の抑止，平和の維持のために，主権者がすべての拘束から自由であることが必要とされていたのであるが，自己保存を命じる自然法からそのような主権者に従うことが人民には要求されていたのである。なお，ホッブズは，主権者が紛争を解決する権利，司法の権利をもつとも論じていた。そして，ホッブズの自然法には次の「公正な裁判を行うこと」のように，その主権者に対して向けられたものもある。

もし「ある人が，人と人とのあいだを裁くことを信託されるとすれば」自然法の戒律は，「かれはかれらのあいだを平等にとりあつかうこと」である。なぜなら，それなしには，人びとの論争は，戦争によってしか決定されえないからである。(『リヴァイアサン』第1部第15章)

この自然法は，公平な裁判をするよう主権者に命じるものであるが，主権者の要求することがこの自然法に反していようと主権者に全面的に従う義務が人々にはあった。逆に，17世紀のイギリスの法律家たちのように主権を制限，コントロールしようとすることは，自然状態に人々を連れ戻してしまう行為として自然法に反すると非難されるだろう。自己保存のために争いの芽を徹底的に排除する必要があり，そのためには，君主であれ議会であれ，主権者には圧倒的で制約のない力が与えられるべきであるとホッブズは考えていたのであった。

なお，ホッブズの自然法思想は，アクィナス（☞第3章2（4）），次に見るロックのものとは大きく異なったものになっている。特にロックは，「悪法は法ではない」という観点から，自然法に実定法をコントロールする役割を与えていたとも考えられる。一方，ホッブズにおいては，自然法の内容が自己保存と関連する狭いものであったため，例えば，主権者でも自己を防衛する権利などを人々に放棄させることはできないとされていたが，人々の自由や財産を制限する法は，むしろ自然法に合致すると考えられたとも言えよう。いずれにせよ，1689年には名誉革命の結果，権利章典が制定され，イギリスにおいては国王の干渉からの人々の自由や財産の保障が強化された。そのような時代により即した法思想を示したのが，次に見るロックである。

2　ロックの自然法思想

（1）ロックとフィルマー

ロックは1632年にイギリス南東部のリントンという村の貧しいジェントリ（地主）の家系に生まれた。父親は法律職に就いていてピューリタン教徒でもあり，1642年の内戦では国王の権力を制限しようとする議会派の将校として参戦している。その父の上官によって，ロックは，後にベンサム（☞第8章1）も通うことになるウェストミンスター・スクールというロンドンの名門校に推薦されて，1647年に入学して，1652年の20歳の時にオックスフォード大学に進学している。その後，オックスフォード大学で修士号を取得して，自然科学，哲学，医学などの研究を進めて，後に医師免許を取得している。ロックにとって重要な契機が後年，シャフツベリ伯爵となる貴族と出会ったことであった。ロックは，初めは侍医としてシャフツベリ（1621-83）に仕えたが，秘書としてその政治的活動を支えていくことになる。

そのシャフツベリは1670年代末からの「排斥法危機」と呼ばれた国王派対反国王派の対立の中で，後者のリーダーとしての役割を果たしている。本章1（1）で見たように17世紀のイギリスは激動の時代であり，ピューリタン革命を経て1660年に王政が回復し，チャールズ２世が即位している。しかし，カトリックであったチャールズ２世には，フランスのルイ14世（在位1643-1715）と密約を結び，フランスからの援助を得てイギリスのカトリック化を進めようとしているという疑惑がかかってしまう。また，そのチャールズ２世と王妃の間に子供がいなかったため，弟のヨーク公（後のジェームズ２世）が王位を継ぐことが有力視されたが，ヨーク公もカトリック教徒であった。エリザベス女王の一代前のメアリ女王（在位1553-58）がそうであったように，イギリスではカトリックの王による政治は専制主義と結びつきやすいものであった。当時，カトリックはイギリスの人口の１％ほどであったが，多数派のイギリス国教会の信者にとっては，宗教的弾圧などの厳しい専制政治が予想されたため，シャフツベリが中心となってヨーク公を王位継承者から外す「ヨーク公排斥法案」が1679年に議会に提出されたのである。その結果，国王派とシャフツベリ派の対立が激化し，イギリスは再び分裂の危機に見舞われてしまう。ロックの主著である『統治二論』も出版されたのは名誉革命後の1689年であったが，元々の執筆動機はこの排斥法危機においてシャフツベリを擁護することにあった。そして，ラスレットという研究者によると，ロックは1680年から83年までに『統治二論』の基本的な部分を書き上げたとされている。ロックには哲学の重要な著書である『人間知性論』（1689年），政教分離の原則の原点ともされる『寛容についての手紙』（1689年）などの著書もあるが，以下，『統治二論』に焦点を当てていきたい。

さて，排斥法危機で国王側が依拠したのがロバート・フィルマー（1588-1653）の『パトリアーカ』という著作であった。フィルマー自身すでに亡くなっていたのだが，ヨーク公排斥法案が提出された前後の1679-80年に，原稿のまま出回っていたものを国王派が自分たちの主張の正当性を示すために刊行したのであった。

フィルマーはカトリックではなかったが，ピューリタン革命の前のチャールズ１世と議会の対立においてチャールズ１世を擁護していた。その際，聖書を参照しつつ，王位，あるいは王の権力は神によって与えられたものであるという「王権神授説」に基づいて議論を進めている。すなわち，神はアダムを作ったが，アダムに支配権を与えており，歴代の王はこのアダムの末裔であって，絶対的な支配権も継承していると論じていた。この議論は，アダムの子孫，血統を重視している点で，王妃との子供がいなかったチャールズ２世を継ぐのは最も血のつながりが強かった弟のヨーク公であることを正当化するものだろう。より具体的にはフィルマーは，アダムがイヴを支配したような家父長権を歴代の王は継承しているため，国王は，当時の家長（父親）が妻や子供を支配していたように，人々を支配すると論じていた。チャールズ１世は，例えば，1620年代には法律に基づかない逮捕権を行使するなど思いのままに権力を行使していたが，フィルマーは，そのような国王の絶対的権力を擁護していたのであって，1679年以降の排斥法危機の際の国王派も，フィルマーに頼って国王のそのような権力を擁護したのであった。

ロックは排斥法危機の際の反国王派のリーダーのシャフツベリを擁護するために，『統治二論』において，まずフィルマーを徹底的に批判した。その際，ロックはフィルマーの聖書解釈の誤りを指摘しており，例えば「諸々の生き物を治めよ」という聖書における神の言葉は，アダムにだけではなく，他のすべての人々に言われたものと解釈すべきであると論じている。また，アダムが子供に対して絶対的支配権をもっていたとしても，家父長権は家族の中の話であって，政治的権力とは別の話であるとも指摘している。さらに，当時のイギリスの国王がアダムの正統な相続人であると証明することもできないだろうとも論じていた。

ところで，国王の絶対的な権力を擁護する点だけに着目すると，フィルマーは本章1で見たホッブズに近いように思われる。ただ，フィルマーが正しい秩序，人間の社会のあり方は聖書に書かれていてあらかじめ決められていると考えていたのに対して，ホッブズは近代の思想家であり，人間は主体的に秩序を作っていくと考えていた。ロックも同様に，秩序，社会は人間が主体的に作っていくものだと考えており，その内容はまったく異なるものの，ホッブズと同様に共通の権力のない状態，自然状態から望ましい秩序のあり方を考察している。

（2）ロックの自然法と自然権

ロックは『統治二論』において，自然状態を考察する意義，それから自然状態とはどのようなものかについて次のように述べている。

> 政治権力を正しく理解し，それをその起源から引き出すためには，われわれは，すべての人間が自然にはどんな状態にあるかを考察しなければならない。それは，人それぞれが，他人の許可を求めたり，他人の意志に依存したりすることなく，自然法の範囲内で，自分の行動を律し，自らが適当と思うままに自分の所有物や自分の身体を処理することができる完全に自由な状態である。
> 　それはまた，平等な状態であり，そこでは，権力と支配権とは相互的であって，誰も他人以上にそれらをもつことはない。（『統治二論』後編第2章4）

このようにロックは，自然状態では人々は自由で平等な状態にあるとしている。そして，ロックは，神が明確な宣言によって支配者を任命していない限り，自然状態において，すべてのものが服従の関係になく相互に平等であることは自明であると論じている。本節（1）で見たように，ロックの目的は，国王は人々を支配する絶対的な権力をアダムから継承しているというフィルマーの議論に反論することであった。フィルマーとは逆に，人々は元々自由で平等な状態にあるとロックは考えており，そこからどのようにして政治権力が生まれるかを考えなくてはならないと主張しているのである。

自然状態，共通の権力のない状態を想定して，そこから望ましい秩序のあり方を考察したのはホッブズも同様であった（☞本章1）。しかしながら，ホッブズとは違い，ロックは自然状態においても自然法によって一定の秩序が保たれていると論じている。

> 自然状態はそれを支配する自然法をもち，すべての人間がそれに拘束される。そして，その自然法たる理性は，それに耳を傾けようとしさえすれば，全人類に対して，すべての人間は平等で独立しているのだから，何人も他人の生命，健康，自由，あるいは所有物を侵害すべきではないということを教えるのである。(『統治二論』後編第2章6)

ロックは，例えば，自然状態での出来事の例として，無人島で2人の人が交易をすること，あるいは，当時のアメリカの森林でスイス人とインディアンが契約を締結するという例を挙げている。まだ植民地化されていない無人島やアメリカの森林についてロックは述べているのであって，当然，契約法などもないだろう。しかしながら，ロックは，「人間としての人間に属する」(『統治二論』後編第2章14) 義務があるため，そこでの約束や契約は拘束力をもつと論じている。この「人間としての人間に属する」義務を定めたものが自然法にほかならないが，ロックは，キリスト教の観点からその自然法を説明している。ロックによれば神によって人間は存続するよう造られているため，各人は自分自身を保存すべきであると同時に，人類の他の人をも保存すべきである。したがって，正当な報復以外には，上記の引用にあるように，他者の生存に役に立つ自由，健康，財産を害してはならないと命じられているのであった。そして，実定法がなくても，人々はそれぞれに備わった能力である理性によって，そのような自然法を把握することができると論じられている。

ところで，自然法が全人類に他人の生命，自由，所有物・財産を侵害してはならないと命じていることは，視点を変えると，すべての人に生命，自由，財産に対する権利，自然権があるという見方も可能であろう。そして，生存の権利，生命への自然権は，すでに見たような，神によって命じられる他者を保存する義務に対応するものとして生じてくるだろう。また，フィルマーが国王に与えようとした絶対的権力による支配を受け，自由を奪われているならば生存の権利も危うくなるという観点から，自由に対する自然権も認められる。さらに，財産権についてロックは，神が世界を共有物として人間に与えたと述べた後，以下のように論じている。

> 人は誰でも，自分自身の身体に対する固有権（プロパティ）をもつ。これについては，本人以外の誰もいかなる権利をももたない。彼の身体の労働と手の働きとは，彼に固有のものであると言ってよい。従って，自然が供給し，自然が残しておいたものから彼が取りだすものは何であれ，彼はそれに自分の労働を混合し，それに彼自身のものである何ものかを加えたのであって，そのことにより，それを彼自身の所有物とするのである。（『統治二論』後編第５章27）

ロックによれば，元々この世のものは共有物であったのだが，例えば，畑を耕して穀物を収穫するなどして労働を加えた結果，土地の所有権などの私的所有権が生じてくるのであった。

> 人が耕し，植え，改良し，開墾し，その産物を利用しうるだけの土地が，彼の所有地なのである。彼は，自らの労働によって，それを，いわば共有地から囲い込むのである。（『統治二論』後編第５章32）

これは，「労働所有権論」とも呼ばれる考え方であるが，ものが共有されているままでは生存は十分には保障されえないため，このように生じる私的所有権も人々の生存のために必要な自然権であるとロックは論じている。

以上のように，ロックは，共通の権力のない自然状態において人々は自由で平等な状態にあるが，ホッブズとは違って，人々はそこでも自然法に従っていると論じている。そして次に見るように，ロックは，政治権力の役割は自然法によって人々に与えられる自然権のより良き保障であると論じていた。また，すでに見たように，その自然権の内容は財産に対する自然権など，非常に世俗的なものであった。そして，ロックが擁護した権利の内容も国家からの干渉から自由であるという意味で現在では自由権と呼ばれ，アメリカ，日本など世界の多くの国々で保障されているものである。ロックは，生命，自由，財産の保障という自由権に，自然権，人間が生まれながらもつ権利という基礎を与えたのであった。

（３）ロックの抵抗権論

ロックは，自然状態において自然法によって与えられる，人々がもつ，生

〈コラム9〉 ロックとアメリカのインディアン

ロックの所有権論は，税率をできるだけ抑えて「最小国家」を目指す今日のリバタリアニズム（自由至上主義）にも影響を与えている（☞第9章コラム20）。ロックにおいては，他人の意志に依存せずに労働によって私的所有権が認められるため，所有権の不可侵性は強いものとなり，国王による一方的な課税に対する強力な反対論になっていた。ただ，近年の研究ではロックの所有権論は，アメリカに植民したイギリス人たちが，元々住んでいたインディアンから土地を奪うことを正当化するものでもあったと主張されている。

ロックが秘書を務めていたシャフツベリ伯は，奴隷貿易を行う王立アフリカ会社の大株主であり，植民地を監督する政府の委員会の有力メンバーであって，カロライナ植民地の経営権ももっていた。ロックもカロライナ植民地の経営に協力するとともに，上記の政府の委員会の委員を務めている。このような背景もあり，著名な歴史学者のアーミテージは，ロックの『統治二論』後編の第5章「所有権について」は，ロックがカロライナ植民地の憲法の改正に取り組んでいた1682年に執筆されたと論じている。

本文でも見たように，ロックは神が世界を人類の共有物として与えたと論じていたが，当時のアメリカの土地の大部分は先住民のインディアンの私有地ではなく，イギリス人の入植者たちも同等の権利をもって利用，占有できると論じていた。「所有権について」でロックは，人は，狩猟採取という労働によってその獲得物に対する所有権を得るが，土地に対しては，耕作，土壌の改良などの労働を付加していないならば，その土地を所有しているとは言えないと論じている。インディアンによって土地の耕作が行われていないならば，その土地は人類の共有地のままであるとロックは主張したのであった。この点について，カナダの研究者のアルネイユは，ロックの議論が，イギリス人による土地の収用と，狩猟採集で生計を立てていたインディアンの人々を農業従事者にすることを正当化するためにも用いられたと主張している（『ジョン・ロックとアメリカ』1996年）。ロックは，アメリカの独立宣言にも影響を与えたとされているが（☞第9章1（1）），植民地の時代からアメリカと大きく関わっていたのであった。

命，自由，財産に対する各人の権利を固有権（プロパティ）と呼んでいる。そして，人々はまた，自然法が遵守されるようにそれを執行する自然権ももつと論じている。そういった執行権がなければ，自然法の効力が弱まってしまうからである。そして，自然状態はすでに見たように人々が平等な状態であったため，すべての人々がそのような自然法の執行権をもつとされる。ただ，自然状態では実定法，裁判所，そして法執行機関もないため，様々な不都合が生じるとロックは指摘する。まず，自然法はすべての人々に理解できるものではあるが，中には理解不足の人もいること，また，自然状態では自然権が侵害されたと考える人は各自が裁判を行うことになるが，どうしても自分に有利な決定を下しがちになることがある。それから，そもそも自然法に違反しているという決定がなされても，それを正当に執行する権力がないために正当な決定を執行しようとする人が相手の反撃に遭い，悲惨な結末を迎えてしまうこともあるだろう。その結果，彼らの固有権の保護は不十分になってしまう。よって，人々は自然法の執行権，すなわち，処罰権力を放棄して共同体に加入して彼らの権利の保護をそこに求めるようになるとロックは論じている。

> 人々は，彼ら一人一人がもっていた処罰権力をすすんで放棄し，その権力が，自分たちの間でそのために任命された者によってのみ，そして，共同体自体が，あるいは共同体からそのための権威を授権された人々が合意した規則に従って行使されるようにするのである。ここに，われわれは，統治と社会とのそもそもの権利と起源とを見るとともに，立法権力と執行権力との本来の権利と起源とをも見るのである。(『統治二論』後編第９章127)

ここでのロックの議論は二段階になっていることに注意する必要がある。ホッブズにおいては自然状態から政府の設立に移っていくが，ロックの場合は，まず，第一段階で人々は自然法に違反した者への処罰権，さらには自己と他者の保存のために必要である限りの，自己および他者の保全のために行動する自由を放棄してそれらを共同体の権力に委ねるとされている。すでに見たように，自然状態では自然法が必ずしも明白でなく，公平な裁判も期待できず，自然法の執行も不十分なために固有権を十分に享受できない。したがって，人々は固有権のよりよき保障のため，共同体の権力に処罰権などを委ねるのであった。他方で自然状態において人々は平等な状態にあるが，共同体で固有権の保障のためにどのようなことをなすべきかを決定する際には多数決によらざるを得ないため，人々は多数派の決定に服従することに同意するとロックは論じている。

次に第二段階では共同体の運営方法，すなわち政治のあり方が決められる。まず，共同体が設立されたのは人々の固有権を保障するためであったので，そのための法律を制定する立法権力が必要とされる。自然法の義務が共同体の中でより精密に解釈されて規定され，何が正しく何が不正であるかを定める恒常的で公知の法が必要とされたからである。一方，その法律を執行する執行権力も創設されるが，立法権力が最高権力であるとされている。

ただ，ロックは，執行権力，それから最高権力とされた立法権力も自然法の制限と共同体の信託とに服すると論じていた。人々が共同体に入るのは元々自然法によって与えられていた固有権を保護するためであり，そしてその目的のために立法権力と執行権力を信託している（委ねている）ため，その本来の目的を超えることができないと論じられているのである。さらにロックは，固有権を守るという共同体の信託に反して執行権者や立法部が行動した場合，彼らに委ねられた権力は再び共同体に戻り，新たな形で立法権力と執行権力が形成されると論じている。

ロックは，自然法，信託から生じる具体的な制限として，①立法部は公布され確立された法によって支配しなければならない，②立法部の法は人民の善以外のいかなる目的のためにも制定されてはならない，③立法部は人民自身，あるいは代表者の同意がなければ課税してはならない，④人民が定めた以外のいかなるところにも立法部を設置してはならないといったものを挙げている。なお，『統治二論』執筆時の状況も念頭において，例えばイギリスで執行権力をもっていた君主が立法部の法に代えて自らの意志を法として執行すること，また，君主が議会を召集せず立法部の活動を阻害する場合も上記の④に当てはまるともロックは論じているようである。そして，そのような際には信託違反が生じたのであり，人民は抵抗権をもつとまで述べている。

> 国民〔人民〕は，立法部を，定められた一定の期間に，または必要が生じたときに法を作る権力を行使させるという意図の下に設立したのだから，社会にとって必要なこと，あるいは，国民〔人民〕の安全と保全とが賭けられていることから何らかの力の妨害によって遠ざけられた場合には，彼らはそれを実力によって排除する権利をもつ。（『統治二論』後編第13章155）

本節（1）で見たように，ロックの『統治二論』は，チャールズ２世を継いで王位を継ぐと見なされていたヨーク公（後のジェームズ２世）を排除しようとしたシャフツベリを擁護して書かれたものであった。また，同じく触れたように，ロックはヨーク公を支持する一派が頼りにしたフィルマーの著作も徹底的に批判していたが，そのフィルマーが擁護していたのが17世紀前半のチャールズ１世の専制政治であった。チャールズ１世は，議会の法律に基づかずに逮捕権を行使したり，11年間も議会を開催しないなど，ロックが信託違反とした行動をいくつも取っていた。ヨーク公が即位した際も同様な専制政治がなされる危惧があったが，ロックはそのような事態を排除することが人民には可能であることを理論的に正当化している。

結局，チャールズ２世の死後，その弟のヨーク公がジェームズ２世として王位についたが，カトリック優遇策などで人民の怒りを買って追放されてしまい，1689年に名誉革命によってプロテスタントのウィリアム３世とメアリ２世が即位した。そして，その際にウィリアム３世とメアリ２世が同意した権利章典には，議会の承認のない課税の禁止，議会の承認なしに法律の効力やその執行を停止することの禁止などが定められ，議会主権が確固たるものとされてロックの主張が受け入れられたとも考えられる。ただ実際は，権利章典で定められた課税の規定などは，イギリス人の伝統的な権利や統治体制を維持，回復することを目指した「古来の国制論」によって正当化されていた（☞本章コラム８）。立法部は，貴族院（上院）・庶民院（下院）の両院と国王によって構成されており，課税，あるいは法律はその三者の同意によって初めて可能になることが古くからのイギリスの伝統であって，国王もその伝統に従わなくてはならないと論じられたのである。

なお，名誉革命自体，国王とそのとりまきの権力をコントロールすることが主眼とされており，実際，名誉革命前後に選挙権をもっていた人は，貴族や大土地所有者などに限られていた。ロック自身も，そのような時代の影響を受けており，財産に対する自然権を認められるのは土地所有者などに限定され，当時，男性人口の66％を占めていた，農業労働者などの賃金労働者には認めていなかったという指摘もある。一方，ロックの『統治二論』では，立法部が信託に違反した際はその権力は共同体に戻され，人々は人員や形態などを自由に変えて新たな立法部を作ることができると論じられていたが，この点は当時のイギリスの支配層にとっては過激すぎる考え方であった。

まとめ

以上，本章では，激動期であった17世紀イギリスのホッブズとロックの法思想を検討した。ホッブズとロックでは自然状態のあり方，結果として生じるとされる国家のあり方は対照的なものであった。しかしながら，双方とも，国家がないならば人間の社会にはどのような不都合が生じるのかという観点から国家のあり方を考えるという面では共通していた。既存の法秩序には限界があることを明らかにするとともに，人間が主体的に法秩序を形成できることをホッブズやロックは理論的に示したのであった。そして人々には生まれながらの権利，自然権があり，それを保障せよという人々の信託に反した政府を排除する権利をもつというロックの法思想は18世紀後半のアメリカ独立宣言に大きな影響を与えている（☞第９章１（１））。既存の制度のあり方に大きく失望していて，そもそも国家とは何かということを根本から考える必要があった人々に大きな指針を与えたのであった。

ホッブズとロックのうち，特にロックの生命，自由，財産に対する自然権，ないし固有権は，国家の干渉から自由であることが保障された「消極的」自由権として，アメリカを始め，世界各国の憲法で保障されるようになる。また，本章で見てきたように，統治者が共同体からの信託に反して行動した場合，市民の側に抵抗権を認めていたことから，ロックの法思想は，恣意的な権力の行使から憲法などの法制度によって人々を守る「立憲主義」の源流の１つとされることもある。もちろん，現代ではロックのように国王から人々の自由を守るのではなく，民主主義国家における多数派から守ることに重きが置かれている。しかしながら，国家が恣意的に干渉できない権利を人々に保障するというロックの自然権，固有権の思想は，現代でも影響力を持続させている。

◆参考文献

梅田百合香『甦るリヴァイアサン』（講談社，2010年）

第１部の「ホッブズの近代性とその意義」では，本章で説明した社会契約論のみでなく，軍事論，国際関係論なども含めてホッブズの思想の全体像が示されている。本章では扱えなかった『リヴァイアサン』第３部の宗教論から見たホッブズの思想の描写など，ホッブズ研究の最新の成果も取り入れられた入門的なホッブズ研究書である。なお，同『ホッブズ リヴァイアサン（シリーズ世界の思想）』（KADOKAWA，2022年）は，『リヴァイアサン』の各章の原文（翻訳）の抜粋に続く形で詳細な解説が付けられた解説書で，原文を読み進めつつ，そのポイントが理解できる構成になっている。

田中浩『ホッブズ――リヴァイアサンの哲学者』（岩波新書，2016年）
ホッブズの生誕から死に至るまでほぼ年代順に，同時代の人々との関わりなどのホッブズの伝記的な記述，『リヴァイアサン』などの主著の説明がなされている。また，ロックやルソーといったホッブズ以降の思想家とホッブズとの比較も示されている。その法思想とは対照的に，実は明るい人物であったなど，ホッブズの人柄などを示すエピソードなども興味深い。

加藤節『ジョン・ロック――神と人間との間』（岩波書店，2018年）
本文で触れたホッブズ研究と同様にロック研究も大幅に進展している。この本の著者は本章で度々引用しているロックの『統治二論』の訳者であるが，ロックの原稿や手紙などの大量の資料が含まれる「ラブレイス・コレクション」が1947年に公開されて以降，大きく刷新されているロック研究の現在を分かりやすく説明している。特にロックにおける神の存在とロックの自然法，プロパティとの関係の記述は詳細で，専制君主に対する抵抗が宗教的義務であったとする解釈は興味深い。

第5章　自然法思想から人民主権論へ
——ルソーの社会契約論

本章ではジャン＝ジャック・ルソー（1712-78）の法思想を取り上げる。ルソーの生涯は，フランスではルイ15世（在位1715-74）の治世と重なっている。この時代は，10数年後に起きたフランス革命以降，アンシャンレジーム（旧体制）と呼ばれてきた。それは絶対主義・絶対王政による専制君主の時代だとされている。

しかしアンシャンレジームや絶対主義といった歴史的概念は，現在では見直しがなされている。アンシャンレジーム期と革命後の社会に断絶ではなく，連続性をみる見解が有力に主張され，絶対主義も絶対ではなく，多くの制限があったとされている。伝統的なフランス国家は君主の下，中央集権的に一元化された国家ではなく，様々な中間団体によって構成されており，歴史家によっては社団国家と呼ばれることもある。君主の権力行使はそうした中間団体の様々な特権・既得権などによって制約・制限を受けていた。

そうした諸制限に対抗して，絶対君主はジャック＝ベニーニュ・ボシュエ（1627-1704）に代表される王権神授説によって自己の絶対的主権の正当化を図っていた。それによれば王権は神から与えられているものなので，君主の権力は絶対的であり，あらゆる批判から免れているとする（フィルマー（1588-1653）の王権神授説については☞第4章2（1））。

しかし法学の世界で影響力をもったのは自然法論者と呼ばれる人たちである。その代表者はオランダ出身の法学者フーゴー・グロティウス（1583-1645）やドイツの法学者ザムエル・プーフェンドルフ（1632-94）である。このうち，プーフェンドルフは，「信託」でなく「合意」によって統治者を義務づけたという違い，所有権の捉え方の違いはあるものの，ロックの法思想（☞第4章2）に大きな影響を与えている。17世紀に活躍した彼らの著書は18世紀にジャン・

バルベラック（1674-1744）によって仏訳されて，大変な成功を収め，多くの読者を得た。自然法論者たちは，おおむね君主政の支持者であったが，神ではなく自然法によって君主権を基礎づけることで，王権神授説を批判していた（☞本章コラム10）。

またこの時代は，フィロゾーフと呼ばれる一群の思想家による啓蒙思想が出現し，その代表者とも言うべきドゥニ・ディドロ（1713-84）やジャン・ル・ロン・ダランベール（1717-83）は，百科全書を編集し，知的な教養をもった読者層を対象に知識の普及を進めた。こうした知識層の存在が，その後のフランス革命の文化的起源となったとも言われている。

こうした時代の中でルソーは，自然法論者や啓蒙思想家の影響を受けつつも，それを批判しながら独自の法思想を展開し，それはフランス革命やその後のヨーロッパ社会に大きな影響を与えたと評されることになる。

1　自然法論とルソー

ルソーの法思想を検討するにあたって，最初に取り上げなければならないのはルソーと自然法との関係である。ルソーが自然法に反する実定法の拘束力を否定する自然法論者であるか，自然法とは独立して，一定の正統な手続で制定された実定法の拘束力を認める法実証主義者であるのかについては，研究史上の長い論争がある。

まずその問題を考える上で参考になる範囲で，『社会契約論』執筆までのルソーのプロフィールに触れておきたい。

ルソーは，1712年ジュネーヴで生まれた。父親は時計職人で，ジュネーヴの市民権を有していた。当時のジュネーヴは共和政国家で，いくつかの身分に分かれていた。その内，一番上の身分である市民だけが行政官の地位に就くことができた。国の最高議決機関は一般議会，すなわち市民総会と呼ばれ，そこには市民とその下の階級である町民のみが参加できた。しかしルソーの時代には，市民総会の権限は縮小され，名門貴族が独占していた25人のメンバーからなる小議会が実権を握っており，寡頭政の状態になっていた。そうした事情をルソーが知るのは後年になってからだが，ルソーは自分がジュネーヴの市民の

〈コラム10〉　近代自然法学派：グロティウスとプーフェンドルフ

グロティウスやプーフェンドルフは，17世紀から18世紀にかけて，ヨーロッパで隆盛を極めた近代自然法学派と呼ばれる法思想の学派の創始者，体系者とされている。

グロティウスの主著は『戦争と平和の法』（1625年）である。本書で一番有名な文章は，そのプロレゴメナ（序論）11節の「そして，われわれがいま述べたこと〔人間の間に自然法が存在するという議論〕は，神は存在しないとか，神は人事を顧慮しないといった，最大の冒涜なしには認めることができないことをあえて容認したとしても，ある程度まで妥当するであろう」という一節である。この一節は，グロティウスが，自然法の源泉を神ではなく，人間の普遍的理性に求めているとして，近代自然法の特徴である，自然法の世俗化を宣言したものであると評されることもある。ただし，これに続く文章では，神を礼賛し，神の自由な意思に由来する法についても語っているので，グロティウスにおける自然法の世俗化は徹底していないという評価が一般的である。

本書の主題は，正当な戦争の基準は何か，という戦争法であるが，グロティウスは戦争を，国家間の争いに限定せず，私人間の争い（私戦）も含めるので，論じるテーマも公法だけでなく，所有権，契約，婚姻，親権といった私法上の問題にまで及んでいる。こうした個別の議論は，その後のヨーロッパ私法に大きな影響を与えている。公法理論としては，王権神授説は退けるものの，国王の絶対的権力を正当化しており，本文中に書いている様に，ルソーによって厳しく批判されることになる。

グロティウスではまだ不十分であった，自然法の世俗化をさらに進め，幾何学的方法による体系化を果たし，近代自然法学の真の意味での創始者となったのがプーフェンドルフである。

プーフェンドルフの主著は『自然法と万民法』（1672年）と，その要約版である『自然法にもとづく人間と自然の義務』（1673年）である。これらの著作で述べられた所有権や契約法に関する私法上の理論も後世に影響を与えたが，公法上の理論として有名なのが「二重契約説」である。彼は，国家の形成には「二つの契約と一つの決定」が必要であるとする。すなわち，人々の集まりである群衆が人民となり，社会を形成する最初の社会契約と，その人民が統治形態を選ぶ決定，そして人民が支配権（主権）を統治者に譲渡し，統治者との間で結ぶ服従契約である。このうち理論上は最後の服従契約が重要な役割を果たすことになる。それは契約であるので，相互に義務付けられることが想定されるが，実際には被治者による統治者への一方的な権利の譲渡で，被治者は一方的な服従義務を負い，契約を破棄することもできない，とされる。こうした点がやはりルソーに批判されることになる。

家系であることを誇りに思っていた。

ルソーの父親はルソーが10歳の時にある退役軍人との争いが原因でジュネーヴから逃亡し，ルソー自身も16歳でジュネーヴを去り放浪生活を始める。放浪生活で様々な経験を積んだ後，ルソーは30歳でパリに出ていく。

パリに出た後，短い期間ヴェネツィア駐在大使の私設秘書となりヴェネツィアに向かう。後にそのヴェネツィアでの経験について「あれほど評判の高いその『政体』にも欠陥があることを，たまたま実地に見聞した」ことで『政治制度論』の着想を得たと述べている。再びパリに戻ったルソーは，ディドロなどフィロゾーフの人たちと交流するようになる。そのルソーが文筆家として名声を獲得したのは，1747年ディジョンのアカデミーが出した懸賞論文に応募し，１位となった『学問芸術論』によってである。その後，1753年ふたたびディジョンのアカデミーの懸賞論文に応募して『人間不平等起源論』(以下『不平等論』)を書く。この頃からルソーは上記の『政治制度論』の構想を実現させるために，ホッブズ（1588-1679），ロック（1632-1704）などの政治思想家や，グロティウス，プーフェンドルフなどの自然法学者の著作の研究を進めていき，その成果は，1762年『社会契約論』として出版された。

このようにルソーは正規の学校教育を受けておらず，知識はすべて豊富な読書経験によって獲得されたものである。当時隆盛を極めていた自然法論者の著作についても，徹底的読解を通じて，その議論を熟知していた。しかし，著作では彼らの議論に激しく攻撃も行っており，またその法思想史上の主著である『社会契約論』には自然法（権）についてほとんど語られていないので，自然法論者ではない（したがって，法実証主義者である）という評価もなされている。

これについては，自然法論者の定義に多分に左右されるという側面も否定できないが，まずルソーが自然法について語っている『不平等論』の記述をたどり，ルソーの自然法理解を見ていくことにしたい。

（1）自然人・自然状態・自然法

『不平等論』は上述のとおりディジョンの懸賞論文への応募として書かれた。その課題は「人々の間における不平等の起源はなんであるか，そしてそれは自然法によって容認されるか」というものである。その設問自体にすでに「自然法」の存在が前提とされている。したがって，ルソーは当然「自然法」の概念に向き合わざるを得なくなる。

そこでまずルソーが向かったのが，既存の自然法論者の前提そのものを批判することである。

> 社会の根拠を検討した哲学者はみな，自然状態にまでさかのぼることの必要性を感じたのであるが，そのうちのだれもそこに到達しなかったのである。……けっきょく，みんな，たえず欲求や貪欲や迫害や欲望や傲慢について語って，社会のなかで得られた考えを自然状態へ持ち込み，野生の人について語っているにもかかわらず，社会人を描いていたのであった。（『不平等論』本論・前文）

自然法論者が主張する自然法は文明人が受け入れている法であるが，真の自然法を知るためには，純粋な自然状態において自然人が受け入れている法を知る必要がある。

そのための課題となるのは，人間が歴史の中で獲得していった様々な能力・情念などをはぎ取って，本源的人間，自然が作ったままの人間を探求することである。そうした方法論的自覚をもってルソーが観察する自然人は，自然法論者が語っているような社交性という本性をもって一定の社会関係を作り，理性をもつと同時に，様々な欲望をもって他者と争っているような人間ではなく，孤立して他者との交流をほとんど行わず，自然の中で自足して平和に生きている人間である。他者との関係をもたないので，理性も様々な感情も発達しないままである。その自然人が動物と異なる点は，自由意志をもっていることと，自己完成能力をもつことであるが，外的環境との平衡状態に生きている自然人は，そうした能力を発揮させる必要がなく，それは潜在的なものとしてとどまったままである。

こうした自然状態の自然人に直接語り掛けている自然法については次のように語られる。

> 人間の魂の最初のもっとも単純な動きを考察するとき，理性に先立つ二つの原理が認められるように思われる。一つはわれわれの安楽と自己保存に対して強い関心を抱かせ，もう一つは，感情を持ったあらゆる存在，主にわれわれの同類が死んだり苦しんだりするのを

見ることに対して自然な嫌悪感をかき立てるのである。われわれの精神は，この二つの原理を協力させたり組合わせたりすることによって，自然法のあらゆる規則が生じてくるように私には思われ，社交性の原理を導入する必然性はない。のちにこの規則は，理性が次々に発展して自然を押し殺すにいたったときに，別の根拠によって確立せざるをえないのである。(『不平等論』序文)

この「二つの原理」とは，自己愛と憐れみである。特に憐れみは他者に向けられて，「慈悲，寛大，人間愛」といった感情を生み出し，「自己愛の活動をやわらげ，種全体の相互保存に協力」するもので，「あらゆる反省に先立つ，自然の純粋な動き」と呼ばれる。ルソーの思想の基本原理の１つである，人間の自然的善性を根拠づける感情と言うことができる。

さてこの自己愛と憐れみという２つの原理から導かれる自然法は自然の感情であり，理性によって語り掛けられるものではないが，上の引用にもあるようにルソーの自然法はもう１つある。それは「理性が次々に発展して自然を押し殺すにいたったときに，別の根拠によって確立せざるをえない」という事態に対応するものである。この自然法の２つの区分は，その後に書かれた『社会契約論』の準備草稿である『ジュネーヴ草稿』の第２編第４章で，「固有の意味での自然法」と「理性的（推論的）自然法」という区分として語られているものである。

（２）社会状態と自然法

『不平等論』第２部では，自然状態から，「けっして起こらなかったかもしれず，それなしでは永久に原初の構造のままにとどまっていたであろうような，いくつかの外的な原因の偶然の協力」によって，人間の潜在能力が開花して，理性や情念などの人間精神や能力が次第に発達し，人間が社会関係を結び，その社会関係の中から所有の観念が発生し，所有の観念から正義や法が生まれ，最終的にはこうした所有権を守るために富者の策略によって政治権力が成立し，不平等社会が固定化されるプロセスが語られている。

上記の「理性的自然法」は，この理性が発達した社会状態の人間が受け入れる自然法であり，法思想の面から自然法を取り扱う際には，こちらがより重要になるだろう。ただこの段階の自然法について，ルソーが明確に定義づけをしたり，内容について詳細に語ったりしているわけではない。

自然法は最後に，不平等な政治社会（それは所有権の成立後，富者の策略による支配服従契約によって成立するものである）の正当性を否定するところで現れるだけである。

このように『不平等論』ではあまり理性的自然法について語られておらず，それほど大きな役割は果たしていない。また社会状態自体も（その歴史的展開の途中に人類の幸福で最良の時期が出てくるが）全体的に否定的に描写されている。しかしルソーは他のいくつかの著作の中で，人間は社会状態において理性を発達させることで，道徳性を獲得することができるということを強調している。

その１つとして，『社会契約論』の次の有名な一節は，自然法という言葉は使われていないが，自然状態の固有な意味での（本源的な）自然法が，理性的自然法に転換する事態を語っていると解釈可能である。

> 自然状態から社会状態へのこの推移は，人間のうちにきわめて注目すべき変化をもたらす。というのは，人間の行為において，正義を本能に置きかえ，これまで欠けていた道徳性を人間の行為に与えるからである。そのときにはじめて，義務の呼び声が肉体の衝動に，権利が欲望にとって代わり，そのときまでは自分のことしか考えていなかった人間が，以前とは別の原理によって動き，自分の好みに耳を傾けるまえに理性に問い合わせしなければならなくなっていることに気づく。（『社会契約論』第１編第８章）

社会状態において初めて義務・権利・違った原理・理性が出てくるとされているが，人間の道徳性の根拠として理性に基づく自然法の存在が示唆されていると解される。

（３）自然法の拘束力

ルソーは自然法論者を批判しているが，自然法の存在自体は否定していない。ルソーが自然法論者を批判するのは，結局は，彼らが既存の政治秩序を正当化するために自然法を使っているにすぎないと判断しているからである（☞本章コラム11）。ルソーにとっては人間の理性の法としての自然法が存在し，それが人間の行為や，政治社会や実定法を道徳的に義務づけていること自体は

〈コラム11〉　ルソーとジュネーヴ共和国

本文中に書いたようにルソーはジュネーヴ市民として，自分が市民権をもっていることを誇りに思っていた。そこからルソーの『社会契約論』は，それが小国にのみ適用可能な制度であるとして，特にジュネーヴ共和国を念頭に置いて，特殊な政治的状況の下で書かれた理論であるという理解が当初からなされていた。そもそもルソー自身，『社会契約論』の本文ではモンテスキュー（1689-1755）の名を挙げながら法制度と風土との関係を肯定的に語っている。ある法制度はそれが適用される場所の歴史的地理的条件に規定されるということである。

こうした当初からあった，ルソーの理論は普遍的価値をもたないという主張に対して，20世紀を代表するルソー研究者のドラテは，参考文献にあげている著書の中で，「ルソーの敵対者たちが彼の政治的著作の価値を低下させようという意図をもってなされたものだ」として，強く批判する。ドラテは，ルソーが『社会契約論』を書いたときには，ジュネーヴ共和国についてほとんど知識はなかったという研究を根拠に，むしろ，当時の普遍的な法学理論である自然法論に対する受容と批判の中にルソーの法思想の普遍的価値を位置づけている。

だが，その後，思想をその当時の歴史的文脈（コンテクスト）に基づいて理解しようとする思想史研究の潮流の中で，再びルソーのジュネーヴとの関係を肯定的にとらえる研究が幾つか現れた。こうした研究の１つであるローゼンブラット『ルソーとジュネーヴ』（1997年）によれば，ルソーはすでに『人間不平等起源論』執筆当時には，ジュネーヴの現実の政治状況をよく知っており，そうしたコンテクストの中でルソーの法・政治思想は形成されたとされる。例えば，ルソーの『人間不平等起源論』での自然法批判は，当時のジュネーヴの抗争の中で，政府側のイデオローグだったバルベラックやジュネーヴの自然法論者で『国法の諸原理』（1751年）などを書いたビュルラマキ（1694-1784）に対する批判として行われたことが指摘されている。また，『社会契約論』の人民主権論，人民集会，立法者，市民宗教なども，こうしたコンテクストを踏まえて読むことで，より正確な解釈に到達できるということである。

もちろんルソーの著作は，その内容が普遍性をもつことから古典として現在まで読まれているので，それをすべて当時のコンテクストに還元することは問題があるが，そのテクスト理解の補助線としてそうしたコンテクストを理解することは大変重要だと思われる。これは法思想史一般について言えることであろう。

疑っていないであろう。そうした自然法に基づいてこそ，既存の政治体制や法などが道徳的に批判可能となるのである。

ただ，次に取り上げる『社会契約論』で展開されるルソーの国制論において自然法がどこまで現実の拘束力をもっているのかはまた別の話である。上述のように『ジュネーヴ草稿』で語られていた「固有の意味での自然法」と「理性的自然法」は，決定稿の『社会契約論』においては削除されている。その結果，『社会契約論』では自然法についてほとんど語られることがない。その国制論において自然法は，討議における道徳的論拠として機能することはあっても，「実定法の拘束力を制度的に否定する」といった法理論的役割を果してはいないと評すべきだろう。自然法の存在自体を認めても，それが法体系の中では重要な位置を与えられていないという点に，ルソーが自然法論者であるのかという問いが繰り返される理由が存している。

（４）『不平等論』から『社会契約論』へ

『不平等論』では，「人間は本来善良であり，社会が人間を堕落させた」という主張が繰り返し強調されている。そこでは先に述べたように，自然状態の孤立した純粋な自然人と，社会化の結果として堕落した文明人を対比して，文明化の中で生まれた所有を巡る戦争状態を経て，最終的には不平等社会が固定化・強化され，専制政治が樹立されるという悲惨な結論が語られている。そうした不平等社会は道徳的に正当化できないものである。しかしルソーは，人間はもう一度自然状態に戻ることはできないことを強調している。従って，そうした不平等社会を克服するためには，未来に向かって新たに正義にかなった社会を作り直すという選択肢しか残されていない。

『不平等論』ではそうした解決のための明確な方向性は示されていない。しかし，社会制度によって堕落させられた人間が，新たな政治秩序を作り出す可能性が全く否定されているわけではないであろう。人間の本来的善性ということから，人間の中には，新たな正義に適った社会を作る出す可能性を認めることができる。こうした人間観に基づき，『不平等社会』で批判された悲惨な現代社会を克服するための新たな社会制度の在り方を示すという課題に答えようとしたのが，次の『社会契約論』であるということができる。

2　ルソーの法思想――『社会契約論』

（1）国法の原理

『社会契約論』は，そのはしがきに「長い論文の抜粋である」とあるように『政治制度論』の一部として書かれた。『社会契約論』の副題は「国法の諸原理」となっている。国法とは国家の一般原理を指し，本書は公法の一般原理が考察の対象となっている。本論中にも（『社会契約論』第2編第12章）「私の主題に関わるのは，政府の形態を定める国家法だけである」と述べられている。したがって，当時の自然法論者やのちのカント（1724-1804）の『法論』，ヘーゲル（1770-1831）の『法の哲学』などに見られるような私法論（☞第6章1（5）・2（4））は含んでいない（詳細に検討すれば，所有権の基礎付けや契約の拘束力の根拠といった問題には触れられているが）。

（2）『社会契約論』の課題

第1編の冒頭には本書の課題を次のように述べている。

> 私は，人間をあるがままの姿でとらえ，法律をありうる姿でとらえた場合，社会秩序のなかに，正当で確実な統治上のなんらかの規則があるかどうかを研究したいと思う。（『社会契約論』第1編冒頭）

さらに「正義と効用がけっして分離しないように，この研究のなかで権利が許すことと利益が命ずることをつねに結びつけるように努めよう」とする。この点から，正当な秩序が安定的に実現するためには，それが人民の利益と結びつくものであるとルソーが考えていることが理解できる。

そして第1編第1章は次の有名な言葉で始まっている。

> 人間は自由なものとして生まれたが，しかもいたるところで鉄鎖につながれている。他の人々の主人であると信じている者も，その人々以上に奴隷であることを免れてはいないのだ。このような変化がどうして起こったのか。私にはわからない。それは何によって正当

> 化されえているのか。私はこの問いなら解きうると思う。……社会秩序は神聖な権利であり，他のあらゆる権利の基礎として作用する。ところが，この権利は自然からでてくるものではなく，したがって，いくつかの約束にもとづくものである。問題は，これらの約束がどのようなものかを知ることだ。（『社会契約論』第１編第１章）

ここから本書の主題が，政治権力の正当化根拠であることが分かる。

ルソーは政治権力の正当性についての自己の主張を展開させる前に，法学者たちによってそれ以前になされた正当化根拠論を批判していく。この部分は，ロックの影響が強くみられる。

（３）先行理論批判

ルソーが『社会契約論』の第２章から第４章にかけて批判をしている先行理論とは，まず「国王の臣民に対する支配の正当性を，父親の子供に対する支配との類比で説明する家父長権論」であり，次に「力による権利，征服者の権利の理論」である。こうした理論をロック的な論拠（☞第４章２）で批判した後に，最後に一番詳しく批判を行っているのが奴隷契約の理論である。ここでは主にグロティウスが批判の対象となる。グロティウスは『戦争と平和の法』第１巻第３章第８節に「すべての人は，自分が欲するところの何人に対しても，自らを奴隷として与えることは合法的である……そうであれば，自らを自由に処分できる人民が，自分自身を１人，あるいは何人かの人に引渡し，自らを支配する権利を，自らに権利を全く残すことなく譲渡することが合法的にならないことがあろうか」と書いている。

それに対するルソーの批判は，人間は所有物の譲渡はできても，自由の譲渡はできないというものである。

> みずからの自由の放棄は，人間たる資格，人間の諸権利，さらにはその諸義務をさえ放棄することである。すべてを放棄する人には，どんな補償もありえない。こうした放棄は，人間の本性と両立しない。かつまた，自分の意志からあらゆる自由を奪うのは，自分の行為からあらゆる道徳性を奪うことである。（『社会契約論』第１編第４章）

ここから人間にとって自由が，人間性や道徳性の基礎となる，奪うことができない最も重要な価値であるとルソーが認識していることが分かる。

なお，この節でルソーは，当事者の単なる合意だけでは契約の拘束力は生まれず，場合によってはその拘束力が否定されること，そしてその主張を正当化するための論拠として，「あらゆる時代に確立された格率」，「あらゆる文明国民の不断の慣行」，「事物の本性から生じ，理性に根拠を持つ」原理について言及していることは注目される。

（4）社会契約の性質

こうした先行理論を批判した上で，ルソーは自己の正当化根拠論を社会契約によって説明する。

ルソーは改めて自らの課題を次のように定式化する。

> 各構成員の身体と財産とを，共同の力のすべてを挙げて防衛し保護する結合形態を発見すること。そして，この結合形態は，それを通して各人がすべての人と結びつきながら，しかも自分自身にしか服従せず，以前と同じように自由なままでいられる形態であること。（『社会契約論』第１編第６章）

ここでルソーが課題としているのは，（最も重要な価値である）自由と両立する政治的権威のあり方である。その課題の答えとして社会契約がでてくる。社会契約の内容については次のように語られる。

> これらの諸条項は，よく考えてみれば，すべてがただ一つの条項に帰着する。すなわち，各構成員は自分の持つすべての権利とともに自分を共同体全体に完全に譲渡することである。（『社会契約論』第１編第６章）
>
> 社会契約から，本質的でないものを取り除くなら，次の言葉に帰着することがわかるだろう。われわれおのおのは，身体とすべての能力を共同のものとして，一般意志の最高の指揮のもとに置く。それに応じて，われわれは，団体のなかでの各構成員を，分割不可能な全体の一部として受け入れる。（『社会契約論』第１編第６章）

ここでルソーが述べている社会契約は，契約というよりも，各人が１つの共同体を作り出す合同行為（結合行為）という性格をもつ。各人は「自分の持つすべての権利を共同体全体に完全に譲渡する」という条項と，「身体とすべての能力を一般意志の指揮の下におく」という条項に合意することで，そうした共同体の一員となる。後者についてさらに説明すれば，一般意志は法によって表明されるので，「各人が共同体の法の支配に服する」という条項に合意するということになる。

さてルソーの社会契約論の特徴として注目されるのは，「すべての権利を共同体に完全に譲渡する」ところであり，この点でルソーがその他の点で影響を受けているロックの契約理論と対立する。

ロックの契約理論では，契約により政府を設立するにあたって，人民は自然状態でもっていたすべての権利（自然権）を政府に譲渡するのではなく，そのなかの一部（自然法の解釈権，執行権）のみを譲渡し，いわゆる固有権（生命・自由・財産への権利）は各人に残るとされる。政府（政治権力）の目的は，各人の固有権の保護であり，固有権を恣意的に侵害する政府は信託違反として抵抗権の根拠となる（☞第4章2（3））。

それに対して，ルソーの全面譲渡の理論はホッブズ的であり，個人の権利や自由の保障について十分ではないという批判を受ける可能性もある。それについてルソーは，これは現実には「有利な交換」である，と主張する。全面譲渡によって人は，「不確かで一時しのぎの生活様式をもっとよい，もっと確実な生活様式に取りかえ，自然的独立を自由と取りかえ，他人を害しうる能力を自分自身の安全と取りかえ，他人によって打ち負かされるおそれのある自分の実力を社会の結合が不可侵のものとする権利と取りかえたにすぎない」のである。（『社会契約論』第2編第4章）

特に所有権については，自然状態で各自がもっていた所有は事実上の占有に止まるが，それをいったん共同体に譲渡して，次に共同体によって所有権として法的に承認されることで，個人の力によってのみ守られなければならない事実上の所持が，国家によって保障された権利となるのである。したがって，「自分の与えただけのものをすっかり手に入れたことになる」のだとされる。

しかし，ルソーは実際には所有権について制限の議論を導入して，そのことによってロックの所有権の絶対性のテーゼと対立することになる。すなわちルソーによれば，各人が自然状態でも所持していた占有を共同体に全面譲渡して，所有権として返還してもらうに際して，その返還は一般意志の決定に委ねられるということである。つまり所有権がどれだけ保障されるのかは，共同体によって決定されることになる。

> 各人は，社会契約によって，自己の能力，財産，自由を譲り渡しはするが，共同体が使用するのに必要なものはその一部にすぎない，ということは認められている。しかし，この必要性を判定するのは主権者だけである，ということも認めなくてはならない。（『社会契約論』第２編第４章）

このようにルソーは，政治体による私的所有権に対する一定の制限，その変更の可能性を示している。こうした立場をルソーが取ったのは，政治体の志向すべき目的として，自由だけでなく平等も重視したからである。

> あらゆる体系的立法の目的であるべき，すべての人々の最大の福祉とは，……それが二つの主要な目標，すなわち自由と平等とに帰着することがわかるだろう。なぜ自由なのか。特殊なものへの依存はどのようなものであれ，すべて国家という政治体からそれだけ力を奪うことになるから。なぜ平等なのか。それがなければ自由は存続しえないから。（『社会契約論』第２編第11章）

ルソーは平等について，市民間の一定の不平等は容認しながらも，「いかなる市民も，他の市民を買えるほど裕福ではなく，また，いかなる市民も身売りを余儀なくされるほど貧困であってはならない」として，立法によってそのような平等を維持すべきことを主張している。

ルソーが一定の平等を志向するのは，個々の国民の集合である人民が主権者として安定した秩序を作っていくには，国民間の一定の平等が必要と考えるからである。社会の内部での所有の極端な不平等は，富者による貧者への政治的支配を生み出し，貧者の公的政策形成過程への参加を阻害することになる。また社会の中の階級の分裂は，一般意志の基盤である共通善の形成を困難なものにする。そうした意味で，社会の中の不平等は積極的に是正する必要が出てくるのである。

このようにルソーの平等論は，直接的には政治的自由の確保を目的とするものであるが，そうした範囲を超えて広く影響を与えることになった。実施はされなかったが1793年のジャコバン憲法は，民主主義の徹底とともに，実質的平等を目指し，それに付された人権宣言には世界最初の社会権保障規定とされる生存権（宣言21条）や教育権（同22条）の規定が導入され，また同年には日常品の価格を統制するための「最高価格法」も成立して，国家が貧しい人々の救済を行うべき，という原理が打ち立てられた。こうした原理自体をルソーが明確に述べているわけではないが，ルソーの平等論がこうした規定の導入に影響を与えたと指摘されている。

（５）一般意志論

さてルソーが『社会契約論』で論じ，その後の法思想に大きな影響を与えたものは，一般意志の概念と人民主権論（そしてそこから派生した主権と統治の峻別論）である。両者は密接に関連するが，まず一般意志について見ていきたい。

一般意志の概念史については研究が進んでいるが，17世紀のデカルト派哲学者でありキリスト教の聖職者でもあったニコラ・ド・マルブランシュ（1638-1715）などの神学的概念からモンテスキューやディドロによって政治的概念として導入されたとされる。しかしそれを現代まで影響力を与える重要な概念とした功績はルソーに帰することができる。

ルソーの一般意志論の歴史的意義は，「神が世界を支配する一般意志＝一般法則」という伝統的な神学命題を世俗化・非神格化することを通じて，一般意志の意志主義的な側面を取り出して，個人の自由という原理をその中核に据えたということである。つまり，一般意志は個人の意志を離れた一般法則として理解されるのではなく，個々の人間の意志をその構成要素とする。さらに，ルソーは意志の自由を支持し，それを道徳性と結びつける。「意志からあらゆる自由を奪うのは，自分の行為からあらゆる道徳性を奪うことである」。政治的結合の根拠にそうした個々人の自由な意志を据えるのは，ルソーの基本的立場である。「市民の結合は，あらゆるものの中でもっとも自発的な行為」である。なお，自由な意志を法や国家の原理とするルソーの思想は，その後のカントやヘーゲルの法思想に大きな影響を与えている（☞第６章１（４）・２（３））。

さて，このように一般意志は個人の意志に定位されるが，それは多くの場合特殊（個別）意志との対比で語られている。

全体意志と一般意志のあいだには，しばしばかなり相違がある。後者は，共同の利益だけを考慮する。前者は私的な利益にかかわるものであり，特殊意志の総和にすぎない。（『社会契約論』第２編第３章）

ルソーは人間の中に一般意志と特殊（個別）意志の２種類があることを指摘して，共同の利益を志向する一般意志によって立法が行われるべきであるとする。そして，私的利益を追求する特殊意志の総和である全体意志と共通の利益を考慮する一般意志を区別している。

伝統的にルソー研究者はこの表現を根拠に，一般意志と特殊意志を厳格に区別して，特殊意志を否定的にとらえてきた。しかし最近では，一般意志と特殊意志との間にある種の関連性をみる説も有力である。

これについてはルソー自身の「特殊意志から，〔一般意志との距離である〕過不足分を相殺させて引き去ると，差の総計が残るが，これが一般意志である」という表現もあり，ルソーが特殊意志から一般意志が導き出されると考えていたという解釈も成り立つ。

ここでは個人が通常もつ欲望（特殊意志）をどう評価するのかということが問題となる。特殊意志と一般意志に関連性をみる説は，個人の特殊意志を出発点として，そうした特殊意志が一般意志へと変換するプロセス（特殊意志の一般化）を重視すると言うことができる。そして，そうした一般意志獲得の主要な舞台は，人民集会での討議となる。各自がそういう討議プロセスの中で当初もっていた私的利益を超えた自らの共通の利益（共通善）を認識するようになり，あるいは共通利益の中に自己の利益を見出すことで，特殊意志を一般化するということである。このことをルソーは，「人民が十分な情報をもって討議するとき，もし，市民相互があらかじめ何の打ち合わせもしていなければ，わずかな差が多く集まって，その結果つねに一般意志が生みだされるから，その結果はつねによいものであろう」（『社会契約論』第２編第３章）と語っている。

ここでルソーは「人民が十分な情報をもって討議する」ことで一般意志が導き出されると書いているが，「市民相互があらかじめ何の打ち合わせもしなければ」という言葉についてはいろいろ議論がある。ここからルソーの民主主義には，公共的討議の側面が希薄であり，市民は内省のみによって自己の意見を決定することが求められている，という見解も出されている。しかし，この記述はその次に続く文章で明らかなように，国家の中の様々な中間団体，部分結社の存在を否定する文脈で語られており，市民が党派的に行動せずに，自己の信念に基づいて意見を述べることを求めているものである。そもそも人民集会で全く討議を行わず，ただ単に投票のみするという想定は考えにくいので，やはりルソーは市民による討議自体の役割は積極的に認めていると考えていいであろう。

（6）主権論

一般意志と並んでルソーの『社会契約論』の中心テーゼの1つが人民主権論である。ルソーは主権について積極的に論じていて，主権概念をあまり重視しなかったロックやモンテスキューと対照的である。

まず，ルソーは主権を「一般意志の行使」とか，一般意志によって導かれる政治体のすべての構成員に対する絶対的な力と定義している。

この定義にあるように，ルソーの主権論はその一般意志論と密接に関係している。ルソーは主権が一般意志の行使であるという理由から，その不可譲性，不可分性，不代表性という特徴的な定義を導き出している。

まずルソーは主権の譲渡可能性を否定する。これは人民主権論という独自の主張を導き出すために必要な前提で，それによってホッブズや他の自然法論者との立場の違いが明確となる。

ホッブズは『リヴァイアサン』に先立つ『法の原理』や『市民論』などでは，最初の人民集会（ホッブズはそれを民主政と呼んでいる）による国家設立の後で，人民が自らの主権を貴族会議や君主に移譲する可能性を示唆している。

またグロティウスとプーフェンドルフなどの自然法論者も，最初の契約による国家の成立のときには人民が主権者であることを認めながらも，その後人民が主権を君主や合議体へ譲渡する可能性を肯定している（☞本章コラム10）。

こうした先行理論（これについて上述の20世紀のルソー研究者ドラテは，彼らが主権・命令権と所有権・支配権とを混同しており，主権をあたかも物の所有のように譲渡可能であるとしていると非難している）に対して，ルソーは主権の不可譲性を主張する。それは，主権は一般意志の行使であり，意志は他者に譲渡できないという理由からである。

上述の奴隷契約批判で示されたように，個人は自由を他者に譲渡できないが，それと同じく人民はその主権を他者に譲渡できないのである。

次に主権の不可分性である。

主権が譲渡不可能であるのと同じ理由から主権の不可分性が導き出される。

主権が一般意志の行使であり，一般意志が人民全体の意志であるならば，主権は人民全体の意志であるので，原理的に分割できないということになる。ここから主権を様々な権利に分割して，「寄せ集めの断片でつくられた幻想的な存在」にしてしまう「わが政治学者たち」が批判される。

ドラテによれば，ルソーが批判するのは，権力分立を論じたモンテスキューよりも，やはりグロティウス，プーフェンドルフ，バルベラックなどの自然法論者であるとされる。それはさらに，伝統的な共和主義者が主張した混合政体論（☞本章コラム12）に対する批判にもなっている。これらの理論家たちは権力を分立させることによって，権力の均衡を図り，権力の濫用に対して国民の自由を守るという立場である。それに対して，ルソーはむしろフランスの法学者・政治学者で『国家論』（1576年）において近代的主権概念を確立したジャン・ボダン（1530-96）やその影響を受けたホッブズの主権の絶対性・不可分性の主張に与することで，そうした立場を批判することになる。

ただし，ルソーは主権の分割には反対するが，後述のように主権から主権に含まれないもの（「主権の流出にすぎないもの」「法律ではなく，法律の適用にすぎないもの」「主権に従属している権利」「意志を執行する権利」等）を分離させ，主権と政府（統治）を区別することで，別の形での権力分立論，権力の抑制論を提示していると評価することもできる。

最後に主権の不代表性である。この「主権は代表されない」というルソーの有名な主張も，「主権は意志の行使である」という同じ理由から導き出される。「意志は同じもの（同じ主体に属する意志）であるか，そうでなければ別のもの（別の主体に属する意志）であって，その中間はない」ので，意志は代表されず，「人民の代議士は人民の代表者ではないし，人民の代表者になることはできない」。

ルソーは，その後主流となった議会制民主主義や間接民主主義などの制度を否定し，人民が全て参加する人民集会を提案している。そうしたことから，その理論は大国には適用できず，せいぜいジュネーヴのような小国にしか適用できないと批判されることになる（☞本章コラム11）。

しかし，その後の『ポーランド統治論』（1770-71年）では，大国であり歴史のあるポーランドに対して，国会を前提とした国制の提案を行っている。ただし，やはり代表については消極的で，国会の弊害を予防する次善の策として，国会の頻繁な開催とそれによる代表者の交代，そして命令委任的な制度の導入を提案している。

（7）主権と統治の区別

ルソーの主権論の重要な主張は，今までも触れてきたが，主権と統治（政府），主権者と統治者とを区別して，それぞれに立法権と執行権を担わせるというものである。

ルソーは政治体の原動力を決定する意志と，その意志を実現する力に分け，前者を立法権，後者を執行権と呼ぶ。

立法権は人民に属するが，執行権は立法者や主権者には属さないとする。執行権が属する政府は主権者と混同されているが，その代行機関に過ぎない。そして，人民と政府の構成員である統治者（あるいは行政官・首長）との関係は，契約ではなく，委任もしくは雇用として捉えられる。「首長は主権者のたんなる役人として，主権者から委託された権力を，主権者の名において行使しているのであり，主権者は，この権力を思いのままに制限し，変更し，取り戻すことができる」。（『社会契約論』第3編第1章）

伝統的な君主政，貴族政，民主政の政体区分論もこの区別によって理解される。すなわち，それらは政治体の区別というよりも，政府の構成の区別となり，より具体的には政府の構成員の数の問題となる。

ルソーにとって重要なのは，人民主権に基づく立法権であり，そこで作られた法律による支配が貫徹されていれば，支配の形態については特に問題にしない。ルソーは，「法律によって統治された国家を，その政治形態がなんであろうと，すべて共和国と呼ぶ」。（『社会契約論』第2編第6章）公共の利益が支配する正当な政府はすべて共和的である。

ルソーのこの用語法では，法（律）の支配が貫徹されている国家は，貴族政や民主政だけでなく，君主政も共和的となる。ルソーによれば，こうした法の支配した国家においてこそ，あらゆる国家の究極的目的である個人の自由と平等が保障されるのである。

それではなぜ法に従うことが人間の自由の保障になるのか。それについては，とりあえず２つの理由をあげることができる。

第１に，法のもつ一般性という特徴である。法は一般意志の表明としてのみ現れるので，一般的抽象的規範としての性格をもつ。法は制定する意志が一般的であると同様，制定の対象である内容も一般的である。「法は臣民を団体として，また行為を抽象的なものとして考えるのであって，けっして人間を個人として，行為を特殊なものとして考えるのではない」。（『社会契約論』第２編第６章）それは普遍性，相互性という特色をもち，すべての人に適用され，すべての人の利益の実現を目指すものであり，特定の人，特定の利益とは関わらないという性質が，自由を実現する手段となるということである。

第２に法を作る主体と服従する主体の同一性ということである。

「政治体の本質は，服従と自由が合致することにあり，臣民と主権者という二つの語は，盾の両面をあらわしていて，両者の意味は市民という単一の語によって統合されている」。（『社会契約論』第３編第13章）われわれは市民として，主権者であると同時に，被治者であり，法を作る主体であると同時にそれに従う主体でもある。われわれが法に従っているとき，われわれは自分の意志に従っているのである。「誰も自分自身に悪をなさない」というホッブズの命題をルソーは支持する。「何人も自分自身に対して不正であることがない以上」法が不正ということはない。

（８）人民集会

上述のように，ルソーは代議制に否定的なので，人民主権の行使は市民が全て参加する人民集会において行われる。ルソーは『社会契約論』第３編第12章以下で人民集会の制度（開催方法，投票方法等）について様々な提案をしている。その中で重要なのは，ルソーが人民集会では開会にあたって，次の２つの議題が審議されるとすることである。

第１の議案：主権者は，現在の政府の形態を保持することをよしとするか。
第２の議案：人民は，現に統治をゆだねられている人々に，今後もそれをゆだねることをよしとするか。（『社会契約論』第３編第18章）

このように人民集会は，法律の審議をするほかに，国家の基本法の内容についても検討し，政府に対するコントロールも行うのである。ただし，具体的に統治者を任命するのは政府の役割だとする。なぜならば，人民集会は立法権のみをもち，立法は一般的対象しか扱わないからである。その一般的な法律に従い，政府が具体的な任命を行うということになる。

なお，これと関連して，ルソーは主権者である人民は基本法に拘束されないとする。基本法を作ることのできる主権者は基本法に義務づけられず，いつでも廃止・変更できるのである。「人民という団体に義務を負わすいかなる種類の基本法もなく，またありえない」。「国家には廃止できないような基本法は何一つなく，社会契約でさえ例外ではない」。ここでもルソーは「誰も自分自身に対して義務を負うことはできない」というホッブズ的命題を支持しているのである。これは次に述べる主権の限界を考える上で重要な主張となる。

（９）主権の制限

主権の制限という問題は，主権の性質の問いとともに主権論で最も中心となるテーマである。ルソーの時代も，自然法論者により盛んに論じられたものである。主権の制限についてのルソーの見解を検討することは，その法思想を理解する上で極めて重要である。

一般的に主権の制限は（神の法によるものなどを除けば），例えばロック（☞第４章２（３））や自然法論者に見られるように自然法や基本法による制限が主張されてきた。

だがルソーの場合，『社会契約論』では上述のように自然法や自然権についてほとんど語られず，主権を制約する法として出てこない。また基本法による主権の制限も，先に述べたようにルソーは認めていない。

ルソーが「主権の限界について」と題された『社会契約論』第２編第４章で述べていることは，もっぱら「一般意志の行使」という主権の定義そのものに内在する限界である。つまり，一般意志という性格上，「市民はすべて同一の条件のもとで義務を負い，同一の権利を享有すべき」であり，特定の人間に特定の負担を課すようなことは認められない，ということになる。これと同じ結論は，上記の一般意志の表明としての法律の定義からも導き出せるであろう。

また，主権者の被治者に対する権利は，「公共の利益という限界は超えるものではない」。だから，公共の利益とは関係ない私的な事柄，例えば自己の信仰を被治者は主権者に告げる義務はないのである。それは「市民たちが人間として享有するはずの自然権」に属す事柄であり，主権が及ぶところではない。

ただそうした主権の逸脱を，いかなる機関が認定して，いかなる形で是正していくかについては，ルソーは特に語っているわけではない。そのために，ルソーは主権の制限について十分に論じていないとして，最後に少し触れるが，ルソーを批判する議論が多く提出されてきた。これについて次の点を指摘することができるだろう。

まずルソーは権力の抑制は，主権のレベルではなく，政府のレベルで行われるべきだと考えている，ということである。ルソーにとっては「政府の堕落」の方が発生する頻度が高く，より対応すべき課題だと認識しており，そのために人民集会による政府の監視が効果的な手段と考えていた。

次にルソーは，人民集会において誤った立法がなされる可能性を否定してはいない。

「人民は，自分の法を，それが最良の法であっても，いつでも自由に変えることができるのである。なぜなら，たとえ人民が好きこのんで自分自身に害を加えるとしても，いったいだれがこれを妨げる権利を持っているだろう」。(『社会契約論』第２編第12章)

また一般意志を見分けることの難しさ，という当然の問題もある。人民集会の通常の立法は多数決で行われるが，それは一般意志が多数者のなかに存在していることを前提とした話である。「これらが多数者のなかに存在しない場合には，どの派につこうと，もはや自由はない」。(『社会契約論』第４編第２章)

それでは立法府の誤りはいかにして是正すべきなのであろうか。立法府の外部にそうした内容を審査し，是正していく機関は存在しない。結局立法府の誤りは，立法府によって是正せざるを得ないのである。法律の誤りを正せるのは

〈コラム12〉　ルソーと共和主義

本文中では触れることができなかったが，ルソーの法思想の系譜や射程を考える上で，共和主義との関係も注目される。ただ，共和主義という概念は多義的な概念であり，ルソーが共和主義者であるかという問いは，ルソーが自然法論者であるかという問いと同じく，共和主義の定義次第という側面もある。

共和主義の概念が特に注目されるようになったのは，ポーコックやスキナーなどの思想史家による歴史的研究である。それは，古代ギリシア・ローマに源泉をもち（☞第2章コラム3），近代のイタリアルネサンスにおいてそうした古典古代の共和政に対する憧憬を背景に政治的議論の場で復活し，イギリス名誉革命やアメリカ独立革命において革命派の理論的根拠とされたとされる歴史的概念である（☞第9章1（2））。ルソーの古代ギリシア（スパルタ）・ローマやマキアヴェッリ（1469-1527）への傾倒はルソーの共和主義的側面を示していると思われる。しかし，ポーコックやスキナーと共に現在における共和主義の理論的隆盛に影響を与えているペティットは，古典的共和主義の特徴として①「非支配としての自由」という自由概念，②そうした自由を守る制度的理念としての混合政体論，③市民による異議申立て制度（抵抗権）を挙げ，ルソーについては，そのボダンやホッブズの非共和主義的な主権概念の影響から，特に②③が当てはまらないので古典的共和主義者であることを否定している。

またルソー研究者のベルナルディは，フランス革命以降のフランスの共和主義的伝統との関連で，特にその伝統の本質的特徴の1つとされる代表制に対する態度から，ルソーをその伝統に含ませることに懐疑的である。

ただ共和主義には，シビック・ヒューマニズム的な伝統もあり，これは市民の政治参加を積極的に推奨し，こうした政治生活への広範で積極的な参加によって人間的本性が完成され，徳を得ることができるとするものである。こうした伝統の系譜にルソーを位置づけることは十分可能だと思われ，それによって自然法論的な伝統とはまた異なった別の豊かな源泉を明らかにし，ルソーの法思想の近代法思想における位置づけについて多くの示唆を与えてくれることになるであろう（☞第10章1（3））。

法律だけであり，人民の誤りは次の人民が正さないといけない。そうした課題は人民集会での討議に委ねられるということである。

その際，制度的に十分な位置づけを与えられていなかった自然法や基本法は，人民集会で正しい決定がなされ，正しく一般意志が導き出されるための重要な論拠として討議において使われることになるであろう（「明らかに自然法に反する立法が人民の共通利益に資するのか」など)。さらに,『社会契約論』では一般意志を発見するための理性的討議以外の手段として,立法者,世論の法,市民宗教についても語られている。

ここでは簡単に触れることにするが,立法者は共同体の外部にあって,共同体に法を与える存在である。それは行政機関でも,主権者でもなく,法を起草することはできるが,自ら立法権はもたない。ルソーはこの立法者に初発の制度設計の役割を与え,そうした制度を通じて人民を教化し(「人間性を変える」),一般意志の導きによって政治体の公共的決定を行う人民を作り出すという試みを語っている。また世論の法は,ルソーが国法,市民法,刑法に続く第4の法として,すべての法の中で最も重要な法であり,市民の心に刻まれている法として習俗,慣習とともに挙げているものである。ルソーはそれが「人民のなかにその建国の精神を保たせ」るものだとしている。また『社会契約論』の終わりに近い章(『社会契約論』第4編第7章)では,そうした世論の法を表明する監査官の制度についても語られている。その次の章で取り上げられる市民宗教は,キリスト教を含めた既存の宗教批判をふまえて導入されたものだが,その教義では「社会契約および法律の神聖性」が謳(うた)われ,市民が法律の義務を愛することが求められている。この世論の法も市民宗教もともに社会的一体性の感情を強化する役割が期待されている。

ルソーは理性的討議だけで人民が一般意志に到達することの困難性を認識していた。そうした理性的討議を補完し,安定的な政治秩序を作り出すためには,人間の情動的な側面も配慮し,一般意志の基盤である共通善を生み出す社会の絆を強固なものとする必要があると考えていた。そこでこうした情動的な装置が検討されている。しかし,こうした情動的装置はあくまでも補完的な役割しか果しておらず,最終的にいかなる立法を行うかは人民の自由に委ねられている。これがルソーの人民主権論からの帰結ということになる。

まとめ

ルソーの『社会契約論』はフランス革命時まではそれほど読まれていなかったという見解もあるが,フランス革命を契機に注目され,革命後のフランス憲政についての様々な議論の中で，絶えず言及され，大きな影響力を与えたのは明らかである。それは例えばフランス人権宣言（1789年）6条の「法律は一般意志の表現である」という言葉にも示されている。確かに革命後に成立した1791年憲法は代表制の議会を中心に置き，その議会主義はその後のフランス憲法の伝統となるので，主権は代表されないとするルソーの主張とは一致しない。しかし1793年の（実施されなかった）ジャコバン憲法では人民主権を明確に表明し，代議制議会の作った法律案への人民の意義申立て（60条）といった直接民主主義的な制度も採用されており，そこにルソーからの影響を見ることが可能であろう。また，そこに導入された実質的平等を求める生存権などの制度に，ルソーの精神の反映が見られるのは上述のとおりである。

さらに，そもそも憲法のあり方を立法権と行政権の2つの国家権力の関係で検討し，司法権を軽視するという革命以降のフランスの伝統自体が，ルソーの影響を受けていると評することも可能である。

ルソーの法思想への反響としては，19世紀初頭に活躍したフランスの自由主義思想家のバンジャマン・コンスタン（1767-1830）が，ルソーの法理論が「無制限的主権の理論」を展開させたとして批判していることにも触れておこう。コンスタンは，立法者と被治者の同一性というルソーの主張自体が幻想であり，結局は法を作る人たちと，法に従う人たちは違う人間であり，一方に無制限の主権を与えることは，他方の自由の侵害に歯止めがなくなる結果となる，と論じている。（『政治原理』1806年）同様の批判はその後も様々な論者たちによって行われることになる。

ここで問題となっているのは自由主義と民主主義の原理的な緊張関係である。自由主義は一定の権利を民主主義プロセスに対する外在的制約として，国家権力から少数者の自由・権利を守ろうとする。それに対して，ルソーの法理論は，直接民主主義や理性的討議を重視して民主主義的プロセスを再活性化しようと志向する理論に示唆を与えていると言うことができるだろう。

◆参考文献

ドラテ，ロベール（西嶋法友訳）『ルソーとその時代の政治学』（九州大学出版会，1986年）

ルソー法・政治思想の古典的研究書で必読書。ルソーの法思想を先行する自然法論者や政治学者との比較で詳細に論じている。自然法論者の議論も詳しく紹介されている。

西嶋法友『ルソーにおける人間と国家』(成文堂，1999年)

わが国の研究者によって書かれたルソー法思想，政治思想の本格的研究書。自然法，一般意志，主権論について，先行研究を丹念にフォローしながら，独自の見解を展開している。

ベルナルディ，ブリュノ（三浦信孝編訳)『ジャン＝ジャック・ルソーの政治哲学——一般意志・人民主権・共和国』(勁草書房，2014年)

現代のフランスの代表的ルソー研究者の研究書。一般意志，共和主義，世論の法など興味深い論点について深い分析がなされている。

第6章　近代市民革命後の法思想
――カント，ヘーゲルのドイツ観念論

本章ではドイツの哲学者イマヌエル・カント（1724-1804）とゲオルク・ヴィルヘルム・フリードリヒ・ヘーゲル（1770-1831）の法思想を取り上げる。彼らの哲学上の業績は後にドイツ観念論哲学と呼ばれ後世に大きな影響を与えることになるが，両者ともに法哲学への関心も高く，その哲学を基礎に，時代の課題に向き合いながら法思想を展開していった。

この2人の生きた時代の最も大きな世界史的事件は，1789年のフランス革命である。それは老年のカントにも青年のヘーゲルにも衝撃を与えた。革命は当初ドイツにおいても理性による革命として熱狂的に支持されていたが，その後革命が急進化し，恐怖政治へと進んでいくと，それに対する失望感が広がっていった。こうした自由・平等・博愛という言葉で示される革命の理念とその後の展開にどう向き合うのかということがカントとヘーゲルの法思想の課題になる。

また当時のドイツの神聖ローマ帝国は，内部の分裂が決定的となり，末期の状態を迎えていた（帝国は，フランス革命後のナポレオンの侵攻による混乱の中で，1806年終焉を迎えることになった）。その中で，オーストリアとプロイセンが強国として近代的主権国家体制を確立していく。特にプロイセンは啓蒙専制君主であるフリードリヒ大王（在位1740-86）によって，またナポレオン（在位1804-14，15）のドイツ侵攻後はドイツの後進性を自覚して近代化を図った改革派官僚であるシュタイン（1757-1831）やハルデンベルク（1750-1822）によって，いわゆる「上からの改革」が推し進められていった（☞第7章1（1））。こうして登場した近代主権国家の理念的把握ということもカントとヘーゲルが上記の課題とともに取り組むべきものとなる。

1　カントの法思想

（1）カント法思想の著作と課題

カントは1724年東プロイセンのケーニヒスベルク市（現在のロシア領カリーニングラード市）に生まれ，生涯をそこで暮らしていた。大学卒業後，46歳で大学の教授になるまで，家庭教師や私講師として苦労していたが，その間のエピソードとしては，ルソー（1712-78）の著作に多くの影響を受けたということがある。ルソーを読むことで「何も知らない下層民を軽蔑していた考えが正され，私は人間を敬うことを学んだ」と書いている。後で述べるカントの法思想，特にその公法論にもルソーの影響を見ることができる。

1781年に主著である『純粋理性批判』が書かれ，その後重要な著作が立て続けに出されている。そのうち法思想上の主著は，カントが晩年近くに書いた『人倫の形而上学』（1797年）の第一部「法論の形而上学的原理」（以下『法論』）である。その他の法思想上の著作としては，『法論』の数年前に書かれた「理論では正しいかもしれないが実践では役に立たない，という俗諺（ぞくげん）に関して」（以下『理論と実践』）（1793年）や『永遠平和のために』（1795年）がある。またカントが様々な機会に執筆した次の歴史哲学的な小論も重要である。「啓蒙とはなにか　その問いの答え」（1784年），「世界公民的見地における一般歴史の構想」（1784年），「人類史の憶測的起源」（1786年）。また『法論』の翌年に書かれた『諸学部の争い』（1798年）でも法思想が述べられている。

こうした法思想に関する著作の多くはフランス革命後に書かれている。そこで展開されているカントの法思想の課題は，上述のように，新しく確立されていく近代主権国家体制において人間の自由をいかにして確保し，人間の尊厳を実現させていくのか，ということである。そうした課題に対して，カントは，幸福や自己保存といった経験的・主観的な目的を一切排除して，原理に基づいて我々の意志や行為を規定する能力である実践理性によってアプリオリに（経験に先だち普遍的必然的に）妥当する法則として与えられたいわゆる理性法体系の構築によって応えようとするのである。

（２）自由の哲学

このように，カントの法思想の課題は自由の理念の現実化ということなので，その法思想を検討するに先立って，まずカントの自由概念を検討しよう。

カントは自由について多様な仕方で語っているが，法思想という視点から重要なのは『人倫の形而上学の基礎づけ』（以下『基礎づけ』）で語られている自律としての自由の概念である。

『基礎づけ』の第１章の冒頭は次のような有名な一節で始まっている。

> 世界中のどこであろうと，それどころか世界の外でさえも，無制限に善いと見なされうるものがあるとするなら，それは善い意志だけであり，それ以外には考えられない。（『基礎づけ』第１章）

カントが無制限に善いとする善意志とは，義務に基づいて行為しようとする意志である。行為の善悪は，その行為がどういう結果を生み出したかには関係なく，行為者が何をするつもりであったかということによって決まる。傾向性（ついそうしたくなってしまう人間の傾向）ではなく義務によって（すなわち善なる意志によって）なされた行為だけが道徳的価値をもち，その行為は道徳性を獲得するのである。

それでは道徳的義務とはどのようなものか。カントによれば，人間の義務は，定言命法という形で与えられる。定言命法は無条件に成立する命令であり，次のように定式化されている（ここでは『基礎づけ』よりもより知られている『実践理性批判』の定式を引用する）。

> 君の意志の格率（行動方針）が，つねに同時に普遍的立法の原理として通用することができるように行為しなさい。（『実践理性批判』第１部第１編第１章第７節）

カントはこの定言命法をいくつかの形式で言い換えているが，そのうち『基礎づけ』で「第２の法式」と呼ばれる次のものが有名である。

> 自分の人格のうちにも他の誰もの人格のうちにもある人間性を，自分がいつでも同時に目的として必要とし，決してただ手段としてだけ必要としないように，行為しなさい。

（『基礎づけ』第２章）

カントによれば，こうした義務はすべての理性的存在者を拘束する法として現れる。そして重要な点は，人間は自動的に（自然に）こうした法則を自らに課すのではないということである。この命法は，人間が自らの理性によって自らに課すのである（自己立法）。それが道徳的行為者の自律である。われわれの行為は，幸福や快楽といったいわば自然な因果性から自立しているのである。その意味において人間は自由であり，そこに人間の道徳性が存することになり，また人間の尊厳性もここから基礎づけられることになる。こうして意志の自由と道徳性は不可分の関係にある。

カントはこうした『基礎づけ』の意志の自由や道徳性の議論を踏まえたうえで，『法論』の冒頭では適法性と道徳性の区別を行っている。

（３）適法性と道徳性

『法論』の冒頭の「人倫の形而上学への序論」において，カントは法と道徳の区別を次のように語っている。

その法則は自由の諸法則であって，これらは自然法則とは区別されて道徳的なものと呼ばれる。それらがひとえにたんなる外的な行為とその合法則性にのみかかわるかぎりでは，その諸法則は法理的なものと称される。他方くだんの法則の要求するところがさらにまた，「それら（諸法則）自身が行為を規定する根拠であるべきである」とするものであるならば，当該の諸法則は倫理的なものである。したがって，こう言ってよいだろう。前者と一致することが行為の適法性であり，後者との一致は行為の有する道徳性なのである。（「人倫の形而上学への序論」Ⅰ）

ここでは，まず自然法則と道徳法則（自由の法則）が区別され，次に道徳法則の中で法理的法則と倫理的法則が区別される。この両者の違いは，行為とただ外面的に一致するのが法理的法則であり，行為との単なる外面的一致だけでなく，その行為の規定根拠であるのが倫理的法則である，というところにある。そして，適法性は行為が法理的法則と合致すること，道徳性は行為が倫理的法則に合致することである。

この区別は，行為の動機に関連しても説明される。すなわち理性がわれわれに法則を課す場合に，義務を動機とする立法が倫理学的立法で，義務以外の（傾向性や嫌悪など）別の動機をも許容する立法が法理的立法である。

ここでもう一度，適法性（合法則性）と道徳性（人倫性）の区別が説明される。適法性はその行為の動機がどのようなものであるかにかかわりなく，とにかく行為が法則の要求する義務に対して単に外面的に適合していることで満足するものである。それに対して，道徳性は，これらの法則自体が行為の規定根拠であること，すなわち法則の義務がもっぱら義務なるがゆえに履行されること，行為の動機が純粋な義務観念に基づくことを要求するのである。

さらにここから，例えば「契約を守るべし」といった法の要求は，行為の外面にかかわる（行為が法則と外面的に一致していればいい）がゆえに，その履行に関しては外的強制が可能であるのに対して，「他人に親切にすべし」といった道徳の要求は，行為の内面（内面的行為）にかかわる（自ら自発的にそれを義務として受け入れて従わないといけない）がゆえに，強制が不可能であるという結論が導かれる。この法と外的強制の関係については，また次の「法の定義」でも強調される。

（4）法の定義

カントは『法論』の「法論への序論」で法を次のように定義する。

> 法とはかくして諸条件の総体であり，法の示す諸条件のもとで或る者の選択意思は，他者の選択意思と自由の普遍的法則に従ってともに統合されうることになる。（「法論への序論」B）
>
> どのような行為であれ，それが正しいといわれるのは，その行為あるいはその行為の準則によって，各人の選択意思の自由が万人の自由と普遍的法則に従って両立しうる場合である。（「法論への序論」C）

このうち，後者は「法の普遍的原理」と呼ばれるもので，そこから「外的行為にさいしては，あなたの選択意思の自由な行使が万人の自由と普遍的法則に従って両立しうるように，そのように行為せよ」という法の普遍的法則が導かれる。これが定言命法の法的表現である。ここで出てくる選択意思（意志）

は，理性に由来する意志と区別され，傾向性からも影響を受けるものも含む。法の場合は，内面性が問題とならないので，こうした広い意志が問題となる。そして，そうした様々な動機に基づくある人の自由な選択意思が，他の人の自由な選択意思と普遍的法則に従って調和され，両立するような条件を規定しているのが法ということである。すべての人が同じ普遍的法則に従って行為するという公正・平等・相互性という条件の下で，各自の自由が保障されるのである。

そうした法の役割から，法が強制と結びついていることが導き出される。

> 自由のなんらかの行使そのものが普遍的法則に従う自由を妨害するものである（すなわち不法である）ならば，強制はこの妨害に対置されるものである以上，自由を妨害するものを阻止することとして，普遍的法則に従う自由と調和する。すなわち〔法的に〕正しい。（「法論への序論」D）

万人が普遍的な法に従うことで自由が保障されるので，法に反する行為は自由を妨害することになる。そこで法に従うように強制することは自由を守ることになるということである。このことは「厳密な〔意味での〕法はまた，普遍的法則に従って万人の自由と調和する，汎通的な相互的強制の可能性としても表象される」（「法論への序論」E）とも言われる。

（５）私法論

それでは次にカントの具体的な法思想を見てみよう。カントは法体系を私法と公法に区別して，まず『法論』の第一部で私法を扱う。カントは伝統的な自然法論に従い，私法状態を自然状態として理解している。そこでは国家成立以前の人間が最初からもつ根源的権利が問題となる。

私法上の権利（正義の原則）は伝統的に「各人に各人のものを」という法式で表現されている「各人のもの」「私のもの・君のもの」として捉えられている。そこでは人格（人）と物件（物）との帰属関係が問題となる。カントはその「外的な私のもの・君のもの」ということで，私の外にある（有体）物，ある人の選択意思，ある人の状態の３つに分類し，それぞれ物権，債権，物件に対する仕方で人格に対する権利（物権的債権）という３つの私法上の権利を導出している。特に最後の権利は独創的だが，これは物（件）として占有して，人格としてこの外的対象を使用する権利である。具体的には，夫が妻を（あるいは妻が夫を），両親が子供を，そして家族が奉公人を取得することによる権利であり，婚姻権，親権，家長権といった家族共同体の権利（法）が内容となっている。対象が人格なので，物のように処分といった扱いはできないが，それでも家族共同体から出た子供の返還請求といった占有物と同様な権利行使が可能となるものである。

こうした物権的債権や債権の議論も興味深いが，カントはこの私法論では物権，特に物（土地）の所有権を中心に論じているので，以下は所有権の基礎づけの議論のみ紹介したい。

カントはまず所持を伴わない純粋に法的な占有が可能であるのかを問う。すなわち感性的（物理的）占有と区別された叡智（えいち）的（可想的）占有の可能性である。これについては，まず人が自由に活動するためには外的な何かを自分のものにすること，すなわち所有が必要である。その場合，例えば土地を所有するときに，常にその土地を何らかの形で使い続けなくてはならず，いったんその土地から離れたら，その土地への権利を失うということになれば，その人の自由な活動の可能性が阻害されることになるであろう。そこで，自由を実質的に保障するために実践理性の法的要請として，叡智的占有が可能でなければならないということになる。

それではどのようにして外的な物は取得されるのだろうか。カントはロック（1632-1704）の労働所有権論（☞第４章２（２））を批判して，物を取得する権原を先占に求めている。先占は時間的に先行して，その対象を私のものにしようという選択意思をもって，空間的時間的に占有（把捉）することである。そしてその一方的な選択意思に対して他の人が拘束されるということで，その物の取得が正当化されるのである。

それではなぜある人の一方的な選択意思が他の人を拘束することになるのか。まずカントによれば物（土地）はそもそもすべての人にその権利が認められる総体的占有（根源的共有）としてあるとされる。すべての人に取得が開かれていて，誰もが取得可能である。そしてある人がその土地を誰よりも時間的に先んじて占有すれば，それによってその土地を私的に使用する権利を獲得することになるのだが，それが許容され，その個人の選択意思が万人を拘束するのは，それが暗黙のうちに前提とされている「アプリオリに統合された万人の意志」（すべての人の同意）に適っているからであるとされる。したがってこの「アプリオリに統合された万人の意志」という理念が論理的な前提となり，その意志が個々の所有を承認し，その根拠となるということである。

こうして自然状態の所有は正当化されるとされるが，「アプリオリに統合された万人の意志」というのはこの段階ではあくまでも理念的なものでしかなく，それに基づく所有は暫定的なものにしかすぎない。それが確定的な所有権となるには，その意志が現実化されて「集合的かつ普遍的（共同的）で，権力を具えた意志」となることが求められる。そこから，市民状態，公法状態に入る必要性と義務が出てくることになる。

（6）公法論

それでは次にカントの公法論を見ていこう。カントはいま述べたように自然状態から法的（市民）状態に入ることは人間の義務であるとする。それは自然状態（私法状態）の様々な権利は暫定的なものにすぎず，国家状態においてはじめて確定的な権利となるからである。

カントによれば，自然状態では人々は絶えず他者の暴力的行為にさらされていて，強者による恣意的支配が行われる不正義な状態，無法状態であり，権利をめぐる争いに対して，法的に有効な宣言を下す裁判官が不在の状態である。そこでは「外的な或るものは先占によって，あるいは契約をつうじて取得されうるにしても，そうした取得はそれでもなお，さらにまた公的な法則によって裁可がそれに対して与えられないかぎりは，たんに暫定的なものであるにすぎない」のである。（『法論』第44節）

そこで実践理性の法的要請によって，人民は自然状態から国家状態に移行することになる。その際に人民が国家を構成する契約は根源的契約と呼ばれる。

この根源的契約は『理論と実践』においてより詳細に論じられている。そこではこの契約の非歴史性と，理性の要請である点が強調され，各自が任意に締結したりしなかったりするものではなく，義務としての契約という独自の視点が示されている。現実にはそのような契約は締結していなかったとしても，

「同意したかのごとくみなすこと，このことは単なる理性の理念である」。しかし「この理念は疑う余地のない（実践的）リアリティをもっている」（『理論と実践』II）とされる。

次に具体的な統治論の議論であるが，カントは国家権力を立法権，執行権，裁判権の三権に分ける。

このうち立法権に主権があるとし，その主権の担い手を人民にあるとする。人民は集合的な存在であり，この「普遍的に統合された人民の意志のみが立法的でありうる」。ただし，カントはすべての人間が属するところの人民の中にさらに能動国民と受動国民の区別を導入し，国政に参加し，選挙権を行使する資格を前者に限定している。カントによればそうした能動国民の属性としては，法則的自由，市民的平等，そして市民的自立ということである。この最後の自立という要件が能動国民と受動国民を区別する。自立という概念は曖昧であるが，カントの説明によれば「みずからの生存と維持とを人民の中のだれか他者の選択意思に負うではなく，むしろ公共体の成員であるじぶん自身の権利と力能によってそれらを獲得しうる」（『法論』第46節）ことだとされる。経済的に独立し，他人の下で働いていない商人や自営業者などがそれに含まれるが，その下で働く職人や，奉公人，未成年者，すべての婦人などは国民としての資格を欠くことになる（『理論と実践』では女性と子供はそもそも「自然的資格」を欠いているとされる）。すべての人間に選挙権を与えるということが想像できなかった当時の時代背景を考慮にいれなければいけないが，カントの議論が歴史的限界をもつことは否定できないであろう。

次に執行権を担う人格は元首（執政者）と呼ばれる。元首は自然人としては君主であり，法人格としては政府と呼ばれる。元首の命令は法律でなく，政令あるいは布告とされる。また主権者と元首とは厳密に区別され，支配者である主権者は元首から権力を奪い，退位させることはできる（ただし処罰はできない）とされる。

こうした人民主権論の下で立法権に主権を帰属させ，立法権を執行権に優位させる理論にはルソーの影響を見ることができるが（☞第5章2（7）），カントの記述には曖昧なところもあり，立法権と執行権がともに人民の代表者である君主によって担われていると読める個所もある（後述のように，カントはそれを専制と呼ぶときもある)。

なお，これに関連して，カントが主権者や元首に対する抵抗権否認論を主張している点は多く研究者の間で議論の対象となってきた。

カントによれば立法権をもつ主権者や，その機関である元首に対して臣民は一方的に服従すべきであり，たとえ元首が何らかの法律に違反したとしても臣民の抵抗は許されない。最高権力の耐え難い乱用にも人民は耐える義務がある，とされる。

こうした抵抗権否認論は，『理論と実践』でも『永遠平和のために』でも繰り返し主張されているが，その根拠はどれも論理的なものである。すなわち国家における最高の地位に立つ主権者の立法に対する抵抗権が認められれば，それを認められたものにいつでも立法の是非を判断する権利を与えることになる。そうなればそのものが主権者の上位に立ち，主権者は最高権力ではないということになり，これは主権という概念に矛盾する，というものである。ここには実定法体系の内部に抵抗権を位置づけることの困難さが示されていると言えよう。

カントは『永遠平和のために』の中で，国家の形態として，支配の形態と統治の形態の２つの区分を導入している。前者は「最高の国家権力を所有する人々の数の違い」による区分であり，君主制，貴族制，民主制に分けられる。後者は「国家がこの絶対的権力を行使する仕方」による区分であり，共和制と専制とに分けられる。カントは後者の区別の方が重要であるとする。カントがこの区別を導入したのは民主制と共和制を概念的に区別するためである。カントは共和制を，それが自由や（国家市民としての）平等といった原則に基づいて設立され，根源的契約の理念から生じるものとして支持するのに対し，国家の構成員すべてが統治者となるという意味での民主制には否定的である。こうした共和制の用語法にもルソーの影響がみられるが，その内容については大きな違いがある。カントの言う共和制の特徴は第１に（ルソー同様）立法権と統治権を分離する統治原理であるということである。そして第２に（ルソーと異なり）代表制という統治形式を取っているということである。この２つの特徴をもった共和制という統治方式こそが，民主制も含まれる専制的な国家体制を回避し，国民の自由を守るとカントは主張している。

〈コラム13〉　カントの永遠平和論

本文でも取り上げたカントの『永遠平和のために』(1795年) は，カントの法思想関係の文献の中で最も読まれているものであろう。国際連盟や国際連合，EU 統合にも理論的影響を与え，現在も多く参照されている著作である。

本論は，6つの予備条項と3つの確定条項に分かれている。予備条項にも「常備軍の全廃」(第三予備条項) といった興味深い主張がみられるが，3つの確定条項を簡単に紹介したい。これは国内法，国際法，国際市民法という『法論』の公法の区分に対応している。

まず国内法においては「各国家の市民法体制は共和的であるべきである」とされる。共和制の定義は本文で触れたが，カントは永遠平和に導くことのできる唯一の体制は共和制とする。それは共和制では，戦争を決定する人とその災難を引き受ける人が同じだからである。

第2の確定条項は，「国際法は自由な諸国家の連合の上に基礎を置くべきである」というもので，永遠平和を実現するために主権国家間の連合を提唱している。ただカントは国家連合の他に，国際国家，世界共和国を積極的な理念として語っていて，カントが真の目標とした国際政治体制がどのようなものであったのかについては，研究者間でも議論が分かれている。

第3の確定条項は，「世界市民法は，普遍的な友好をうながす諸条件に制限されるべきである」というものである。ここでカントが「外国人が他国の土地に足を踏み入れたというだけの理由で，その国の人間から敵としての扱いを受けない権利」とする「友好 (よいもてなし) の権利」は，「歓待の権利」とも訳されて，最近も特に難民問題との関係で注目されているものである。ここでカントが言う「友好の権利」は，外国人の一時的滞在を認める権利 (訪問の権利) であり，永続的にその国に訪問できる客人の権利とは区別されている。

最後にカントは，永遠平和は決して空しい理念ではなく，われわれに課せられた課題であるとする。これは『法論』の最後の「普遍的で永続的な平和を樹立することは，たんなる理性の限界内の法論にあってただの一部分ではなく，むしろその究極目的全体をかたちづくるものである」という言葉と結びつく。永遠平和は最高の政治的善であり，少しでもその可能性があればその実現を目指さないといけない。国内法の純粋共和制と国際法の永遠平和，これがカントの法思想の最終目標ということになるだろう。

カントは『法論』の公法論の国家法の最後の2つの節で，この国家形態論を再論し，根源的契約の理念に合致し，人民の主権と上記の共和制の制度を十分に実現させた国家である純粋共和制の理念を語っている。カントによれば，国家の形態は歴史的経験的な要因によって様々であるが，重要なのは国家を構成する権力が統治の仕方に配慮することである。「一挙になされうるものではないにしても，徐々に継続してそれを目ざして変更を加え，問題の統治様式がただひとつの適法な体制に，すなわち一箇の純粋共和制に，その結果からすれば一致するように」向わなければならない。「ひとりこの根源的形式のみが自由を原理とし」，「これがただひとつ永続的な国家体制であって，そこでは法則がみずから支配しており，どのような特定の人格にも依存することがない。これこそがいっさいの公法の最終目的であり，そこで実現される状態においてはじめて，各人に「各人のもの」が確定的に配分されることができる」。(『法論』第52節)

カントはその後で，国際法と世界公民（市民）法についても少し語っているが（☞本章コラム13），国内法体制ではこの純粋共和制の実現という理念が最終目的となる。

2　ヘーゲルの法思想

（1）ヘーゲルとフランス革命

ヘーゲルは1770年にドイツ南部のシュトゥットガルトに生まれる。1788年にテュービンゲンの神学学校に進学し，５年間神学と哲学を学ぶことになる。この時期に，ヘーゲルが友人たちとともに，フランス革命に対する共感を示すために「自由の樹」を植えたというエピソードは（神話とする説もあるが）有名である。

神学校を卒業したヘーゲルは，家庭教師で生計を立てていたが，1801年，イェーナ大学の私講師となる。この時期には最初の著作である『精神現象学』（1807年）が出版される。ヘーゲルはイェーナに侵攻してきたナポレオンの軍隊から逃れるため，イェーナを出ていくが，ナポレオンを「馬上の世界精神」と称したことは有名である。その後，各地を転々としたが，1818年にヘーゲルはプロイセンの首都ベルリンのベルリン大学に招聘(しょうへい)され，亡くなるまでの13年間ベルリン大学教授として活動し，哲学者としての不動の名声を得ることになる。このベルリン時代にヘーゲルの法思想史上の主著であり，最後の著作でもある『法の哲学』(1821年) は公刊された。

さて，上記のように，ヘーゲルはフランス革命を祝福し，その後も毎年７月14日にはバスティーユ襲撃を祝って乾杯していたと伝えられている。『法の哲学』の中で記述されているように，革命自体の現実の経過には深く失望をしているが，革命の理念自体は最後まで高く評価していたといえる。

20世紀の哲学者ヨアヒム・リッターは「ヘーゲルの哲学のように，ひたすら革命の哲学であり，フランス革命の問題を中心的な核としている哲学は，他には一つもない」と語っている。(『ヘーゲルとフランス革命』1957年) リッターによれば，ヘーゲルがフランス革命の課題として捉えたのは，「自由の政治的実現」ということである。すなわち，「自由の法形式を発見するということ，つまり自己存在の自由にふさわしく，この自由を正当に評価し，個人が個人として自己自身であり，自分の人間としての使命を達成できる可能性を生み出す法秩序を作り出すこと」が，フランス革命の政治的課題となるのである。

(２) ヘーゲル『法の哲学』の課題

『法の哲学』はヘーゲルがベルリンで行った講義の教科書として出版されたものである。現在の訳本には，その後ヘーゲル全集の編集者が付け加えた学生のノートが補遺という形で載っている。その他ヘーゲルが行った法哲学の講義ノートも最近逐次刊行されており，これらもヘーゲルの法哲学・法思想を知る上での貴重な資料となっている。

ヘーゲルの法哲学は，法 (それは法・権利だけでなく正義などの広い意味を含んでいる) の理性的あり方を概念において把握することで，自由にふさわしい法秩序を叙述する試みである。その際，ヘーゲルは「現にあるところのもの」の把握を課題としている。ヘーゲルが『法の哲学』の序言で「理性的なものは現実的なものであり，現実的なものは理性的である」と語っているのは有名である。それはもちろん現実の法がすべて理性的で，自由を保障するものであるというのではない。われわれが現実の法を哲学的に把握することで，その内にある (非理性的なものと区別された) 理性的なものを理解し，上記の「自由の法形式」を発見することができる，ということである。ヘーゲルはそれを「哲学が与える現実との和解」と呼んでいる。

（3）ヘーゲルの自由意志論と法哲学の構成

ヘーゲルは法学の出発点を自由な意志だとする。

> 法の基盤は一般的にいって精神的なものであり，法のより正確な場所と出発点は自由なものである意志である。したがって，自由が法の実体と規定とをなすのであって，法体系は実現された自由の国であり，第二の自然として，精神自身から生み出された精神の世界である。（『法の哲学』第４節）

法の基盤を意志におくことは，すでにルソー（☞第５章２（５））とカントによって行われており，ヘーゲルは後の箇所では「意志を国家の原理とした」ことをルソーの貢献としている。（『法の哲学』第258節）ヘーゲルはそうした理論を批判的に受容した上で，それをより徹底的に展開しているといえる。そして，それは法を衝動や欲望といった人間の自然（本性）から導き出すようなタイプの自然法論への批判となる。

ヘーゲルは自由意志について「緒論」において，「即自的」「対自的」「即自かつ対自的」といったヘーゲルがその哲学体系の基本原理としている弁証法の三段階に対応させて詳細に検討している。簡単に言えば，即自的というのは他のものとの関係なしにそれ自体として自覚なしに存在している段階，直接的，無媒介的に肯定性において存在している段階である。対自的というのはそれが自覚化され否定される段階であり，即自かつ対自的というのはその対立が総合されて高められる段階のことである。意志もこうした３つの段階で説明される。

最初の即自的に自由なだけの意志，直接的な意志，自然的な意志は，生理的な衝動や欲望，傾向性に基づく意志であり，まだ理性的な意志ではない。

次に来るのは恣意（選択意思）である。これは意志が多様な衝動や欲望の中で，何かを選ぶ，決定するという意志の在り方である。ものを決定し，他のものと自己を区別することで，意志は自分自身を特定の個人として自覚するので，それは対自的意志とも呼ばれる。しかしヘーゲルによれば，この恣意はまだ真の自由とはいえない。その衝動・欲望の内容がその対象に依存しているからである。

こうした意志の在り方を克服した意志が，即自かつ対自的意志である。これはそうした衝動に対する純化・反省として現れる。「衝動を思い浮かべ，評価し，また衝動と衝動とを相互に比較したり，つぎには衝動とこれを満たす手段や，その結果などを比較したり」して，「この素材をその粗野で野蛮な状態から純化するのである。このように思惟の普遍性を涵養することが，教養としての形成陶冶の持つ絶対的価値である」。（『法の哲学』第20節）

真の自由な意志は主観的な目的を実現させることではなく，教養陶冶というプロセスを経て，それを普遍的なものにすること，普遍性を自己の目的とすることである。この普遍意志は，ルソーの一般意志に由来しているが，ヘーゲルは，ルソーの一般意志は個別意志の集合にしかすぎないと批判している。ヘーゲルの普遍意志は，個別意志を超え，他者の意志を取り込んだ共同なもの，全体的なものである。こうした意志は「思惟する知性として真実な自由な意志」とも呼ばれる。そしてこの自由な意志は，客観的に存在する理性的なものを自己の内容とする。こうした客観的に存在する理性的なものが法である。

> およそ定在が自由な意志の定在であるということ，このことが法である。――したがって法は総じて自由であり，理念として存在する。（『法の哲学』第29節）

定在というのは，現存在とも訳されるが，生成の結果生み出されたもの，という意味である。自由な意志によって生み出されたのが（広い意味を含んでいる）法であり，こうした法において自由の理念が実現されるのである。

さてこの自由な意志の定在である法は，概念の弁証法的な展開によって，（やはり）三段階に分けられる。抽象法，道徳性，人倫である。さらに人倫は家族，市民社会，国家に分けられる。ヘーゲルはこれを「即自的かつ対自的に自由な意志の理念の展開の発展行程」だとする。なお，これは歴史的な発展段階を示しているのではなく，あくまでも概念の論理的展開である。例えば，実際には家族の形成が，所有の成立よりも前であるが，ヘーゲルの弁証法的な論理の展開では抽象法において所有が先に論じられたり，歴史的には市民社会の形成は国家の形成よりも後だとされるが，市民社会が国家より先に論じられたりするということである。

上述のカントの『人倫の形而上学』は，法論と徳論に分かれ，法と道徳についての議論が展開されていた。ヘーゲルは法と道徳の上にさらに人倫の立場を導入することで，独自の法思想を構築することになる。後述するようにこの人倫の理念がヘーゲル法哲学の最も重要な貢献であるといえる。

（4）抽象法

即自かつ対自的に自由な意志の理念の発展段階の最初に来るのは，抽象法である。この段階では個人の特殊性や個別性，個性がすべて排除され，形式的・抽象的関係が問題となる。

そこではまず具体的な内容をもたない権利の主体としての人格とその主体の外側にある物との関係が所有として論じられ，次にその物をめぐる人格間の関係である契約が，そして最後にそうした人格や所有の侵害などの民事的刑事的不法が取り扱われる。なお，こうした不法に対応する制度である司法制度は，具体的な内容を持つので後の人倫の市民社会論で扱われる。ここでは，カントの場合と同じく最初の人格と所有の議論に限定して紹介したい。

法の出発点である自由な意志は，最初は具体的な欲望や衝動といった内容をもたない自己意識として現れる。そうした無規定な自由な意志である主体のあり方が人格である。そしてすべての人格には権利能力があることが承認される。ヘーゲルは法の命令として次のように言う。「一個の人格であれ，そしてもろもろの他人を人格として尊重せよ」。（『法の哲学』第36節）

こうした人格は，理念として存在するためには，自分の外側に自由の領域をもたなければならない。ヘーゲルは（上述のカント同様）自由な領域をもつには物の所有が必要になると考えている。したがって「人格はどんな物件のうちにも自分の意志をおき，これによってその物件が私のものとなるという法的権利」をもつ。人間は一切の物件に対して絶対的な取得権をもつのである。われわれが物を所有するということは，欲望を満足するためではなく，「自由という見地から所有が自由の最初の定在として，本質的な目的それ自身」だからである。なお，ある物が自分のものとなるためには占有獲得が必要であり，さらにそれが他者によって認められることが必要だとされる。

（5）道徳性

第2に「道徳」が取り上げられる。個人は抽象法の段階では人格と呼ばれたが，ここでは主観や主観性と呼ばれ，その内面が問題となる。

抽象法では人格と物との，あるいはその物を通じての人格同士の外的な関係が問題となったが，道徳性で問題となるのは個々の人間の（故意，意図，良心などの）内面である。そしてそこで特に主題となるのは，主観的意志の自由である。まさにこの主観的自由の法（権利）を承認したことが，「古代と近代とを区別する上での転換点および中心点をなしている」のである。

主観的自由の権利としては，良心の自由がある。良心は神聖不可侵の領域である。自己自身を確信した主観的意志が良心であり，真の良心は「即自的かつ対自的に善いものを意欲する志操（心がけ）である」。しかし，道徳の段階での良心は，ただ単に自分が正しいと思っていることを，自らの判断で行う意識でしかない。それはあくまでも主観的自己確信にしかすぎず，独善に陥って客観的には悪であることを善だとする可能性がある。そこでそうした主観的自由は，客観的原理と統一がなされる必要があり，その統一が図られる領域が次の人倫となる。

（6）人倫①――家族と市民社会

ヘーゲルは人倫を次のように定義している。

> 人倫は，自由の理念であり，生ける善として存在する。この善は，自己意識のうちに，みずからの知と意欲とをもつとともに，自己意識の行為によって，みずからの現実性をもつ。このことは，自己意識が人倫的存在において自己の即自的かつ対自的に存在する基盤と自己を動かす目的をもつのと同様である。――したがって，人倫は，現存する世界となり，自己意識の本性となった自由の概念である。（『法の哲学』第142節）

人倫は自由の理念であり，「生ける善」である。「生ける善」とは自由が実現されることを意味している。人倫は自己意識（個人）と世界という契機で構成されているが，個人の自由はこの人倫（具体的には家族，市民社会，国家）という制度の中で現実のものとなる，ということである。

さてその際，ヘーゲルの家族・市民社会・国家論は，ヨーロッパの法・政治理論の伝統を乗り越えようとしていることは重要である。

ヨーロッパの伝統的法・政治理論は，大家族である家を（農業）社会の基礎に置き，家の家長である自由人による共同体として政治社会＝市民社会を捉えていた。したがって市民社会は政治社会，国家と同視され，家族社会と区別されていた。こうした法・政治理論の伝統は，上述のカントの自立の概念（家族の中の自立した自由人のみが政治社会に参加できる）にもその痕跡が残されている。

それに対して，ヘーゲルはまず家族論において，両性の愛情を基礎とする共同体として家族を捉え，近代的核家族的家概念を積極的に提示している。

そして市民社会は，政治社会・国家とから分離して，自由人が自由に自己の利益を追求する場とし，まずは経済社会として捉えられることになる。ヘーゲルの人倫において特に注目されて，多くの議論の対象となったのがこの市民社会論である。以下，少し詳しく見ていくことにする。

市民社会の章の冒頭では次のように述べられている。

> 具体的な人格，すなわち特殊的なものとして自分にとっての目的である人格は，もろもろの欲求の全体として，また自然必然性と恣意との混合として，市民社会の一方の原理である。――しかし，特殊的人格は，本質的には他の同様な特殊性との関係のうちにある。したがって，各々の人格は他の人格によって，そして同時にただ，他方の原理である普遍性の形式によって媒介されたものとしてのみ，みずからを通用させ，満足をえるのである。（『法の哲学』第182節）

市民社会は，個人が自らの欲求，特殊意志を追求する場である。しかしそうした個人は，自らの特殊な欲求の充足を，他者との関係の中でのみ実現させることができ，そのため自己と他者の普遍性の原則，経済法則に従わねばならない。その意味では市民社会は利己的な目的を実現するための「全面的依存のシステム」ということができる。

さて，市民社会（それは「欲求の体系」と呼ばれる）ではまずは個人が多方面にわたって奔放に自己の特殊な欲求の充足を求め，偶然的な恣意や主観的な好みを満足させようとして共同性を破壊し，「放埓（ほうらつ）や貧困の光景」や「人倫的な退廃の光景」を呈することになる。一方で人々の欲求も多様化して拡大していく。しかし上述のようにそうした欲求の充足のためには，普遍的法則との一致が求められる。したがって，ヘーゲルによれば，市民社会は，個人がそうした特殊な欲求の実現を目指すことを通じて，個人の陶冶が行われ，社会的知性・教養を高めることができるという二面性をもった社会である。

そうした教養の１つの在り方，実践的教養として労働が取り上げられる。人間は自然の素材を労働によって目的に合うように加工し，他者に受け入れられるような物を作り出す。「労働と欲求充足のこのような依存性と相互性とにおいて，主観的な利己心は他のすべてのひとの欲求充足への寄与に転換する」。

こうした労働を媒介として，個人の教養が高められ，社会的資産が増大するが，同時に労働の分業による単純化，機械化，そして社会における不平等などの市民社会の問題点も現れてくる。こうした課題解決のために，ヘーゲルは市民社会の中のいくつかの制度に着目している。司法制度，行政（ポリツァイ），職業団体（コルポラティオン）である。

したがって，市民社会は単なる経済社会ではなく，一定の政治的機能も担っている。ヘーゲルはそれを外面国家，必要国家，悟性国家とも呼び，近代自然法論が到達した国家はこの段階にとどまると述べている。

まず欲求の体系における私益追求の結果ともいうべき所有を保護するために，司法制度が導入される。市民社会は一定の法制度によって秩序付けられている。ヘーゲルがこの司法の箇所で語っているのは，まず法が定立されること，知られていること，成文法・制定法の意義である。ここから慣習法，不文法を批判し，法典化の重要性が強調される。これらの主張はサヴィニーに代表される歴史法学派に対する批判である（☞第７章１（２））。

次に邦訳で行政と訳されているポリツァイは，現在では警察の意味だが，当時は社会の秩序維持のほかに，国民の福祉の推進といった役割も担い（司法活動とは区別された）より広い国家活動を意味していた。ヘーゲルはポリツァイに，犯罪の防止などの警察的秩序維持や市場の価格調整などの経済活動の監督と配慮，個人の教育などの多くの役割をもたせるが，その中で特に貧困対策を重要な課題としていることが注目される。

ヘーゲルによれば，市民社会は一方では「絶えざる人口増加と産業発展」のうちにあって，「富の蓄積が増大する」が，他面では，「特殊的労働の個別化と制限とが，そしてそれとともに，このような労働に拘束された階級の依存性と困窮とが増大する」。その中で，「一定の生活様式の水準以下に多数の人々が陥ることは」，「浮浪者の出現を引き起こす」ことになる。こうした市民社会の貧困対策も行政の課題とされる。ただしヘーゲルはその困難さを認め，代替的な措置として市民社会の外への植民について言及したりしているが，行政による介入には総じて消極的な立場を取っているように見える。市民社会の内部では解決できない問題ということができる。

最後に取り上げられているのは職業団体である。職業団体は，ヘーゲルの身分論の実体的（農業）身分（土地所有者と農民）と普遍的身分（官僚・軍人）から区別された産業身分に固有の団体である。市民社会の様々な業種に応じた団体であり，所属成員のために第２の家族のような役割を果たすとされている。ヘーゲルは上記の市民社会の貧困対策といった問題を，こうした成員による相互扶助的組織によって解決しようとしたとも考えられる。そこでは個人の個別な特殊的利害と共同体の普遍性とが統合される。職業団体での活動を通じて，私的な目的のほかに普遍的な活動の余地が与えられ，市民社会の孤立した個人を共同的なものに統合させる役割を果たす。したがって，職業団体は「市民社会に根ざす，国家の人倫的根幹をなす」のであり，市民社会から国家へと移行する契機となるものである。

（７）人倫②――国家

人倫の最終段階に位置づけられる国家は，市民社会で分裂していた普遍性と個別性という人倫の２つの契機の一体性が真に実現する段階であるとされる。

すなわち国家は人倫的理念が現実となったもの，人倫的精神が現実において明瞭に現れたものである。そして個人の自己意識は，その国家において自らの真の自由を獲得するのである。したがって，国家の成員であることが個人の最高の義務となるのである。

ヘーゲルによれば，国家は単に個人の権利や自由を保護するためだけの機関ではない。それだけが目的であればそうした国家は市民社会（悟性国家）の段階に止まっている。そうではなく，「諸個人の統合そのものがそれ自身国家の真実の内容と目的であって，個人の規定は，普遍的生活を営むことである」。個人が他者と共同生活を営むこと，個人の主観的自由が，全体の普遍的自由に統合されることが国家の意義である。

しかしそれは，個人の自由・利害が国家の全体の利益に完全に飲み込まれるということではない。国家において具体的自由が真に実現されるが，その具体的自由は，まずは家族や市民社会において個人の特殊的利害が発展し，それが権利として保障されるところに現れ，次にその特殊的利害が共通の利益である普遍的ルールを通じて実現されるということ，そしてその普遍的なものを各人が承認し，それを究極的目的として活動するところに現れる。ギリシアのポリス（☞**第１章**）と異なる近代国家の強さと深さは，こうして特殊的利益という主観的な原理を共同体の内に取り込みながら，統合を図るところ，特殊性と普遍性との統一にあるのである。

次に政治的国家の統治構造（国内体制）について，特にその権力分立の議論を見てみる。

ヘーゲルは国家権力を立法権，統治権，君主権に区分する。ヘーゲルは司法権については，それをポリツァイ権とともに統治権の一部としていて国家論では論じず，上述のように市民社会論で論じている。

ヘーゲルの権力分立論の第１の特徴は，三権が独立して対立して相互に牽制しあうというのではなく，それぞれの契機が全体的統一をなしていることが強調されるということである。それぞれは動物的有機体的組織の（身体の各器官のような）分肢であり，部分ではないとされる。またもう１つの特徴として，そうした全体的諸権力の統合の役割を君主権に与えていることである。君主権においては「区別された諸権力が個別的統一へと総括されており，それゆえこの権力は，全体すなわち立憲君主政体の頂点と端緒をなしている」と説明されている。

君主権を他の権力と区別する最も重要な原理は，その自己規定としての最終の決定という契機（要素），すなわち絶対的自己規定ということである。つまり自己規定とは，国家が戦争の開始などの最終的決定を行うことであり，それが君主権の最も重要な役割となる。先に述べたように，ヘーゲルにとって様々な権力はばらばらに独立しているのではなく，国家のうちに全体的統一をなしているのだが，その「単一の自己としての国家の統一」のうちに究極の根源をもつのが国家の主権である。そしてこうした観念的な思想でしかない主権が現実のものとなるのは，決定の最終地点においてある人格的なもの，個別的なものによる自己規定がなされることであり，それには一個人である君主が必要となる。「国家の人格性は，ひとりの人格，すなわち君主としてのみ現実的」となるのである。国家の人格性を代表するのが君主であり，国家主権は，君主という人格の中に現実化されるのである。そして君主が様々な国政上の問題に対して「われ意志する」という決定を最終的に下すことで，国家の一体性・統一が図られるのである。

この「われ意志する」という君主の最終決定については，講義ノートの中では「しかし，これによって，君主が恣意的に行為してよいといわれているわけではない。むしろ，君主は審議の具体的内容に拘束されており，そして憲法が確固としていれば，君主はしばしば自己の名前を署名すること以外にすべきことがない。しかし，この名前が重要である」（『法の哲学』第279節補遺）とされ，君主の象徴性を強調していることが注目される。

最後に三権のうちの立法権について触れておこう。

ヘーゲルは立法権を君主的要素，統治権的要素，議会的要素に分けていて，議会のみに立法権を帰属させているのではない。ヘーゲルは国民を代表する議員が，国民の最善の利益を理解しているということに懐疑的である。最上級の国家公務員の方が「国家の組織や要求の本性へのいっそう深くて包括的な洞察ならびにこの職務に関するいっそう優れた技能と習慣を身につけ」ているとする。この記述はプロイセンの改革派官僚のことが念頭にあったと思われる。

それでは議会の固有の意義とは何かというと，市民社会の主観的な判断と意志が，議会の場において表明されて，国家の普遍性の中に取り込まれる機能をもつということである。議会（代議制度）は，市民社会と国家とを媒介する組織である。

このように，ヘーゲルの国家論は立憲君主制を理想とし，国家の様々な機関が分枝として有機的に結合している国制を提唱している。その市民社会論で強調された個人の主観的自由は，国家という共同体の中に有機的に統合されることになる。

こうしたヘーゲルの国家論については，国家を絶対化し，現存のプロイセン国家体制を擁護する保守反動的思想という評価もあったが，現在はその立憲主

〈コラム14〉　ヘーゲルとプロイセン国家

ヘーゲルは1818年，ハルデンベルク内閣の教育・宗教大臣アルテンシュタイン（1770-1840）によってベルリン大学教授として招聘される。アルテンシュタインは自由主義者で進歩主義者として，自由主義的国政改革を進めていたハルデンベルクを支え，プロイセンの教育・文化改革を進めていた。ヘーゲルはそうした進歩的改革派に支持されてベルリンに呼ばれたのである。なおヘーゲルは『法の哲学』をハルデンベルクに献呈している。

さてハルデンベルクはプロイセンの立憲化構想をもっていたが，対ナポレオン解放戦争勝利後のメッテルニヒ（1773-1859）主導のウィーン体制の下で，プロイセンも復古的な潮流が主流となり，その構想は挫折することになる。そして反動化したプロイセンにおいて，戦後ドイツの統一と自由を目標として設立された学生団体（ブルッシェンシャフト）も弾圧され，その運動を支持していたフリース（1773-1843）などの多くの教授が大学から追放される。

こうした時代背景の中で，ヘーゲルは『法の哲学』の序言でフリースを「哲学活動を自称している浅薄さの将帥のひとり」として強く批判している。このこともありルドルフ・ハイム（1821-1901）は『ヘーゲルとその時代』（1857年）において，ヘーゲルは「反動的プロイセン国家の精神を定式化した御用哲学者」と批判している。その後も，ヘーゲルと全体主義を結び付ける批判もなされてきた（ポッパーなど）。

しかしこうした批判は現在では様々な視点から反論や修正がなされている。

本文にあげたリッターはヘーゲルを主体的自由の原理に基づいた近代国家の擁護者と主張している。実際，『法の哲学』の議論は現実のプロイセン国家よりも立憲主義的で自由主義的である。また，ドントは『ヘーゲル伝』（1998年）の中で，ヘーゲルがブルッシェンシャフトの多くの構成員と交流・支援を行っていたことを紹介している。

さらにヘーゲルの講義録の編集を行っているイルティングは，公刊された『法の哲学』と講義録との間の断絶を指摘し（君主権の位置づけなど），『法の哲学』は当時の政治状況下でヘーゲルが自己の立場を変更した（あるいは本来の立場を隠蔽した）と主張して，論争が起きている。

ヘーゲルの国家論は，単純に保守的とか自由主義的に区分できない複雑な要素をもち，今後も様々な見解が示されるであろう。当時の歴史的コンテクストの理解を踏まえての議論がさらに深まっていくことが期待される。

義的自由主義的性格を評価する解釈が有力に出されている（☞**本章コラム14**）。

ま　と　め

以上，カントとヘーゲルの法思想を見てきた。両者の法思想はともにフランス革命後の時代背景で，法と自由の関係をいかに規定するか，自由な秩序をいかに構築するかを課題としていた。

カントは，当時の自然法論が前提としていた幸福や自己保存といった経験的な要素を排除し，実践理性の自己立法に由来する諸法則からなる法体系を構築しようとした。しかしその具体的な制度設計においては，経験的要素，歴史的背景がその理論に大きな制約を与えていることは否定できない。ただ（逆にそのために）研究者によれば，カントの法思想は特に19世紀前半のドイツ法学に一定の影響力をもったとされる。さらにそうした歴史的限界を超えて，カントが純粋共和制や永久平和といった理念を掲げ，それを法・政治哲学の目標として掲げていたことも重要である。そうした点からカントの思想は現代の様々なタイプの自由主義的な法思想や政治思想の思想的源流として受容されることになる。

それに対してヘーゲルは現実的なものから出発し，その現実の中に理性的なものを探求しようとした。そういう視点から，カントの立場を，頭の中で作り上げた超越的な理想を現実に適用しようとする二元論であると批判する。そうした現実に対する深い洞察が遺憾なく発揮されたのが市民社会論である。近代の市民社会の二面性を鋭くえぐり出したその分析は，カール・マルクス（1818-83）をはじめとしたその後の社会哲学に大きな影響を与えた。ただその市民社会を止揚したとされる国家の議論においては，現実に妥協しすぎたとして，**本章コラム14**で取り上げたように国家主義者という批判も出される。また「現実的なものは理性的である」という言葉も，現状肯定主義として理解され，批判されることもある。これについては最後にヘーゲルの歴史哲学に触れておこう。ヘーゲルは世界史を「自由の意識が前進していく過程」と捉える。歴史の中で，人間はしだいに理性を発展させ，自由を実現させる制度を構築させていくのである。そうした歴史哲学的視点からは，現実の国家もまだ自由実現の途

〈コラム15〉 ヘーゲルの承認論

本文では触れることができなかったが，ヘーゲルの法思想・政治思想を検討するに際して，承認という概念が注目されている。承認は様々なレベルで問題となるが，特に近代の個人主義的（自我中心主義的）人間観への反省から，自己と他者との相互関係の中に自我や社会を位置づけるという視点に立ったときに，他者からの承認や相互承認という概念が中心的役割を果たすことになる。

この承認の問題についてヘーゲルは，特にイェーナ期の草稿や『精神現象学』などの前期の著作においては中心テーマとして盛んに取り上げているが，後期の『法の哲学』ではあまり語っていないかのように，従来理解されてきた。しかし，重松博之によれば（『ヘーゲル承認論と法』2021年），『法の哲学』も，「重層的な承認の諸段階として展開されて」いて，特に抽象法や市民社会論などでそれが示されている，とされる。抽象法で人格や所有権を論じる際に（ヘーゲル自身は直接その言葉を使ってはいないが）承認という考え方が示されている点は本文でも触れてたが，契約では，ヘーゲル自身が「契約は，契約を締結する者たちが相互に人格および所有者として承認しあうことを前提とする」（『法の哲学』第71節）と述べ，承認という言葉を使っている。さらに重松が特に注目するのは，犯罪と刑罰をめぐるヘーゲルの見解である。本文中には紹介できなかったが，ヘーゲルは，犯罪が法に対する侵害，否定であり，刑罰はその侵害された法の回復，否定の否定だとする。そしてその否定の否定である刑罰は，犯罪者の意志に反して行われるのではなく，むしろ理性的存在者としての犯罪者自身にとっての権利であり，普遍的正義の実現によって法と和解することだとされている。このことについて重松は，「犯罪」は自己と他者の承認関係としての契約や法の侵害であり，「刑罰」は自己と他者との承認関係の回復であると述べている。

ヘーゲルの承認論は，こうした法学的観点にとどまらず，様々な人間関係，社会関係を包括する理論として提示されている。社会の分断や，社会の中で承認を受けずに疎外されたマイノリティーの問題が注目される中で，ヘーゲルの承認論は今後も重要な思想史的遺産であり続けるであろう。

上にあるものと理解することも可能であろう。

◆参考文献

三島淑臣『理性法思想の成立――カント法哲学とその周辺』（成文堂，1998年）
　わが国のカント法哲学研究の第一人者による研究書。本論では取り上げられなかった初期カントの法思想や，『法論』の私法論の詳細な研究がなされている。なお同『法思想史（新版）』（青林書院，1993年）第５章も重要。

ケアスティング，ウォルフガング（舟場保之他監訳・御子柴善之他訳）『自由の秩序——カントの法および国家の哲学』（ミネルヴァ書房，2013年）
カントの『法論』の定評ある研究書。『法論』の全体像について体系的思想史的な解説がなされていて，『法論』を研究するための必読書。

権左武志『ヘーゲルとその時代』（岩波新書，2013年）
政治思想を中心としたヘーゲルの入門書。歴史的背景を踏まえてヘーゲルの政治思想の全体像を知ることができる。

網谷壮介『カントの政治哲学入門——政治における理念とは何か』（白澤社，2018年）
カントの政治哲学全般をカバーする入門書。大変読みやすく，良くまとまっている。

第Ⅲ部

近・現代の法思想

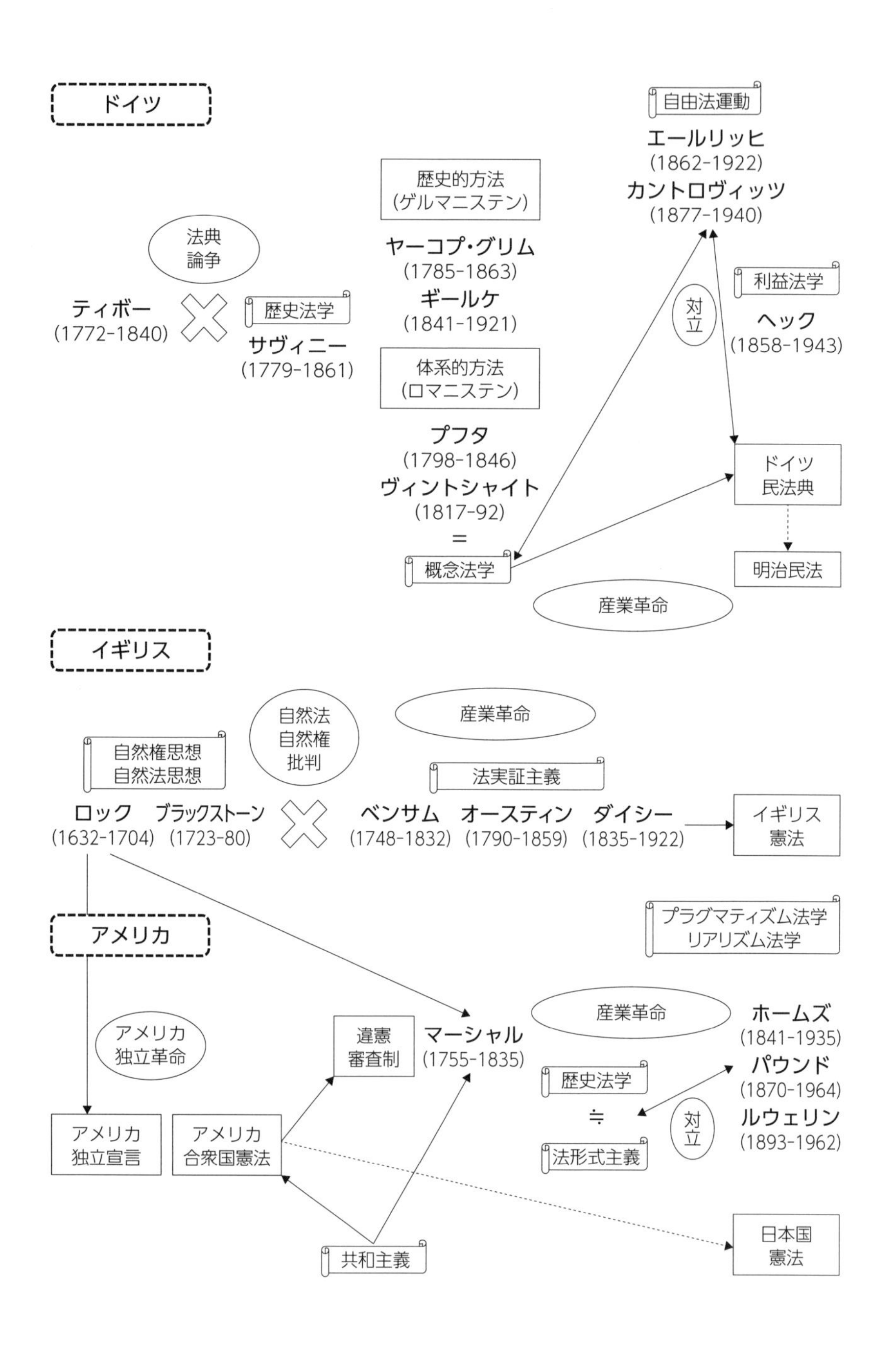

ドイツ
自由法運動
エールリッヒ
(1862-1922)
カントロヴィッツ
(1877-1940)
歴史的方法
(ゲルマニステン)
法典
論争
ヤーコプ・グリム
(1785-1863)
ギールケ
(1841-1921)
利益法学
ティボー
(1772-1840)
歴史法学
サヴィニー
(1779-1861)
対立
ヘック
(1858-1943)
体系的方法
(ロマニステン)
プフタ
(1798-1846)
ヴィントシャイト
(1817-92)
=
概念法学
ドイツ
民法典
明治民法
産業革命
イギリス
自然法
自然権
批判
産業革命
自然権思想
自然法思想
法実証主義
ロック
(1632-1704)
ブラックストーン
(1723-80)
ベンサム
(1748-1832)
オースティン
(1790-1859)
ダイシー
(1835-1922)
イギリス
憲法
プラグマティズム法学
リアリズム法学
アメリカ
産業革命
ホームズ
(1841-1935)
アメリカ
独立革命
違憲
審査制
マーシャル
(1755-1835)
パウンド
(1870-1964)
歴史法学
≒
対立
ルウェリン
(1893-1962)
法形式主義
アメリカ
独立宣言
アメリカ
合衆国憲法
日本国
憲法
共和主義

第7章　ドイツにおける法実証主義
――歴史法学，概念法学から自由法運動へ

本章では19世紀のドイツにおける法思想を見ていきたい。この1世紀の間にドイツでは政治と経済の両分野で大きな変化が見られた。

政治について見れば，フランス皇帝ナポレオンの圧力に屈し，それまでドイツを統合してきた神聖ローマ帝国が1806年に崩壊した。この後，1810年代中頃まで一時フランスにより広範囲の領域を支配されたが，解放戦争に勝利し，再び独立を獲得する。そして，ナポレオン戦争の戦後処理のため，オーストリアの宰相メッテルニヒ（1773-1859）が主導するウィーン会議が開かれた。同会議ではフランス革命以前の秩序に復帰するという正統主義が採用され，政治の基本方針が確認された。ドイツでは，オーストリアを盟主とし，君主国などにより構成されたドイツ連邦が結成された。加盟国は主権を保持しており，同連邦は統一国家とは言えなかった。このような反動体制の中で民衆は自由主義的な憲法，民主主義的な議会，国家統一を求め，ついに1848年に三月革命が起こる。この時，国民議会を開催し，憲法も制定したが，統一国家は誕生しなかった。19世紀後半になると，1866年のプロイセン＝オーストリア戦争の後，まずプロイセンを中心にドイツ北部諸国が集まり北ドイツ連邦が1867年に結成された。続いて1870年のプロイセン＝フランス戦争（ドイツ＝フランス戦争）では北ドイツ連邦とバイエルンなどのドイツ南部諸国が共に戦い，勝利した。これを機にドイツの北部諸国と南部諸国とが統一され，1871年にドイツ帝国が誕生する。こうして統一法を整備するための政治的基礎ができ，1870年代以降，様々な立法が行われる。

次に経済について見れば，イギリスの産業革命（☞第8章1（1））やフランスの重商主義政策に遅れをとり，ドイツは19世紀初期にはまだ農業国であった。しかし，1830年代半ばより鉄道の建設と重工業の発展により工業化が徐々

に進められ，1850年代以降に本格化する。また，それまで北部，中部，南部に分かれていた関税領域が，1834年にドイツ関税同盟として統一された。これらが，ドイツ国内における人の移動を容易にし，また物流を活発にした。こうしてドイツにおける経済発展の基礎が作られていった。

このような政治・経済の状況を背景に法実証主義という考え方が強くなっていった。法実証主義とは，ローマ法や制定法（例えば19世紀末のドイツ民法典）のみを重視し，自然法などの要素や制定法以外の法源を軽視するというものである。これはまた，端的に言えば，「悪法も法である」「法律は法律である」とする態度である。この態度は，20世紀に入るとナチスによる悪法の制定を許容してしまう。法実証主義が，自由主義と結びついたイギリスとは対照的に（☞第８章１），ドイツではユダヤ人の迫害や精神・身体に障がいのあるものの安楽死など個人の権利を侵害することになってしまった。このような法実証主義の傾向を，法典論争に始まり，パンデクテン法学・概念法学を経て，最終的にはドイツ民法典の成立に至るまでの流れの中で確認したい。

1　法典論争と歴史法学派

（１）ナポレオンの支配からウィーン体制へ

18世紀末から19世紀初期にかけてフランスでは近代の幕開けとなる出来事が起こった。フランス革命である。現在の研究では，革命前後の断絶ではなく，継続性も認められているが，一般的に言って，これは，聖職者や貴族といった特権身分に抑圧され搾取されてきた農民や市民が，旧体制（アンシャンレジーム）を打破し，個人の自由と平等を求めた運動であった（☞第５章）。その理念は1789年の「人および市民の権利宣言」，いわゆるフランス人権宣言へと結実した。1791年には立憲君主制を採る憲法が制定されたが，1792年にはついに王政が廃止され，共和政（第一共和政）が始まった。ルイ16世（在位1774-92）が処刑されたのは翌1793年である。第一共和政の下ではロベスピエール（1758-94）を中心とする急進的なジャコバン派による恐怖政治の後，穏健派の総裁政府が続いた。

ナポレオン（1769-1821）は総裁政府において各地への遠征などで名声を高め

た。彼は，1799年にクーデターを起こし総裁政府を倒すと，新たに統領政府を打ち立てた。ナポレオンは，第一統領となり，独裁権を握った。この時，ナポレオンは国内の法整備として民法典（1804年）を制定している。さらにその後にも民事訴訟法典（1806年），商法典（1807年），治罪法典（1808年），刑法典（1810年）を制定した。ナポレオン法典とは，広義ではこれらの法典を指し，狭義ではこの中の民法典を指す。民法典には，所有権の絶対・契約の自由・過失責任主義という近代法の諸原則が盛り込まれた。ナポレオンは，民法典制定の後，国民の信頼を得てついに皇帝となった（第一帝政）。

ナポレオンは，国内のみならず，国外にもその支配を拡大していった。ヨーロッパ諸国も数次にわたり対仏同盟を組んで対抗したが，その勢いを阻止することはできなかった。その結果，ドイツでは，フランスに近い南西部の諸国はナポレオンの支配下に入り，ライン同盟を結成した。これにより神聖ローマ帝国は1806年に崩壊した。ナポレオンは，ヴェストファーレン王国などを設立し，その王に自らの親類を起用した。ドイツ北部のプロイセンは独立を保ったとはいえ，その領土の多くを失った。そのような状況の中でシュタイン（1757-1831）やハルデンベルク（1750-1822）によって農民解放や営業の自由，中央・地方の行政組織の改革や都市条例の制定などの近代化政策が進められた（☞第６章コラム14）。また，ヴィルヘルム・フォン・フンボルト（1767-1835）によりベルリン大学が設立された。

ナポレオンの支配に対して，例えば，哲学者のフィヒテ（1762-1814）は1807-08年の講演『ドイツ国民に告ぐ』で愛国心を喚起した。そして，1813年に解放戦争が起こり，ヨーロッパ各国がナポレオンの支配に対抗し始めると，翌1814年にナポレオンが退位し，フランスでは王政が復活した。この後，本章の冒頭で説明した通り，ウィーン会議が開催されウィーン体制が始まり，ドイツ連邦が結成された。

（２）法典論争

解放戦争に勝利し，政治的統一を目指す気運が高まる中で法統一をめぐって行われたのが「法典論争」である。19世紀初期，ドイツにはいまだ統一民法典は存在せず，法は各地で分裂した状況であった。バイエルンにはマクシミリアン民事法典（1756年）があり，プロイセンにはプロイセン一般ラント法（1794年）があった。また，ナポレオンの支配下に入ったヴェストファーレン王国などのライン同盟諸国ではナポレオン法典が使われた。これらに加えて，ローマ法を基礎に現実の要請に応じてドイツで新たに形成された普通法もあった。したがって，ドイツ連邦内で様々な法が存在していたのである。

このような法状況を克服するために，アントン・フリードリヒ・ユストゥス・ティボー（1772-1840）は統一民法典の制定を要求した。これに対して，それには時期が早いとして反対したのがフリードリヒ・カール・フォン・サヴィニー（1779-1861）であった。

ティボーはイェーナ大学やハイデルベルク大学などで教えた法学者である。著書には，『法学諸分野についての試論』（1798年，1801年），『ローマ法の論理的解釈論』（1799年），『パンデクテン法体系』（1803年）などがある。ティボーの著作はイギリス法思想にも影響を与えた。というのは，オースティン（☞第8章2（2））は，1827年秋から1828年春までドイツに留学し，ティボーの論文や教科書から「人の法」「物の法」「訴訟の法」という『法学提要』（☞第2章6）の分類を学び，自身の『法理学講義』の参考にしたからである。

ティボーは，1814年に『ドイツにおける一般民法典の必要性について』（以下『必要性』）を発表し，概念と論理を駆使した自然法に基づく，ドイツ全体に通用する統一民法典の編纂を要請した。彼の言葉を見てみよう。

法律学の個々の部分のすべてにわたって，その相互作用を見わたすという計りしれない利点は，われわれには何も与えられてこなかった。それに対して，ドイツ人の法でドイツ人の精神をもって作られた単一の国民法典は，中位の知能の者であればいかなるものでも，そのあらゆる部分を理解することのできるものであり，それによってやっとわが弁護士や裁判官はどんな場合にも法を生々と思い出すことができるような状態になるであろう。……さらに，市民の幸福に目を向ければ，そのような全ドイツの単一の法典がすばらしい天の賜物とよぶに値するものであったことに少しも疑いは存しない。（『必要性』）

明快な統一法典は，弁護士や裁判官だけでなく，市民社会を生きる一般の市民にとっても有益なものとなる。ティボーは市民の経済活動のために明確なルールを求めたのだった。この論争への直接的な参加者ではないが，人々が自由に経済活動を行う市民社会を「欲求の体系」と捉えたヘーゲル（☞第6章2（6））も1821年の『法の哲学』で法典の必要性を説いた。

さて，ティボーが『必要性』を発表したのと同じ1814年，サヴィニーは『立法と法学に対する現代の使命』（以下『使命』）を発表した。

サヴィニーは，はじめマールブルク大学で刑法，ローマ法，法史，法学方法論の講義をした。ドイツ国内やパリに資料収集に出かけた後，ランヅフート，ベルリンの各大学で教えた。ベルリン大学の法学部にサヴィニーがいたのと同じ時期にヘーゲルは同大学の哲学部に所属していた。ヘーゲルは「法哲学」を講じ，また著作では国家や実定法を重視する思想を打ち出していた（☞第6章2（6））。後述のように，それはサヴィニーの考え方とは異なるものであった。ただ，サヴィニーも後にプロイセンの法律委員や立法大臣なども務めることになる。著作には『占有権論』（1803年），『中世ローマ法史』（1815-31年），『現代ローマ法体系』（1840-49年）などがある。

さて，サヴィニーは『使命』でティボーが主張するような自然法に基づく人為的な法典編纂に反対した。『使命』第2章「実定法の成立」からサヴィニーの見解を見てみよう。彼によれば，法は，ティボーが言うように恣意により作られるものではなく，言語，習俗，国制と同じように，「民族の共通の確証」から自ずと形成されるものである。民族の若年期には，法は，象徴行為や儀礼を通じて行われ，感覚的に理解される。しかし，法が民族とともに成長していくと，法の細部について「民族の共通の意識」を認識することが難しくなる。そこで法形成は民族を代表する法曹身分に委ねられる。法曹により，法は，言語によって抽象化され，学問的に形成される。とはいえ，ルーツが「民族の共通の意識」にあることには変わりはない。そのため，法は次のような「二重の生」をもつことになる。

> すなわち一方では，法には，民族全体の生の一部としての側面が依然として存続しており，このことを法は放棄するわけではない。しかし他方では法曹の手になる特化された学問となっていく。（『使命』第2章）

サヴィニーは，法が民族と関わる生を「政治的要素」，学問に関わる生を

「技術的要素」と呼び，これらは協働するものだという。このようにサヴィニーは，法が法学によって高度に学問的になっても，現実の生との関わりを失ってしまうことはないことを強調する。しかし，後に見るように，彼の弟子たちのパンデクテン法学者は，学問による体系化に注力し，現実との関わりを軽視するようになっていった。

結局，この時期には統一法典の編纂に向けた具体的な動きは見られなかった。もっとも，サヴィニーの反対論が影響したというよりも，統一法典を制定しうるだけの政治的統一がドイツ連邦に欠けていたことが原因とされる。

（3）歴史法学派の形成

このようにサヴィニーは独自の法成立論を展開したが，この後，彼を中心に学派が形成されることになる。それが歴史法学派である。1815年には学術雑誌『歴史法学雑誌』も刊行された。

歴史法学派は研究方法として２つのことを強調する。１つは歴史的方法である。その前提には，法は民族の成長とともに形成されるという考え方がある。サヴィニーは『使命』の中でそのように形成された法としてローマ法とゲルマン法を取り上げる。サヴィニーは，それらの法をそのまま使用するのではなく，歴史研究を通じて，それらの法の中から19世紀当時でも有効なものとそうでないものとを区別することを強調した。もう１つは体系的方法である。これは，法の指導原則を見つけ出し，そこから他の法規定を演繹的方法によって導出するという方法である。したがって，体系的方法は自然法論と共通するものである。

歴史法学派の内部にもロマニステンとゲルマニステンという２つのグループがあった。前者はローマ法を，後者はドイツ固有法を研究する。

ロマニステンは，ローマ法，特に『学説彙纂（いさん）』（☞第２章６）を研究対象とする。彼らは，ローマ法の普遍性を前提とし，そのもっとも重要な精神である平等な個人，権利，自由を重視し，これらを当時のドイツにも適用しようとした。このような精神は，19世紀という市民社会の時代において，個人の経済活動を後押しするものとなった。また，ローマ法という成文法が法の予測可能性を与え，これもまた経済活動を容易にした。彼らは，上に見た２つの方法のうち体系的方法への志向が強く，次節で触れるパンデクテン法学を展開した。代表的な人物には，サヴィニーのほか，プフタとヴィントシャイト（☞本章2），イェーリング（☞本章4（1））などがいる。

他方，ゲルマニステンは，2つの方法のうち歴史的方法への志向が強い。彼らは，理性に対して感情や歴史を重んじるロマン主義の影響が見られ，ドイツ民族・思想の源流を追究した。代表的な人物としては，サヴィニーと共に『歴史法学雑誌』を創刊したカール・フリードリヒ・アイヒホルン（1781-1854），グリム兄弟の兄ヤーコプ・グリム（1785-1863）（ちなみに，弟はヴィルヘルム・グリム（1786-1859）），ゲオルク・ベーゼラー（1809-88），オットー・フォン・ギールケ（☞本章3）などがいる。ヤーコプ・グリムは，マールブルク大学でサヴィニーから法学を学び，資料収集の手助けもした。彼はまた，古い裁判の記録である『農民法判告』を集めた。

ロマニステンとゲルマニステンは19世紀半ばから対立するようになる。例えば，1844年に『民衆法と法曹法』を刊行した代表的なゲルマニストであるベーゼラーははっきりとローマ法の継受は国民的不幸であると述べ，法曹による法形成を批判した。

2　歴史法学からパンデクテン法学・概念法学へ

歴史法学派の2つの方法である歴史的方法と体系的方法は，サヴィニーにとってはいずれも大切な要素であったが，彼の弟子たち，特にロマニステンにおいては体系的方法が重視されるようになった。彼らは，概念や論理を重視し，欠缺のない法体系の構築に注力した。その反面，現実を軽視するようになってしまった。それは，例えば，サヴィニーの後を継いでベルリン大学で教えたゲオルク・フリードリヒ・プフタ（1798-1846）に見られる。

プフタは裁判官の息子として生まれた。プフタが1811年から1816年まで学んだギムナジウムでは，ヘーゲルが校長を務め，哲学を講じていた。プフタはまたミュンヘン大学で教えていたときに，『人間的自由の本質』（1809年）などを刊行した哲学者シェリング（1775-1854）と交友をもった。プフタの法理論にはシェリングの影響が見られるという。いくつかの大学を経てサヴィニーの後継者としてベルリンで教えた。著作は,『慣習法論』(1828年, 1837年),『パンデクテン教科書』(1838年),『法学提要教程』(1841-42年) などがある。

まず, 法の成立根拠や法源 (法の存在形態) に関するプフタの見解を, 先述のサヴィニーと比較しながら, 見ておきたい。サヴィニーは『使命』で法の成立根拠を「民族の共通の確証」「民族の共通の意識」と呼んでいた。この考えはプフタにも継承される。彼は『慣習法論』で法の成立根拠を「民族精神」と言う。これを受けてサヴィニーも『現代ローマ法体系』第1巻 (1840年) では「民族精神」と呼ぶようになる。

次に法源についてである。サヴィニーによれば, 法は, はじめは民族によって直接に, 後には民族とのつながりをもちながらも民族を代表する法曹によって学問的に作られていくものであった。法の形成が法曹の手に委ねられても, 法と民族の関係が失われてしまうわけではなく, 法は「二重の生」をもつのであった。これに対してプフタは,『法学提要教程』において, 法の一側面であった概念から論理的に導かれ, 形成される法, すなわち学問法を独立させ, 認めるようになった。学問法では概念や論理が重視される。

このようにプフタにおいて学問法が重視されるにいたったのであるが, それは特にローマ法の重視を意味した。一例として錯誤論を取り上げ, サヴィニーとの比較を通じて, プフタの思想を確認してみたい。当時の錯誤論の問題は「錯誤の表意者はどのような要件のもとで表示と意思の不一致に基づいて無効を主張しうるか」というものである。これには2つの立場があった。1つは表示主義である。これは意思と表示の不一致が相手方に認識されうることを無効を主張する要件とする考え方である。もう1つは意思主義である。これは無効を主張するのに要件を課す必要はないという考え方である。このうちサヴィニーは表示主義を採った。ローマ法から表示主義を根拠づけるにはやや弱さがあったが, しかし彼はローマ法による正当化には固執せず, 資本主義社会における取引の安全の利益を考慮し, 条理による正当化によって表示主義を採用したのだった。これに対して, プフタは意思主義を採用した。表示主義はローマ法から正当化できなかったからであり, この点についてプフタはローマ法の論理に従ったのである。

以上のように, サヴィニーの弟子たちは, 概念と論理, 法体系を重視する傾向にあり，ここからパンデクテン法学が発展することになる。パンデクテン法学とは，ローマ法の『学説彙纂』（☞第２章６）を対象とする法学のことである。パンデクテンとは，『学説彙纂 Digesta』のギリシア語のラテン語読み Pandectae に由来する名称である。彼らのパンデクテン教科書は，国家官吏を養成する大学でテキストとして用いられ，エリートたちの法知識の基礎となり，また統一法が存在しない当時には裁判所で法律と同じように使用された。次に代表的なパンデクテン法学者ベルンハルト・ヴィントシャイト（1817-92）を見てみよう。

ヴィントシャイトは，ベルリン大学でサヴィニーの講義を受講するなどして法学を学び，ボン大学などで教えた。また，彼はドイツ民法編纂の過程で第一委員会委員（1874-83年）としても活躍した。著書は『現行法の観点から見たローマ私法におけるアクティオ』（1856年），『パンデクテン法教科書』（1862年，1865/66年，1870年）などがある。この教科書は1891年までに７回も改訂され，さらに，ヴィントシャイトの死後も弟子により補訂され，1906年に第９版を数えた。

ヴィントシャイトも，概念による法の体系化に努め，倫理・政治・経済などの法以外の要素は重視しなかった。また，概念を操作することにより新たな法を創造することができることも強調した。ヴィントシャイトは『パンデクテン法教科書』の中で法学の功績は概念の精緻（せいち）化にあり，それによって適用の確実性がもたらされることだと言う。また，法政策における法学の役割を過大評価することを戒めた後，離婚原因について有責主義がよいのか否か，営業活動は無制限に承認される方がよいのか否か，社会の貧困を除去する法律は必要なのか否か，などの問題があることに言及して，次のように言う。

> 一体この種の法律において自分は決定的な発言力をもっているのだと述べる勇気をもつ法律家がいるであろうか。立法はもっと高い見地の上に立っている。それは，たいていの場合倫理的，政治的，国民経済的考慮や，これらの考慮のとり合わせに基づくものであって，このような考慮は，法律家自身の仕事ではないのである。（『パンデクテン教科書』）

このように，法学者の仕事は，制定法を前提に，もっぱら概念に関わるものであり，法政策的考慮とは無関係である，とヴィントシャイトは言う。彼によ

〈コラム16〉　民族精神とヴィルヘルム・アルノルト

法と社会に関する研究の先駆者でありながら，あまり注目されないヴィルヘルム・アルノルト（1826-83）を紹介しよう。クレッシェル「忘れられたゲルマニスト」（1975年）はアルノルト研究として示唆に富む。

アルノルトは，法律家の息子として生まれ，マールブルク，ハイデルベルク，ベルリン大学で学んだ。その後，バーゼル，マールブルク大学で教鞭をとった。当時の有名な学者たちと接しており，親交のあったものには，ドイツの古事研究・言語研究で有名なグリム兄弟や，近代実証的歴史学の確立者であるレオポルト・フォン・ランケ（1795-1886）がいる。さらにバーゼル大学で知り合ったスイスの法史家アンドレアス・ホイスラー（1834-1921）とは多くの手紙を交わしている。また，マールブルク大学では学部長や学長を経験し，晩年には帝国議会の議員も務めた。

アルノルトは，中世ドイツの国制や私法を中心に研究し，著書に『ドイツ自由都市の国制史』（1854年），『ドイツ都市における所有権の歴史について』（1861年），また地名研究として『ドイツ諸部族の定住と移住』（1875年）がある。法と経済に関する研究では，『文化と法生活』（1865年）が有名である。

アルノルトの研究の特徴は，歴史法学派の民族精神論を批判的に継承したことである。歴史法学派の「民族精神」や「民族の意識」は極めて曖昧な概念である。これは19世紀半ばにはそのままでは通用しなかった。アルノルトは，もっと具体的な様々な要因から法の形成・発展を考察するべきとし，言語・技術・学問・経済・法・国家といった各要素の相互関係を解明しようとする。

アルノルトが重視するのは経済と法の関係である。彼によれば，経済の発展とともに法の形態も変化してきた。すなわち，自然からの直接的な生産とその交換の段階には慣習法，都市での労働・商業の段階には制定法，そして高度に発達した資本主義の段階には学問法が対応する。アルノルトは新たな法の形成のために学問に大いに期待する。慣習法や制定法も社会の変化に対応しうるものだが，複雑な社会関係に迅速に対応しうるのは学問法だと言う。ただし，学問法は，既存の法概念を操作するだけではなく，社会の必要を考慮して新たなものを形成しなければならない。概念ばかりに固執し，社会を見ない学問は何の意味ももたない。こうして社会を考慮して学問が生み出した法は，人々の間に浸透し，やがて新たな慣習法となる，と言う。

このようにアルノルトは経済に着目しながら，法の発生と発展の仕方を追求しようとした。法社会学研究と言えば，エールリッヒ（☞本章４）やウェーバー（1864-1920）が有名だが，アルノルトは彼らよりもはやくこれに取り組んだのであり，その先駆者と言えよう。また，法の発生・発展に着目するアルノルトの研究は，ゲルマニステンで，『ドイツ団体法論』（1868-1913年），『ドイツ私法』（1895-1917年），『ヨハネス・アルトジウス』（1880年）などでドイツ法（思想）の歴史研究を行ったギールケ（☞本章３）にも大きな影響を与えたと言われる。

れば，政治，社会，経済，倫理を考慮することは，立法者が為すべきことである。このようなヴィントシャイトの態度には，制定法（この場合はドイツ民法典）のみを重視し，その他の諸要素を軽視する法実証主義の傾向が見られる。「自然法の夢は見尽くされた」という彼の言葉が，このことを物語っている。

もっとも，ヴィントシャイトが，法学が法政策的考慮には立ち入らず，どの階級をも利することはないと言っても，すでに述べたように，パンデクテン法学は，予測可能性と法的安定性を提供し，市民階級の経済活動に資するものであり，その意味では，中立的ではなく，ブルジョワジーに有利なものであった。

3　ドイツ民法典の制定

パンデクテン法学の時代を経て，1870年代にいよいよ統一民法典の編纂が本格化する。もちろん，これ以前にも，一般ドイツ手形法（1848年），一般ドイツ商法典（1861年）などが制定されていた。しかし，名称からわかる通り，これらは特定の法分野にのみ関わるものであった。また，ザクセンでも独自の民法典（1863年）が制定されたが，これも一国家の法典にすぎない。さらに，一般ドイツ債務関係法草案（1866年）も作られたが草案段階で終わってしまった。

統一民法典の編纂を可能にした背景には，19世紀初期とは異なって，ドイツの政治的統一，すなわち1871年のドイツ帝国の設立がある。帝国設立後，1873年のラスカー・ミケル法により，当初は債務法にのみ認められていた帝国の立法権が民法全体に認められた。1874年に準備委員会が編纂の基本方針を発表し，第一委員会が組織された。第一委員会のメンバーは，ドイツ諸国の代表により構成され，裁判官や官吏が多かった。また，学者代表として，ロマニステンからヴィントシャイト，ゲルマニステンからパウル・ロート（1820-92）も入っている。ロートが活動に消極的であったのに対して，ヴィントシャイトは積極的に関わった。作成された第一草案は，「小ヴィントシャイト」と言われるほど，ローマ法の色彩が強く，個人主義，権利中心であり，資本主義社会に適合的な内容であった。

これに対して，ゲルマニステンのオットー・フォン・ギールケ（1841-1921）

は，『ドイツ民法典草案とドイツ法』（1889年）で，同草案は，共同体的・民衆的ではなく，個人主義的・自由主義的・資本主義的であり，強者を弱者に対して強くすると批判した。また，同年の『私法の社会的使命』でも，私法に「社会主義的油の一滴」が必要であると言う。義務を伴わない権利はなく，すべての権利は内在的に制約をもっており，これがゲルマン法の固有の思想である。これに対してローマ法では権利は何の制約ももたない。第一草案は個人や権利ばかりが強調されており，ドイツ法の伝統である共同体への視点や義務の要素が必要であると論じられた。

アントン・メンガー（1841-1906）も『民法と無産者階級』（1890年）で第一草案を批判する。同草案は，私的自治の原則に基づいて，富者と貧者を法律上等しく扱っているが，実際には両者の間には力の差がある。そのため，労働契約や賃貸借契約において富者を利することになってしまう。貧者のために民法を修正するべきであると述べた。

このような批判も受けながら，続いて1890年に第二委員会が組織された。第一委員会がドイツ諸国の代表に主導されたのに対して，第二委員会では帝国司法庁がイニシアティブをとった。同委員会のメンバーには，ドイツ諸国の代表だけでなく，帝国議会議員や企業の代表，教授なども参加した。第二草案は1895年に公表された。この後さらに第三草案の審議を経て，ドイツ民法典（BGB）は，1896年に公布され，1900年に施行された。

こうして長らく分裂していたドイツの法状況は統一された。内容的に見ると，およそ1世紀前に制定されたフランス民法典と同じように，ドイツ民法典も近代法の原則（所有権の絶対・契約の自由・過失責任主義）を支柱とした。ドイツ民法典は資本主義社会における自由主義思想の産物であった。もっとも，疾病による休業期間中の給与保障や「売買は賃貸借を破らない」などの社会問題に配慮した規定も見られる。

4　自由法運動の法解釈論

このように，19世紀は，法典編纂の是非を問う「法典論争」から，パンデクテン法学を経て，ドイツ民法典の制定という法実証主義への道のりを歩んだわけだが，この傾向には批判も向けられた。

例えば，1847年に「学問としての法律学の無価値性」と題する講演を行ったユリウス・ヘルマン・フォン・キルヒマン（1802-84）がいる。その後，パンデクテン法学から出発しながら目的や利益を重視するようになったルドルフ・フォン・イェーリング（1818-92），自由法運動を牽引（けんいん）したオイゲン・エールリッヒ（1862-1922）とヘルマン・カントロヴィッツ（1877-1940），そして，利益法学を提唱したフィリップ・ヘック（1858-1943）がいる。イェーリングから順に紹介しよう。

（1）イェーリングの「概念法学」批判

イェーリングは，わが国でもよく知られた法律家であり，ウィーン法律家協会での講演「権利のための闘争」は1872年に刊行され世界中で読まれている。この他にも『ローマ法の精神』（1852-65年），『法における目的』（1877-83年），『法学における冗談と真面目』（1884年）などの著作がある。

すでに触れたように，イェーリングは，ロマニステンであり，元々はパンデクテン法学者として出発した。当初は巧みな概念操作である「法律構成」を高く評価していた。しかし，ローマ法から論理的に導かれる結論でも，正義感覚に適わないこともある。1850年代以後，現実から離れた概念操作に遊ぶ法律構成を批判するようになった。このような法学を『法学における冗談と真面目』では「概念法学」と揶揄（やゆ）した。この頃になってイェーリングが重視したのは，法感情，目的や利益の観点である。『法における目的』でも次のように言う。

> 本書の基本思想は，目的こそあらゆる法の創造者である，ということにある。つまり，その起源を目的に負わないような法規はないということ，いいかえれば実際的な動機に発しないような法規はひとつもないという点にある。（『法における目的』序文）

この思想は後述のヘックの「利益法学」に大きな影響を与えた。ただ，ここで注意しなければならないのは，イェーリングが目的や利益を重視するようになったからといっても法律構成そのものを放棄したわけではない，ということである。彼は，目的や感情から出発しながら，それを正当化するためにやはり法律構成を必要とした。

利益や目的を志向するイェーリングの態度を具体的に見てみよう。1つは二重売買における危険負担の問題を扱った1859年の論文「売買契約における危険」である。後述する自由法論者のカントロヴィッツが，イェーリングのパンデクテン法学者からの「転向」を見たのも同論文であった。さて，特定物の売買に関する双務契約において，売主の責任ではなく目的物が滅失してしまった場合，買主は，目的物が手に入らないにもかかわらず，代金は支払わなければならない。いわゆる，「危険負担の債権者主義」である。伝統的にローマ法では「買主が危険も買う」や「危険は買主に属する」と言われてきた。

これを貫くとすれば，特定物の二重売買においても，偶然の事故で目的物が滅失した場合，売主は，目的物を給付することなく，すべての買主から代金を請求できる。実はイェーリングは1844年の論文ではこの結論を肯定していた。しかし，1850年代のイェーリングは，法感情に反するこの帰結に疑問を抱き，債権者主義を前提としつつも，売主の二重請求を認めず，一回の支払いで満足させる方法はないかと思案する。しかし，ローマ法にはこの構成を直接に可能にする法文はない。そこでイェーリングは次のように考えた。①まず，危険負担制度の目的は，代金請求ではなく，損失補償である。したがって，買主のうち1人が支払えば，それで売主の損失は補償され，他の買主も代金を支払うという二重支払いは起こりえなくなる。②二重の賃貸借の場合に「賃借人は，賃借物を利用しえない場合，応分の賃料減額を請求しうる」という法命題がある。これは「同一物は二重に要求されることを許さない」という原則に基づく。売買契約も，信義に基づく双務契約であり，賃貸借契約と同じであるから，この原則が適用され，二重支払いを否定しうる。

もう1つは錯誤無効の効果を扱った1861年の論文「契約締結上の過失」である。当時の見解によれば，契約が錯誤により無効となると，契約上の責任はなくなり，損害賠償も否定された。しかし，錯誤の表意者は自分の落ち度で相手方に損害を与えてしまったのに何の責任を負わなくてもよいのか。この問題を直接に規定するローマ法はなかったので，イェーリングはいくつかのローマ法文を引き合いに出し，錯誤の表意者の相手方の損害賠償請求を肯定する理論を再構成していった。例えば，いくつかのローマ法文によれば，取引ができないもの（寺院・墓所などの宗教施設や広場・講堂などの公共施設）に関する契約が無効となった場合，確かに契約は無効だが，善意の買主はそれによって生じた損害の賠償を売主に請求することができた。ここからローマ法も契約の無効によって全面的に賠償請求を否定しているのではないということを導き，錯誤の表意者の相手方の損害賠償請求を肯定しようとした。まず目的があり，それに合わせてローマ法文を読み，理論構成するという態度である。

最後に，イェーリングの時代の法源のあり方について述べておこう。19世紀初期にサヴィニーが民族精神による法成立論に基づいて「法は自ずから成るものである」との見解を示したのとは異なり，19世紀後半のイェーリングにおいて法・権利は国家によって与えられるものであるとの見方が前面に出ている。例えば，イェーリングは，『権利のための闘争』の中で権利を「国家によって付与されたもの」と見る。また，『法における目的』でも次のように言う。

……生活を立てるという目的が，財産を生み出す――財産なくして，生活の将来の保障はない。この両目的がより集まって，さらに法となる――法なくして，生活と財産の保障はない。／客観的意味における法が，このふたつの利益に法としての保護を与える形式は，周知のように，権利の形式である。権利をもつということの意味は，つまるところ，何かが我々のために存在しており，そして国家権力がこれを承認して，我々の保護にあたるということである。（『法における目的』第１巻第５章）

『法における目的』第１巻第８章第10節では「強制なき法は燃えない火」とも言う。いずれも法・権利を，国家の強制権力に裏打ちされたものとする定義である。この見方は19世紀初期に歴史法学派が法を人為によらないものと考えたのとはかなり異なっている。しかし，イェーリングの言葉は，1871年のドイツ帝国の建設により現実的に国家制定法の果たす役割が大きくなったことを思えば，理解できよう。また，国家権力が重視されるようになった背景には経済発展の中で人々はますます利己的になり，社会秩序の維持を任せておくことができなくなり，国家が介入せざるをえなくなったという事情がある。もっとも，イェーリングは『権利のための闘争』で，歴史的に権利には自己の人格や名誉と不可分に結びつき，それを守るための実力行使をも辞さない闘争という側面があったことも強調し，国家による権利保障に安住してはならないと言う。イェーリングは近代国家が設立される以前の伝統的な権利観念も軽視していない。

（2）自由法運動

次に自由法運動の牽引者としてエールリッヒとカントロヴィッツを紹介しよう。あらかじめ彼らの思想の特徴を述べれば次の通りである。彼らは，制定法には欠缺があるが，「法」には欠缺はない，と言う。この「法」を自由法と言う。これは，慣習法などのように，個人や共同体の確認により承認された法であり，制定法を補充する。裁判官はこの自由法の発見に努めるべきである。

エールリッヒは，自由法論の先駆けであり，また法社会学の開拓者でもある。ウィーン大学で学び，弁護士・ウィーン大学私講師を経て，チェルノヴィッツ大学で教えた。著作には，『自由な法発見と自由法学』（1903年），『法社会学の基礎理論』（1913年），『法律的論理』（1918年）などがある。

彼のキャリアの中で大事なのはチェルノヴィッツ大学での経験である。同大学はオーストリア＝ハンガリー二重帝国の辺境に位置していた。この帝国は，多民族国家であったオーストリアでマジャール人のハンガリー王国を認め，独自の政府と議会を許した体制である。ただし，国王はオーストリア皇帝が兼ねた。エールリッヒは，当地の人々は必ずしも制定法に従って生活しているわけではない，という法生活の実情を知ることができた。むしろ，彼らは当該社会のルールである「生ける法」を基準に行動している。彼はこの経験により制定法以外の法源を広く認め，裁判官は人々が実際に遵守している「生ける法」の発見に従事するべきであると言う。また，エールリッヒは，裁判官が判決を下す際，その結論を制定法から導き出しているように見せかけることで裁判官の恣意を隠蔽していると批判する。

彼の論文『自由な法発見と自由法学』によれば，裁判官が判決を下す際，制定法から演繹されなければならないというのはローマ法を継受した諸国民だけに特有なものである。そうでない国民には，この要請は見られず，裁判官は個々のケースに適した公正な判決を発見することを任務とする。その時に裁判官は，制定法ばかりでなく，慣習法，学説，過去の判決にも拘束される。そして，スイス民法典（1912年施行）の予備草案１条を引き合いに出し，エールリッヒは次のように同条に対する賛意を明らかにする。

> すなわち，その第一条によれば，裁判官は真先にまず民法の文言および解釈に従って，次に慣習法に従って，また，慣習法さえも存在しない場合には，確立された学説や判例に従って判決しなければならない。これらの法源がすべて役に立たない場合には，裁判官は彼が立法者であったなら定立していたであろう準則に従って判決を下さなくてはならない，というのである。/ここで，この条文の解説から以下の文章を引用することが許されよう。『……裁判官は解釈によって補充できない欠缺が制定法にある，ということを認めてよい，と［この条文は］いう。そして，裁判官がそのことを確認した場合には，裁判官は，制定法の無欠缺性ではなく，法秩序の無欠缺性を根拠に判決を言渡〔す〕……』/この適切な記述は，自由な法発見を行う際に裁判官に課せられる任務をあますところなく描き出している。(『自由な法発見と自由法学』第３章)

上記のように，スイス民法典は，法典の完全性を謳わず，むしろ，その欠缺を認めた上で制定法以外の法源に基づく柔軟な判決を裁判官に許している。つまり，これは近代の法典に期待された完全性を反省した20世紀の新しい法典である。エールリッヒは自らが提唱する「生ける法」はスイス民法典が目指す方向と完全に一致すると言う。

最後に，法の存在形態（法源）や，その源泉に関するエールリッヒの見解に触れておこう。まず，法の存在形態として，①「生ける法」，②裁判規範，③法命題を挙げる。①「生ける法」は社会団体のルールである。社会は，契約当事者，家族，地域共同体，職業団体，企業，政党など，様々な社会団体により構成される。これらの団体の中で人々は，その団体を規律するルールを承認し，遵守する。このような社会団体の内部秩序であるルールが「生ける法」であり，法は国家によって作られたものである必要はない。②裁判規範は，社会団体の中でルールに則り生活しているもの同士の紛争を解決するものである。裁判規範が必要になる理由は，「生ける法」には紛争解決のルールが存在しなかったり，また「生ける法」に違反した場合の処罰のルールがなかったり，さらに，異なる社会団体に属するものたちの間の紛争を解決するルールがなかったりするからである。③法命題は，国家が，一般の成員や，裁判官・行政官に向けて発し，これらの人々の行動を規律するものである。以上のようにエールリッヒは国家制定法のみを法とみる見方を取らない。

そして，これら法の源泉は社会にあるという。①「生ける法」は「法の諸事実（慣行，占有，意思表示，支配服従関係）」から直接的に生じる。②裁判規範や③法命題は法曹・国家を媒介者として形成される。しかし，②裁判規範や③法命題も媒介者が恣意的に作り上げることはできず，社会から提供されるものである。このようにエールリッヒは法の源泉と成立過程で社会との関連を強調する。

次にカントロヴィッツは，弁護士であり，1906年に『法学のための戦い』を著した。また，弁護士のエルンスト・フックス（1859-1929）はカントロヴィッツに影響を受け，『文書司法と裁判官大国』（1907年），『現代司法における法と真理』（1908年）などを刊行した。

カントロヴィッツの自由法論を見てみよう。まず，その出発点となるのは，次のような現実の認識である。すなわち，裁判官は，判決を下す際，純粋に事件を制定法に包摂（ほうせつ）するのではなく，自身の価値判断を実質的な基準としている。それにもかかわらず，その判決を制定法から導出した結論であるかのように見せかける。これにより，その判決に対する自身の責任を回避している。このような認識から，カントロヴィッツは，裁判官が依拠するべき規範を探求し，それへと裁判官を拘束しようと考えた。この基準が「自由法」である。裁判官が依拠する法源には，形式法（制定法，慣習法，判例法）と，非形式法（取引の実際，慣行，正義・衡平，信義誠実など）がある。前者の欠缺を後者が補う。こうして法源が自由法まで拡大されたため，法学も，制定法の条文だけでなく，社会の慣行や人々の感情にも目を向けなければならず，社会学・心理学が重視される。カントロヴィッツによれば，法学は，法の経験を探求する法史学と法社会学，法の意味を探求する法教義学，法の評価を探求する法政策学に分類される。従来，裁判では，法教義学が独占的地位を占めてきたが，その他の法史学・法社会学や法政策学も判決の基礎となり，法源となりうる。

（３）ヘックの利益法学

ヘックはイェーリングの利益・目的の考察に示唆を得て，「利益法学」を提唱した。著書には『法獲得の問題』（1912年），『法解釈と利益法学』（1914年），『概念形成と利益法学』『利益法学』（1932年）などがある。

ヘックは，パンデクテン法学・概念法学とも，また自由法論とも距離を取る。つまり，彼は，概念法学のように概念の操作による制定法の無欠缺性を認めることはないが，また自由法論のように制定法を離れて裁判官の法創造を承認するのでもない。『法解釈と利益法学』から彼の見解を確認しよう。

ヘックは裁判官の判決の目標を「生活の要求，法共同体内の願望，および物質的・精神的願望傾向」すなわち「利益」を充足することだと言う。この利益が何であるかを認識するために制定法の利益を歴史的に探求することを強調する。その理由は，ヘックによれば，制定法とは立法者が社会の利益対立を衡量して作られたものだからである。

制定法とは，どの法共同体でも，互いに対立し，かつ承認を求めて争うところの，物質的・国民的・宗教的・倫理的方向でのもろもろの利益の結果である。この認識の中に利益法学の核心が存在する。(『法解釈と利益法学』第２章（§2）第６節)

この利益を正しく認識するために，政府の法律案や立法府の審議の記録などの立法資料，官庁文書などの印刷されない資料，さらに関係者の記憶を利用する歴史的探求が必要とされる。このような制定法を前にして裁判官に求められるのは，自動判決機械のような制定法に対する厳格な服従ではなく，「利益にそった，考える服従」である。この態度は特に法律の欠缺の場合に当てはまる。社会の不断の変化ゆえに制定法には欠缺がある。この時に裁判官はその自由な地位から立法者が制定法に込めた利益に従って判断することが許されている。つまり，「立法者の補助者」である。

ヘックがその一例として挙げるのがイミッシオーンの事例である。ドイツ民法906条は所有権者にイミッシオーン（煙，騒音などによる侵害）の受忍を義務づける。しかし，この受忍義務が，他人の土地を一定目的のために使用する用益物権（例えば他人の土地に工作物などを所有するためにその土地を使用する権利である地上権など）にも適用されるかは制定法で決められていない。しかし，ヘックは906条は用益物権にも適用されると言う。なぜなら，都市の家屋の用益権者が騒音の侵入の差し止めを要求すれば，都市生活は成り立たなくなってしまうからである。イミッシオーンと用益権の衝突を決定する規定がないのは，立法者が，そのような事例を考えつかなかったか，類推適用を自明と考えていたからである。

ところで，ヘックが言うような，裁判官に自由な立場を認める余地はドイツ民法典に残されているのであろうか。彼によれば，裁判官は単に法律を執行する機関や判決の機械などではなく，社会的利益を保護する「立法者の補助者」である。そして，エールリッヒと同じく，スイス民法典１条に触れ，同条の意義を立法者の利益を考慮しながら欠缺の際には裁判官による補充を認めたものであるとし，次のように言う。

> しかし，これ〔スイス民法典〕と同じ原理は，民法典（BGB）が裁判官に許容している自由な地位からドイツ法についても明らかになるのである。この自由は，立法の可能性が決して十分なものではないという認識，裁判官の日常生活上の知識に生じた信頼，裁判官の社会的利益を認識し判断する能力という点にもとづいている。数多くの事例において，白紙委任や白地文言によって，すなわち善良の風俗や人生観を指示することによってこの信頼が表されているのである。（『法解釈と利益法学』第５章Ｇ（§16）第３節）

スイス民法典１条のように明示的に裁判官の自由を認めた条文はドイツ民法典にはない。しかし，ヘックは，上記の「善良の風俗」のような一般条項が置かれていることこそが，裁判官を信頼し，その自由を認めていることの証しであると見る。１世紀前の絶対主義体制下の法典――例えば，プロイセン一般ラント法――であれば，裁判官は君主の法律に厳格に拘束され，自由な解釈は許されなかった。それと比較してみると，ヘックはドイツ民法典を開かれた法典と見ていると言えよう。

まとめ

本章は19世紀ドイツにおける法実証主義の流れを見てきた。

まず，19世紀初期には統一民法典の編纂をめぐって「法典論争」が起こった。自然法に基づいた法典編纂を要求するティボーと，それに反対するサヴィニーとの対立である。市民社会において，誰もが法を知ることができるという法典のメリットを主張し，法典編纂を要求するティボーに対して，サヴィニー

〈コラム17〉　19世紀ドイツ法学に関する研究

本コラムでは近年の研究をいくつか紹介しよう。まず，ハーファーカンプの研究である。彼は『ゲオルグ・フリードリッヒ・プフタと概念法学』（2004年），『歴史法学派』（2018年），『法史への道：ドイツ民法典』（2022年）を刊行した。これらによれば，従来，歴史法学派の形成はサヴィニーの『使命』（1814年）の刊行が重視されていたが，実際はそれよりも遅く，ヘーゲルやティボーの批判を受けながら，サヴィニー周辺の学者の間で議論が活発になり，1820年代後半以降に学派が形成され始める。また，同学派とキリスト教との関係も見過ごせない。人間だけが自ら善を選ぶ能力をもち，それによって原罪以来塞がれてしまった神への道を再び開くことができる。社会がより良いものへと発展していくということにはこの人間の能力への信頼がある。私法はこのような人間と社会の空間と考えられた。

次にプフタ像の変化である。ランダウ「プフタとアリストテレス」（1992年）によれば，プフタにも目的を考慮した思考が見られると言う。例えば，莫大損害の問題（☞**第2章コラム4**）である。ローマ法は適正な価格より低い金額で土地を売却してしまった売主に契約の取消あるいは不足分の代金の請求を認め保護している。問題は適正な価格で購入したのではない買主にも契約の取消を認めて保護するかということであった。プフタは産業革命の後で経済発展する市民社会の中で伝統的なこのローマ法をどのように解釈するべきか考え，自由主義という評価基準に従って，このローマ法の妥当範囲を限定し，買主の保護にまで拡大しない，とした。「契約の自由」を「契約の正義」に優先させるべきと考えた。ローマ法文の外にある現実社会の自由主義という思潮を考慮した判断と言える。

続いてシューベルトやファルクの研究によってヴィントシャイトも見直されている（赤松秀岳『十九世紀ドイツ私法学の実像』（1995年）に紹介がある）。例えば，民法編纂第一員会の審議の中でヴィントシャイトは不当利得法などで学説が分かれる問題に関しては制定法ではなく学説法の討議に委ね解決するべきとしている。また，第一委員会の作業に関して手紙の中で動産の善意取得や離婚原因に関する議論などの法政策に積極的に発言している。これらは法政策に消極的だと思われていたヴィントシャイト像とは異なる。さらに，『パンデクテン法教科書』で「売買は賃貸借を破る」の原則を緩和し賃借人の保護を図ろうとしたり，二重売買における危険負担の問題に関して，法感情を重視するイェーリングの見解に賛同し，信義誠実に基づいてだれも同一物に対して二重の対価を受領しえないとも言う。ここにローマ法源に拘泥しない自由な思考が見られる。このようなヴィントシャイトの態度はイェーリングにも影響を与えた。笹倉秀夫『近代ドイツの国家と法学』（1979年）によれば，イェーリングはヴィントシャイトに宛てた1853年の手紙でヴィントシャイトの態度（ローマ法源に対する自主性，現実を離れた空虚な概念操作からの脱却）に共感していた。そして，笹倉とファルクが注目している1865年のヴィントシャイト宛ての手紙にはイェーリングがヴィントシャイトに影響を受けて自らの方法論を変えていったことが記されている。

は，法は民族の成長とともに発展するものであり，人為によって作られるものではないという独自の法成立論を展開し，法典編纂に反対した。また，サヴィニーを中心にロマニステンとゲルマニステンからなる歴史法学派が形成された。

続いて，19世紀半ばには歴史法学派の中から体系志向を強くするロマニステンのパンデクテン法学がドイツの法と法学の基礎となった。その中でもヴィントシャイトは代表的なパンデクテン法学者であった。彼らは，ローマ法源，概念と論理を重視し，法以外の要素を考慮することから距離を置いた。

そして，19世紀後半にはいよいよ統一法典が制定される。第一委員会の草案は，ヴィントシャイトの影響を受け，平等な個人，権利，自由といったローマ法の要素が強かった。それに対して，ゲルマニステンのギールケなどから共同性や義務の要素を考慮するべきとの批判もあった。完成した民法典は資本主義社会における自由主義思想を背景とした近代法の原則を備えたものであった。

このように徐々に法が制定法へと一元化されていくと，そのような法のあり方に異論を呈する者も出てきた。イェーリングの「概念法学」批判や目的・利益の重視，エールリッヒの「生ける法」，カントロヴィッツの「自由法」，そしてヘックの「利益法学」である。以上が本章の内容である。

さて，この後の時代で法実証主義がネガティブに表れたのはナチス・ドイツ時代である。ナチス・ドイツは，自己のイデオロギーを実現するために種々の立法・法改正を行った。特にユダヤ人，精神・身体障がい者を差別する法である。しかし，「悪法も法である」「法律は法律である」という法実証主義の立場からはこれらの立法を批判することができなかった。戦後，この経験を踏まえラートブルフ（1878-1949）は「自然法の再生」を主張した。もっとも，法実証主義とナチス・ドイツを単純に結びつける見解には異論もある。古代ギリシアにおけるソフィストたちの自然法論も生物界の弱肉強食を基礎とした強者の権利論や生物学的特徴に基づく平等論（☞第１章１（２））であることを考えれば，ナチス・ドイツの立法も一種の自然法に立脚していたと言えるのではないかという見解や，ナチス・ドイツの不法な行為は制定法ではなく命令によって遂行されたことも指摘されている。また，リュータースの『無制限の解釈』（1968年）によれば，ナチス・ドイツの司法は，民法の一般条項（例えば，ドイツ民法典138条１項の善良の風俗や，242条の信義誠実）を利用して労働問題や家族問題に介入していった。このように，ナチス・ドイツの問題は，悪法の制定にあるというよりも，司法における恣意的な運用にある，という見方もある。

◆参考文献

イェーリング，ルドルフ・フォン（村上淳一訳）『権利のための闘争』（岩波文庫，1982年）

イェーリングがウィーン法律家協会で行った講演であり，1872年に刊行された。短いながらもイェーリングの代表作の１つである。ヨーロッパ法史や小説を参考にしながら法・権利の獲得を闘争という視点から述べている。

勝田有恒・山内進編著『近世・近代ヨーロッパの法学者たち――グラーティアヌスからカール・シュミットまで』（ミネルヴァ書房，2008年）

本章で取りあげた，ティボー，サヴィニー，プフタ，ヴィントシャイト，イェーリング，ギールケ，エールリッヒについて，それぞれのプロフィールや代表的著作，また，学問の特徴をより詳細に説明している。

村上淳一『「権利のための闘争」を読む』岩波人文書セレクション，2015年（岩波書店，1983年）

上記のイェーリングの著書について，その叙述の順序に従いながら解説している。原典の理解を深めるための予備知識（ヨーロッパの民事訴訟や前国家的な法観念など）を提供してくれる。日本の法観念との比較を論じた部分もある。

第*8*章　イギリス型法実証主義の確立
――ベンサムとオースティンの自然法批判

本章では，18世紀後半から19世紀半ばのイギリスで活躍した法学者のジェレミー・ベンサム（1748-1832）とジョン・オースティン（1790-1859）の法思想を扱う。

ベンサムとオースティンは，イギリスにおいて法実証主義を広め19世紀から今日に至るイギリスの法制度・政治制度に大きな影響を与えている。その法実証主義は第4章で見たロックに代表される自然法思想，自然権思想とは真逆の法思想であった。自然法思想とは民法，刑法といった実定法とは別に，理想的な法，自然法があるとする立場であった。さらに自然法に反する法は法ではない，「悪法は法ではない」という考え方も，自然法思想の大きな特徴であった。一見すると「悪法は法ではない」という立場の方が，人権を侵害するような法，過酷な法の排除が目指されることになり，より望ましい立場のように思われる。ただ，ロック（1632-1704）が自然法思想，自然権思想で守ろうとしたのは貴族や地主といった少数の人々の財産権であったという指摘がなされることもある（☞第4章2（3））。

イギリスでは，18世紀の半ばから新型の紡績機，蒸気機関，蒸気機関車など数多くの発明が相次いだことにより，工業生産の規模が飛躍的に増加し，農業社会から工業社会へと大きく変わっていく。この産業革命により，法の役割も大土地の所有権者を保護することから経済活動を促進することに変わる必要が生じてきた。また，政治は，貴族，地主だけでなく産業革命によって力をつけた資本家，商工業者，さらには社会全体の人々の利益を反映しなければならないとも論じられるようになる。自然法・自然権によって守られてきた旧来の法・政治制度の変革が求められるようになったのであるが，まず，18世紀後半から19世紀にかけてベンサムによって，自然法思想，自然権思想のありとあらゆる欠陥，短所が明らかにされる。そして，それに代わるものとして，「悪法も法である」という「法実証主義」という法思想が示されたが，この法実証主義は，その後，19世紀前半にオースティンによって継承されてイギリスで定着していった。

1　ベンサムの自然法，自然権批判と法実証主義

（1）ベンサムの時代のイギリス

ベンサムは1748年にロンドンに生まれ，1832年にこの世を去っている。不動産業で成功した裕福な弁護士の家庭に生まれたベンサムは，幼い頃から天才的とも言える能力を発揮している。父親の英才教育もあって10歳でラテン語の詩を書いている。そして，教育制度がそれほど整っていなかった当時でも珍しいことであったが，ロックの出身校でもあるウェストミンスター・スクールというロンドンの名門校を経て，1760年に12歳でオックスフォード大学に入学して1764年に卒業した。大学入学時は法律家になることを父親に強く勧められていたが，当時のイギリスの法，政治制度の矛盾を強く意識するようになり，また，遺産があって無理に働く必要がなかったため，思想家として生きていくことになった。

ベンサムは，18世紀後半から19世紀の初めにかけて，イギリスの法制度，政治制度の完全な一新，オーバーホールを目指している。ベンサム自身は，必ずしも産業革命を意識して論じていたわけではなかったが，産業革命によるイギリスの社会の変化に追いついていなかった旧態依然の法制度，政治制度を変革することはベンサムの生涯の課題であった。イギリスの産業革命について現在では，そこまで急激な変化ではなかったという説明もされているが，ベンサムが生きていた時代にイギリスが大きく変化したことは確かである。簡潔にまとめると，イギリス社会は地主社会・農業社会から工業社会へと変化している。

ベンサムが生まれた18世紀前半のイギリスは，貴族，大土地所有者という少数の人々のみが被選挙権をもち，土地を貸して地代を独占したりして政治や経済を支配していた社会で，農業社会であり，人口の約５％の人々が，政治，経済などで圧倒的な影響力をもっていた時代であった。農業，工業の生産量も年

によって上昇したりすることもなく，ほぼ一定していた停滞した社会であったとされている。しかしながら，18世紀半ばからの機械の相次ぐ発明は，産業の構造に大きな影響を与えた。例えば，1764年には，同時に８本の糸を紡ぐことを可能にして，以前よりはるかに多い糸の供給を可能にした多軸紡績機が発明され，また，1769年には有名なワット（1736-1819）による蒸気機関が世に出ている。そして，新型の紡績機を用いるとともに蒸気を動力に使用することで，綿工業の生産力も飛躍的に増加していく。さらに，それまで馬などに頼っていた力仕事を蒸気機関に委ねることによって石炭の生産量も大幅に増加している。この結果，17世紀までのイギリスでは人口の約80％が農村に住み，多くが農業を職業にしていたところ，19世紀の半ばには農林漁業の従事者が全体の18％まで落ち込むようになった。逆に，例えば，鉱工業の従事者が全体の43％まで激増するなど，イギリスは工業社会へと大きく変貌していく。加えて，1814年にスティーブンソン（1781-1848）によって蒸気機関車が製造されたことにより，交通網も一気に整備されるようになって，経済活動の規模，範囲も一挙に拡大していった。

（2）ベンサムの自然法論・自然権論批判

ベンサムは，旧来のイギリスの法，政治制度の問題点を鋭く指摘している。まず，ロックによっても主張されていて18世紀にも強い影響力をもっていた自然法思想・自然権思想をベンサムは徹底的に批判しているが，それは，本節（3）で見るように，イギリスでは旧来の貴族や大土地所有者が支配する停滞した社会を支えた法思想であった。

ベンサムが特に強く批判したのは，18世紀のイギリスを代表する法学者，法律家であったウィリアム・ブラックストーン（1723-80）であった。ブラックストーンは，1758年にオックスフォード大学の教授となり，イギリスの大学では初めてイギリス法についての講義を行っている。イギリスでは，弁護士を志す人は法曹学院というロンドンにあった弁護士の組織で教育を受けていたのだが，実務を重視したそこでの教育は不十分であるとして，大学でより体系的な講義をすることを試みたのであった。実は，ベンサムもオックスフォード大学に在籍していた時，このブラックストーンの講義に出席していた。ただ，ベンサムはブラックストーンの言葉を聞くたびに，「それはおかしいのではないか」と考え事をしてしまってノートが取れなかったようだ。

さて，ブラックストーンは，自らの講義を元に『イングランド法注釈』（1765-69年）という４巻から成るイギリス法の教科書を書いている。法曹を志す人だけでなく，当時，選挙権，被選挙権をもっていて地域の行政や司法も担当していた貴族や地主の子弟に，イギリス法の全体像を示すことを目指していて幅広い読者を獲得していた。ベンサムは，このブラックストーンの『イングランド法注釈』を批判した『統治論断片』という著書を1776年に出しているが，その少し前に『イングランド法注釈への批評』という著作も書いていた。その『イングランド法注釈への批評』では，例えばブラックストーンの次のような自然法に関する記述が批判されている。

> 人類とその歴史を同じくする，神自身によって規定されたこの自然法は，言うまでもなく，他のなにものにもまさる拘束力を有している。それは地球の全域にわたって，すべての国々において，いかなる時代にも拘束力を有している。この法に反する場合，いかなる人定法も効力をもたない。有効であるような人定法はその強制力のすべてを，そしてその権威のすべてを，直接的にであれ間接的にであれ，この本源的な法から引き出している。（『イングランド法注釈』第１巻序論）

ブラックストーンの『イングランド法注釈』冒頭の序論では，上記のような自然法，自然権に関する記述が長々と続いている。これはブラックストーンに限ったことではなく，当時のイギリス，それからヨーロッパの書物でも取られていた一般的な方法であった。自然法がすべての法の根本にある，そして，すべての実定法はその自然法と合致していなければならないという自然法思想，自然権思想の想定からは，当然のことであった。

このような自然法思想，自然権思想に対してベンサムは，それまでの法思想史上なかったほどの包括的，かつ多岐にわたる批判を示している。その批判は大きく分けると，①自然法思想の観点から法を見る立場は，現状を肯定する保守的な姿勢につながって法の改革を阻害してしまう可能性がある，②自然権思想は無政府状態を誘発するような危険な思想である，といった２点に分けることができる。①と②は，一見矛盾しているようだが，必要以上に法を守らせる，また，必要以上に法に従わない傾向を誘発してしまうという双方の短所が自然法思想・自然権思想にはあるとベンサムは指摘している。そしてそれらの短所は，明確な基準を与えず，何が法や権利であるかを見えにくくするという自然法・自然権の持つ性質から生じているとベンサムは考えていた。

ベンサムは，このように明確な指針を欠く自然法や自然権の性格を，『道徳と立法の原理序説』（1789年）という有名な著書の中で「共感・反感の原理」と名づけている。ベンサムによると，その共感・反感の原理とは，

> ある特定の行為を〔共感から〕是認したいと考えるか，〔反感から〕否認したいと考えるというものである。その際に，その行為のもたらす利益が，問題となる当事者の幸福を増進させる傾向があるか，それとも幸福を低減させる傾向があるかについては問うことがなく，たんにそうした是認や否認がそれ自体で十分な根拠となると考えて，ほかに理由を探す必要はないと判断する。（『道徳と立法の原理序説』第２章）

要するにベンサムによれば，自然法や自然権に基づいて何かを主張する際に人々は，客観的な根拠なく自らの主張を押し付けているだけなのであった。やや難解な議論ではあるが，自然法，自然権はそもそも存在しないものであるともベンサムは論じていた。例えば，刑法に違反すると刑罰が科せられ苦痛を感じることから，それが存在することを確かめることは可能である。一方，不明確な自然法，自然権はそのような方法では存在を確かめられないため，あらゆる内容のものを自然法，自然権であると主張できてしまうとベンサムは論じている。

自然法，自然権が共感・反感の原理であって，それに基づく主張が客観的な根拠のない是認や否認に過ぎないならば，ベンサムによれば，それは専制的なものになるか，無政府主義的なものになる。すべての他の人に同じ特権を許さずに，１人の人の特異な感情を押しつけることになるか（専制的），人がいるその数だけの正不正の異なった基準を生み出すことになる（無政府主義的）か，いずれかになるのであった。そして，上記の①は，自然法・自然権に基づく議論の専制的な性質，②は，無政府主義的な性質を示すものであった。

まず，①について言うと，ブラックストーンがイギリス法を説明した際，それが自然法に基づいたものであると強調していたことと関係している。ベンサ

ムは特に，ブラックストーンが『イングランド法注釈』で，「いまやあらゆることがらが，本来あるべき姿をとっている」と述べていることを問題視している。ブラックストーンは，イギリス法が自然法に合致していることを主張しているのであるが，ベンサムにとっては，この主張には客観的な根拠がなく，ブラックストーンが是認しているから正しいという主張に過ぎないものであった。そして，ブラックストーンの影響力により，ブラックストーンが是認しているだけでイギリス法が正しいものになってしまうともベンサムは論じている。さらに，当時のイギリス社会を支配していた貴族や大土地所有者の子弟を対象にイギリス法を説明していたブラックストーンには，保守的な傾向が強く，その主張は法の改革を阻害するものであると，次のように厳しく批判している。

次のことは確かである。決して批判されることのない制度は決して改善されることがないだろうということ。決して欠陥を見出されることのないものは決して修繕されることがないだろうということ。ともかくすべてのことを正当化しどんなことも否認しないという決意は，それが将来にわたって追求されるならば，私たちが望みうる幸福の追加量すべてに対する効果的な障害となるに違いないし，従来追求されてきたとすれば，すでに私たちが享受している幸福の分け前を私たちから奪っていたであろうような決意であるということ。(『統治論断片』序文)

次に無政府主義につながるという②の批判を見るが，このような批判は，ロックが大きな影響を与えた1776年のアメリカ独立宣言（☞第9章1（1）），さらには，同様の形のものであった1789年のフランス人権宣言（☞第5章）にも向けられている。特に後者のフランス人権宣言に関してベンサムは，「大げさなナンセンス」（1795年）という論文まで書いて徹底的に批判しているが，それは，今日でも注目されるような批判となっている。

アメリカ独立宣言と同様に，フランス人権宣言もロックの議論に近い形で正当化されている。国王による圧制を倒したフランス革命後に定められたフランス人権宣言の2条では，「あらゆる政治的結合の目的は，人の，時効によって消滅することのない自然的な諸権利の保全にある。これらの諸権利とは，自由，所有，安全および圧制への抵抗である」と定められている。ロックと同様に，ここでも政府は自然状態で存在している自然権を保護することを目的としており，そのことに失敗する政府に対しては抵抗すること，さらに，ベンサムが強調したように，革命を起こすことも可能となっていた。

その際，何が自然権なのかについての客観的な基準がないため，各人がそれぞれ是認するものが自然権とされてしまう恐れがあるとベンサムは論じていた。ベンサムの有名な言葉に，「空腹はパンではない」というものがあるのだが，ベンサムは，自然権が存在することが望ましいということと，実際にそのような権利が存在することとは，厳密に区別されなければならないと論じている。ベンサムによれば，自然権思想には，人々が各々に自然権が存在してほしいと考え，人々の数だけ自然権が主張されるだけでなく，実際にそのような権利が存在すると考えてしまい，また，そのような自然権を侵害すると考えられた政府を倒す権利も自分たちにあると見なしてしまう危険もあった。ベンサムにとって，自然権思想はアナーキーを生み出すものであり，テロリズムにもつながりかねないものであった。

（3）ベンサムの功利主義と法実証主義

以上のように，自然法思想，自然権思想には必要以上に保守的な態度を生み出すとともに，共感・反感の原理と結びついて国家や法を必要以上に不安定にしてしまうという致命的な欠陥があるとベンサムは考えていた。その自然法思想，自然権思想に取って代わるものとしてベンサムが提示したのが，功利主義である。例えば，ブラックストーンが論じていたのをはじめ，18世紀のイギリスでは同性愛行為は「自然に反する罪」であって死罪に当たるとされていた。ただ，実際は好き嫌いから，共感・反感の原理に基づいて死罪にしているのではないかとベンサムは指摘している。そして，社会の利益になるのか否かに基づいて客観的に判断すべきであると論じ，強制されるのでないならば同性愛の行為は誰かに苦痛を与えるわけでもなく，周りの人々に明確な苦痛を生み出すわけでもないと論じている。このように，社会の利益の最大化，快楽の最大化・苦痛の最小化を目指す功利主義に基づく客観的基準によって，法は制定されなければならないのであった。

さて，ベンサムはどのようにすれば社会の利益を最大化することを客観的に

〈コラム18〉 ベンサムの功利主義とトロッコ問題

ベンサムの功利主義は，『道徳と立法の原理序説』というベンサムの最も有名な著作で詳しく述べられている。まず，ベンサムによれば，「功利性とは，ある対象にそなわる１つの特性であって，この特性によってその対象は，その利益が問題となる当事者の人々に，恩恵や便宜や快や善や幸福……を与えるか，あるいは害悪や苦痛や悪や不幸……が発生することを防ぐ傾向があると考えられる」。そして，その功利性を基礎とする「功利の原理」とは，「その利益が問題とされている人々の幸福を増進するか，低減させる傾向があると思われるあらゆる行為を是認するか，否認するために使われる原理」のことであった。（『道徳と立法の原理序説』第１章）ベンサムは続けて，ある政策が個人に生み出す快楽と苦痛を計算し，さらに，関係すると思われる人々の人数を掛け合わせた結果，快楽の総量が苦痛の総量を上回るとすれば，その政策は功利性に適っていると論じている。なお，ベンサムは，功利の原理を「最大幸福原理」とも呼んでいた。

ここでのベンサムの記述は，ブレーキの壊れたトロッコが暴走してしまい，そのまま直進すると線路上の５人がひき殺されてしまう状況で，レバーで進路を変えれば５人は助かるが，曲がった先にも１人いてその人が死んでしまうという「トロッコ問題」への１つの解答を示しているとされることもある。全体の快楽が苦痛を上回ればいいのだから，ベンサムの功利主義は躊躇なく５人を助ける方を命じるという理解である。ただ，ベンサムの功利主義は以下で見るように，実はもっと複雑なものであった。つねに多数決のような形で決定するのではなく，人々の基本的な利益を尊重することで最大幸福は実現されるとベンサムは考えたのであった。近年のポステマ（『功利，パブリシティ，法』2019年），あるいはケリー（『功利主義と配分的正義』1990年）といった研究者たちが強調しているように，『道徳と立法の原理序説』だけで，少数者の犠牲を厭（いと）わない血も涙もない思想であると評価することはできない。

導くことができると考えたのだろうか。ベンサムは，どんな人であってもそれなくしては快楽を追求できない「普遍的利益」があると主張していた。そしてその普遍的利益の内容は，身体，財産，社会的地位，評判であり，法はそれらを他者の侵害から守らなければならないとされている。ベンサムは，憲法典，民法典，刑法典，手続法典も合わせたパノミオンと呼ばれた総合法典を作ることを目指していた。主要なものは上記の普遍的利益を人々に与える民法典と，それらを他者の侵害から守る刑法典であった。すべての人にとって欠くことのできない普遍的利益を法が守ることで，それぞれの人が自らの幸福の追求を保障され，結果として社会の利益が最大化されるというのがベンサムの功利主義の基本的な考え方であった。

なお，ベンサムは当時のイギリス法の主要な部分を占めていた，判決で示されたルールから成り，裁判官によって運用されていた判例法，コモン・ローではなく，制定法，法典こそが功利の原理に適っているとも論じていた。人々が幸福を追求するためには，ある一時点で，例えば財産権が守られているだけでは不十分でそれが将来においても確実に守られていることが必要であるとベンサムは論じていた。コモン・ローでは自分の権利の内容は，判例集を探さなければ完全には分からなかったし，また，当時は先例が覆されることも多かったため，コモン・ローには裁判の場で突然，法が変わってしまう遡及的な側面もあった。ベンサムは自らパノミオンと呼ばれる法典を考案し，その法典の導入によって明確な法を提供しつつ遡及的な裁判を避けることを目指していた。ベンサムは，産業革命によって社会が複雑になった新たな時代に，コモン・ローは廃止されるべきであり，法典を導入することで，複雑化した社会でも機能するよう法の安定性をもたらそうとしたとも言えるだろう。より理論的に述べるならば，功利の原理において最も重みを持つとされた快楽は，期待に基づく快楽だったのであり，人々は自らの財産や権利，自由などが将来にわたって保障されることで初めて，善き生を送ることができるとベンサムは論じている。ベンサムは，人間は獣とは違って現在に限定された快楽や苦痛のみを追求しているのではなく，予期による快楽や苦痛の影響を受けやすく，将来にわたって財産に対する権利などの普遍的利益を保障しなければならないと論じていたのである。

ベンサムの主張によると，ベンサムの普遍的利益と，例えばロックの生命，自由，財産に対する固有権・自然権との違いは，すでに見たようにベンサムの普遍的利益が，法律を作る人や裁判官の好き嫌いが反映された共感・反感の原理ではなく，社会全体の実際の利益に基づいているということにあった。そしてベンサムは，普通選挙制に基づく代表民主制が機能するならばその普遍的利益が実現されると考えていたようである。ベンサムによると，普通選挙制に基づく代表民主制においては，各選挙区の議員はそれぞれの選挙区の有権者の意向を尊重し，社会全体の普遍的利益とは対立するような「特殊的利益」を追求する傾向がある。しかしながら，議会の投票で多数票を獲得するためには他の選挙区の議員の賛同を得る必要があり，結局，すべての選挙区の有権者の利益を促進するような普遍的利益に基づく法律が制定されたり，政策が選択されたりすることになるとベンサムは考えていたのであった。

ただ，ベンサムが活躍した18世紀の終わりから19世紀初めのイギリスの選挙制度は，人々の普遍的利益が実現される制度からは程遠いものであった。本章でもすでに述べたように，産業革命の時代になる頃も，被選挙権をもちイギリスを支配していたのは，貴族や大土地所有者など，非常に少数の特権階級のみであった。選挙権をもっていたのは18世紀末の時点でも成年の男性に限られており，さらにその成年男性の内の14％に過ぎなかった。貴族，それから地代による収入が可能なものに選挙権が認められていたのである。そして，そのような大土地所有者の利益の保護のために，多くの人々が飢えで苦しんでいたにもかかわらず，例えば，海外からの安価な穀物の輸入を禁止する穀物法が1815年に制定されたりもしていた。産業革命によって力をつけつつあった企業家や商人たちでさえ，立法や政策に関与することができなかったのである。ベンサムは，当時のイギリスは少数者の「邪悪な利益」によって支配されていると断じていた。そのような状況を打破し，人々の普遍的な利益に基づく立法や政策を実現するために，特に19世紀になってからは，ベンサムは男性の普通選挙権の実現に向けて著作を書いたり，政治家に働きかけたりしている。

次にベンサムの法実証主義について検討するが，それは本章の冒頭でも触れたように自然法思想と真逆の法思想であった。まず，自然法に対して徹底した批判を加えたベンサムは，実定法のみが存在する「実定法一元論」の立場を取っていた。そして法を「国家の主権者の命令であり，主権者に従っている人々に向けられた行為に関するもの」と定義している。自然法思想の，実定法は自然法に基づかなければならないという主張は，本節（２）で見たように，実定法の過剰な正当化につながるとベンサムは論じていた。ブラックストーンが貴族や大土地所有者の支配を自然法によって正当化したように，ベンサムは，自然法には改革を封じる力があると考えていたのであって，実定法のみで普遍的利益を実現することを試みたのであった。また，ブラックストーンは，「自然法に反するいかなる法も効力をもたない」，すなわち，法ではないとも論じていたが，ベンサムの法実証主義は，「悪法も法である」という立場である。同じく本節（2）で詳説した自然権についてと同様に，ベンサムによれば，自然法によって実定法の効力を否定することは，各人の単なる反感に基づいて法の効力を否定することと同じに過ぎなかった。そして，裁判官がそのような立場に立つならば，普遍的利益を反映するように作られた立法を，少数の裁判官が覆すことになってしまうと論じている。

ただ，上記で見たベンサムの想定のようには，たとえ普通選挙制度の下であっても，すべての議員が普遍的利益を追求して人々の権利を侵害するような法律を作ることはないというのは，考えにくいのではないだろうか。そこでベンサムは，世論によって議会をコントロールすることを提案している。ベンサムは，その晩年の1830年に出版された『憲法典』という著書で，世論が「人々の集団から発せられる法の体系」（『憲法典』第5章第4節）であると述べたこともある。また，ベンサムは以下のように述べて，世論が，社会全体の利益を考慮して，功利の原理，最大幸福原理とほぼ一致する判断を下すだろうと主張している。

> それ〔世論〕は，政府の権力が有害な形で行使されることへの唯一の抑制であり，有益な形で行使されることにとって不可欠な補助である。有能な支配者はそれを導き，思慮深い支配者はそれを導くかそれに従う。愚かな支配者はそれを無視する。現在の文明の進展段階においてさえ，その指令はほとんどの点において最大幸福原理のものと一致する。いくつかの点においては，世論はまだそれらから逸脱しているが，その逸脱は絶え間なく，ますます少なく，より狭くなっているので，遅かれ早かれ見つけられなくなるだろう。逸脱は消え，一致が完全なものになるだろう。（『憲法典』第5章第4節）

このように，法律と同じような力をもち，さらに功利の原理に近い判断を下す世論に議会をコントロールさせるために，ベンサムは議会の議員が毎年選挙されるような選挙制度，さらには，当選後も選挙区の過半数の賛成でリコールが可能になるような制度を考えていた。また，首相，大臣，裁判官などもリコールの対象とすることを主張していたが，これらの工夫によって，今日の違憲審査制のような制度がなくても，人々の権利や自由を侵害するような法律が制定されることを防ぐことができるとベンサムは考えていたのである。自然法思想・自然権思想に基づいて「悪法は法ではない」とするよりも，法実証主義に基づいて「悪法は法である」とした方が，社会全体の利益は増大するとベンサムは考えたのであった。

なお，ベンサムは，上記で触れた法典を世界各国に導入することを目指していた。そして，その普遍的な法典の内容と形式についての理論的考察も残している。これらの試みをベンサムは「普遍的法理学」と呼んでいるが，それは形を変え，次のオースティンや現代イギリスの法哲学者のＨ・Ｌ・Ａ・ハート（1907-92）へと引き継がれている。

2　オースティンの法実証主義と分析法理学

（1）ベンサムとオースティン

オースティンという法学者は，ベンサムと比べるとあまり知られていないだろう。しかしながら，オックスフォード大学などで教鞭をとった19世紀後半のイギリスを代表する法学者のヘンリー・メイン（1822-88）は，オースティンの著作は，長い間オックスフォード大学のテキストの１つであったが，今後もしばらくは法学研究の中心に置かれるに違いないとまで述べていた。以下ごく簡単にではあるが，ベンサムとも比較しつつ，このオースティンの法思想について扱いたい。

オースティンは1790年に生まれている。軍隊経験を経て1818年に弁護士になったが，弁護士としては成功できなかった。しかし徐々にその能力を認められ，準備のためのドイツ留学の後の1828年にロンドン大学の初代の法理学（法哲学）の教授として講義を開始している。なお，オースティンはベンサムと公私にわたって親交があり，ベンサムの法実証主義の後継者として見なされているが，ベンサムとは対照的な一生を送っている。ベンサムは選挙制度改革を推進した「哲学的急進派」というグループで指導的な役割を果すなど，多くの仲間に囲まれていた。一方，オースティンは神経質な面も災いしてか講義の受講生も少なくなってしまい，1832年にはロンドン大学の教授の職を辞してしまう。著作も，生前に刊行された主なものは，『法理学領域論』（1832年）のみであり，無名のままこの世を去っている。ただ，上記のメインの言葉にもあるように，ロンドン大学の講義を基にした『法理学講義』という大きな著作が1863年に妻の努力によって刊行されたこともあって，オースティンはその死後に非常に大きな影響力をもつようになった。

さて，そのオースティンの法思想であるが，ベンサムと同様に自然法は存在せず実定法のみ存在する，そして以下のように，悪法も法であるという法実証主義に基づく法思想であった。

> 法が存在していることと，その長所および短所は別の問いである。それがあるのか否かということと，それが想定された規準に合致しているのか否かということは別の問いである。現実に存在している法は，私たちがたまたまそれを好まないとしても，あるいは私たちがそれによって私たちの是認や否認を規制する文言から逸脱したものであるとしても，法である。(『法理学領域論』第5講)

ただ，オースティンにはベンサムと比べると，保守的な面があった。例えば，オースティンも悪法も法であるとしつつ，ベンサムと同様に議会は世論のコントロールを受けると論じていたが，ベンサムのように議員のリコールなどを推進しようとしたわけではなかった。世論を法に近いものとして捉えることもあったベンサムとは対照的に，『法理学領域論』でも，議員が有権者の意向に沿うか否かは道義的な問題に過ぎないと論じている。また，イギリスではベンサムが亡くなった1832年に選挙制度が改革され，貴族や土地所有者だけではなく，一定額以上の家屋・店舗などの所有者や借地人などにも選挙権が与えられ，その後は資産をもっていなかった労働者にまで選挙権を拡大すべきであるという主張がなされるようになっていく。そのような状況下でオースティンは，財産を所有しない人々は誤った意見に影響を受けやすいため，彼らの意見に議会が影響を受けることは避けなければならないと論じていた。

この世論に対する評価の違いは，ベンサムとオースティンの法学の役割についての考え方の違いに留意すると理解しやすくなる。前節で見たように，ベンサムは当時のイギリスの法制度・政治制度を徹底的に改革することを目指していた。一方，オースティンは，法学者の役割は，まず，自然法の影響が残り，「法とは何か」といったことについて明白な概念がない際に，そういったものを提供することにあると考えた。また，産業革命の影響もあって，判例法，コモン・ローが複雑に発展し，法の全体像をつかむことが困難になっていたため，その要因である混乱，複雑さを解消して，法全体を理解できるような枠組みを提供することにあると考えていた。現状を変革するのではなく，現状を整理するというのがオースティンの特徴であったとも言えるだろう。ベンサム，オースティンの双方と親交のあった，イギリスの著名な政治思想家のジョン・ステュアート・ミル（1806-73）が述べていたように，ベンサムが破城槌（つち）を用いて既存の不合理なイギリス法を破壊しようとしたのに対して，オースティンは，散乱していた法の諸概念を拾い集め，左官ごてを用いて法を秩序ある体系へと整理することを試みていた。また，ベンサムとは違い，世論，あるいは有権者に大きな権限を与えようとしなかったのも，政治の最終的な決定権，主権は実質的に議会にあるという，ロックの時代に確立された議会主権を尊重してのことであった（☞第4章2（3））。さらに，判例法，コモン・ローを完全に廃止しようとしたベンサムとは対照的に，裁判官の判決はその訴訟に関するものであるけれども，通常は法として捉えられているとして，判例法，コモン・ローの存在を認めつつ，議論を進めている。

（2）オースティンの法実証主義，分析法理学とメインの歴史法学

以上のように，自然法は存在しない，悪法も法であるという点はベンサムと共有しつつ，法学の役割は法を改革することではなく，法に関わる明白な概念や枠組みを提供することにあるというのがオースティンの法実証主義の特徴であった。オースティンは自らの意図を，法を学ぶ人々が法の基本的な原理や区別を理解し，法に関係する語句について正確な概念をもち，頭の中にひとまとまりの法全体の地図をもてるようにすることだと述べていた。そして，そのような試みは「分析法理学」と呼ばれるようになる。

オースティンのその分析法理学で最も重要なものは，「法とは何か」を明らかにすることであった。オースティンは，『法理学領域論』において，法（law）という言葉が様々な場面で用いられるため，人々の間に混乱が生じてしまっていると指摘している。例えば，前節で触れた，ベンサムが厳しく批判していたブラックストーンは，自然法とともに運動の法則（law），引力の法則（law），光学の法則（law），機械の法則（law）も神によって命じられた広い意

味での「法」であると論じていた。オースティンは，こういったものは「不適切にそう呼ばれる法」であるとして，法学が対象とするものではないと指摘している。さらに，道徳にも，人々の意見に過ぎないようなものとともに，法と同じように特定の行為を命令するものもあるが，その内の後者も主権者である議会の命令ではないので，法として扱うことはできないとした。結果として残ったものをオースティンは，「厳密にそう呼ばれる法」と呼んでいるが，それは以下のように定義されている。

すべての実定法，あるいは厳密にそう呼ばれる法は，……主権集団の直接，あるいは間接の命令である。すなわち，その作者に対して服従の状態にある人，ないしは人々に対する，……主権集団の直接，あるいは間接の命令である。（『法理学領域論』第5講）

ベンサムと同様にオースティンも，法を主権者の命令とする「主権者命令説」，ないしは「法命令説」という考え方を採用していた。オースティンは，命令，義務，制裁という3つの概念は相互に密接に関係していて，主権者の意思に反して行動する際に制裁が加えられる可能性があって初めて，その意思は命令，法になり，人々に義務を課すと考えていた。ただ，このような法と制裁の関係を強調するオースティンは，後にハートに批判されることになる（☞本章コラム19）。

また，上記の「間接の命令」とは，判例法，コモン・ローのことを指していた。オースティンは，すでに見たように判例法，コモン・ローも法であると認めていたが，そうすると実質的な主権者の議会の立法と裁判官によって発展させられるコモン・ローが併存してしまうことになり，1つのまとまりをもったものとして法を捉えることが難しくなることから，法全体の理解も難しくなってしまうのではないだろうか。そもそもオースティンの出発点は，上述のように，「厳密にそう呼ばれる法」とそれ以外のものを区別することにあったが，そのためにも「議会の命令か否か」という基準で区別する必要があったとも言えるだろう。そこでオースティンは，コモン・ローも法ではあるが，それは議会が支持する（立法によって廃止しない），すなわち，間接的に命令する限りであると整理して，議会の立法を中心としたまとまりのあるもの，範囲が確定さ

〈コラム19〉　オースティンの法命令説と現代イギリスの法理学

オースティンは，上記のように，法を主権者から服従するものへの命令として捉えていたが，これは，「法命令説」と呼ばれる考え方である。法の中心には命令があるという考え方はヨーロッパでは主流の考え方であった。キリスト教の影響力が強かった際は，法は神の命令とされることもあり，**第4章**で見たホッブズも絶対的な権力をもつ主権者の命令として法を捉えることで，秩序の安定を保障することを目指していた。オースティンの法命令説は，議会を縛るものはないとするイギリスの伝統的な議会主権もうまく説明できるものであろう。

オースティンは法を主権者の命令として捉え，その命令に反する場合は制裁が科されるとして「制裁」の要素も重視していたが，すでに19世紀の末には，オックスフォード大学で用いられていた教科書で，例えば遺言や契約に関する法などはそれを破ることで制裁が科される主権者（議会）の命令としては人々によって受け取られていないと批判されていた。そして，サーモンド（1862-1924）による1902年の『法理学』という著書で，命令や制裁の要素を省いた形の「裁判所において認められ，それに依拠して裁判所が行為するルール」という法の定義が示されている。サーモンドはさらに，オースティンが「議会の命令か否か」という基準で法と法以外のものを区別していたのに対して，「議会の制定法が法的効力をもつ」「裁判所の判決が法的効力をもつ」といった，歴史的に承認されてきた「究極の法原則」を基準とすべきだと論じていた。

20世紀になると，ハートがさらに洗練された理論を展開した。ハートは裁判所などによって適用される「認定のルール」により，法と法以外のものが区別されると論じていたが，これによって遺言や契約に関する法など，命令，制裁の要素がほとんどない法も含めることができるだろう。さらにハートの法理論では，例えば，「憲法に反しない議会制定法が法である」を認定のルールとする違憲審査制をもつ法体系も説明できるようになっている。

れたものとして法を理解することを促したのであった。ベンサムの時代とは違って，オースティンが執筆していた時期には，裁判官が先例に従う傾向が強まり，頻繁に覆されることがなくなったことも，オースティンが判例法，コモン・ローを議会の間接的な命令と捉えることを助けている。

なお，オースティンは自らの法理学の特徴を以下のようにまとめている。

> すべての体系に共通であるような法の主題や目的の記述，そして人間の共通の性質に基づくか，あるいはそれら〔体系〕のいくつかの局面における類似した点に対応する，異なっ

た体系間の類似の記述。(「法理学の用途」,『法理学講義』第２巻所収)

前節の最後に見たようにベンサムには普遍的法理学の構想があったが，オースティンにも同様の構想があった。ただ，ベンサムが世界のあらゆる国に適用される法典の内容や形式について考察していたのとは対照的に，オースティンは，より文化の進んだ社会にのみ焦点を当て，さらには，そういった社会に共通する原理や概念，区分を抽出し，体系化することに専心していた。そして，そのような試みにより，既存の法，権利や義務について法律家たちがより明快に理解できるよう促そうとしている。

具体的にはオースティンはドイツ留学時に，ローマ法学の影響を受けたティボー（1772-1840）(☞第７章１（２）)の法学を学び，「物の法」「人の法」「訴訟の法」という区分を自らの法理学においても参考にしている。オースティンは，物の法の内容を，土地に対する権利のような対物的権利と契約が含まれる対人的権利に区別して，さらに，例えば契約に関する権利が，未成年に特有な無能力によって変更されることなどを人の法に含めることで，法全体をより明瞭に示せるようになると考えていた。さらに，オースティンは，物の法，人の法に含まれる権利を訴訟の法と関連させ，それらの権利が侵害された場合に裁判所において救済を受ける権利と結びつけていた。そうすることによって，例えば，裁判官の類推によって新しい権利が生じるとしてもそれを既存の体系の中に収めることができると考えていた。そして，上記のように裁判官の判決は主権者（議会）の間接的な命令であり，契約違反の裁判における損害賠償なども主権者の命令に違反したことへの制裁として捉えることができるため，判例法も含めてすべてを主権者である議会の命令として，ひとまとまりのものとして理解することができるようになると論じていた。

なお，本節（１）で触れたように，メインはオースティンを高く評価していたが，オースティンの試み自体には批判的であった。このメインはドイツで歴史法学が力をもった（☞第７章１（３)）少し後に，イギリスの歴史法学を開始した法学者であったが，オースティンの分析法理学に取って代わるような法思想を打ちたてようとしていた。まずメインは，法に関係する語句について正確な概念を示そうとするオースティンの分析法理学は，あたかも（変化することのない）恒久的な枠組みがあるかのように記述していると批判した。そして，法は社会の変化に従って発展するということを示そうとしている。メインは，その主著の『古代法』（1861年）において次のように論じている。

> 発展した社会の運動は，ある点において一様であった。その方向のすべてにおいて，家族的従属の漸進的な解消と，その代わりの，個人的な義務の増大によって特徴づけられてきた。〔契約の観念の浸透により〕市民法が考慮する単位として，個人が着実に家族に取って代っていく。……人々のすべての関係が家族の関係に集約されていた社会の状況から，すべてのこれらの関係が諸個人の自由な合意から生じる社会秩序の局面の方向に，私たちは着実に進んできたようだ。（『古代法』第5章）

有名な「身分から契約へ」という法の発展の原理について端的に述べられた箇所であるが，静態的な現にある法のみを捉えようとするオースティンの試みは不十分であるというのがメインの批判の要諦であった。ただ，「身分から契約へ」という法の発展原理はメインの時代までのもので，オースティンの分析法理学に代わるものは示せていない。また，慣習に基づいていた19世紀前半のインドの法がオースティンの法命令説では説明できないと論じるなど，メインの法思想はオースティンの法命令説が適用される地域・時代を限定しただけで，何か積極的な主張をもっていたわけではなかった。19世紀の後半以降，イギリスではオースティンの法思想やそれを継承するものが主流となっていく。その一方で，歴史法学はドイツとともに，アメリカ（☞第9章2（1））でも影響力をもつようになった。

まとめ

以上，本章ではベンサム，オースティンの法実証主義について検討した。繰り返しになるが，メインが述べたように，19世紀の後半のオースティンの死後，その著作はオックスフォード大学で教科書として用いられるようになっている。また，法学者などが「法とは何か」といったことを考える際に，オースティンの議論が参照されるようにもなった。本章1で触れた，18世紀後半にブラックストーンが果たした役割を19世紀後半にはオースティンが果たすようになったと言えるだろう。ただ，ブラックストーンは，自然法は存在し，「悪法は法ではない」と論じていたが，オースティンの法思想は対照的に，法は実定法のみであり，「悪法も法である」という法実証主義に基づいていた。これはブラックストーンらの自然法思想・自然権思想に対するベンサムの批判が19世紀後半になって受け入れられたということでもあろう。選挙制度が何回か改正され，1884年には，男性だけではあったが普通選挙により近づいて議会の力が強まったこと，また，産業革命の頃から法の安定性が求められていたが，1898年になって，一度判決が下されたならば，同じような事件への先例となるという先例拘束性の原則が確立されたことで，立法や先例を自然法によって覆すことが難しくなったことも法実証主義の定着を助けている。

さらに，世論によって議会をコントロールするというベンサムの議論も，イギリスの法実証主義の特徴になっていった。確かに，ベンサムが提唱したような毎年選挙などは実現せず，オースティンが描いたような議会主権が維持されている。しかしながら，イギリスでは，言論の自由が保障され，ベンサムが考えていた，世論による議会のコントロールは一定程度，実現されている。19世紀の終わりにイギリスの憲法学を集大成し，今日も影響力をもつアルバート・ヴェン・ダイシー（1835-1922）も，議会の立法権が無制約でどのような立法をしようが自由であるが，議会主権には，選挙民によって作られる外的限界があると論じていた。法実証主義には，本章でも少し触れたように，人権を侵害するような立法を妨げられないというリスクもあるのだが，ドイツとは対照的に（☞**第7章**），イギリスでは法実証主義は自由主義と結びついていった。そして，憲法典の基本的人権の規定を違憲審査制によって保障するといったアメリカや日本のものとは異なる，議会主権を原則とした憲法体制が現在も取られている。

ただ，ベンサムの，法改革を目指した法実証主義はイギリスには定着せず，オースティンのもののような，分析法理学に基づく法実証主義が定着していく。そして，オースティンは，本章で見たように，実定法をよりよく理解するための枠組みを作ろうとしていたのだが，20世紀になるとハートは，「法と道徳の違い」「法は命令かルールか」「ルールにはどのような種類のものがあるか」といった，より哲学的な議論に焦点を当てるようになる。法制度を正当化する，あるいは支えるという意味での法思想は，イギリスではベンサムで止まっていると言うこともできるだろう。

◆参考文献

永井義雄『ベンサム（イギリス思想叢書７）』（研究社，2003年）

日本のベンサム研究をリードしてきた著者によるベンサムの入門書で，伝記的な記述も充実している。ベンサムの立法論，法典化論に焦点を当てているが，政治学，経済学，宗教論などベンサムの思想の全体像を知ることもできる。

スコフィールド，フィリップ（川名雄一郎・小畑俊太郎訳）『ベンサム――功利主義入門』（慶應義塾大学出版会，2013年）

現在，ベンサムの研究はロンドン大学のベンサム・プロジェクトという研究機関が中心になって行っているが，著者はそのベンサム・プロジェクトの長である。パノプティコンという監獄制度の非人道性，拷問を擁護したなど，ベンサムへの様々な批判に対して，より公平な理解を促している。また，「読書案内」では，最近のベンサム研究の傾向が分かりやすく説明されている。なお，近年の代表的なベンサム研究として，**コラム18**でも触れているポステマの著書も，ポステマ（戒能通弘訳）『ベンサム「公開性」の法哲学』〈慶應義塾大学出版会，2023年〉として翻訳され，刊行されている。

深貝保則・戒能通弘編『ジェレミー・ベンサムの挑戦』（ナカニシヤ出版，2015年）

日本のベンサム研究者による論文集で，やや難解であるが，ベンサム自身の関心が広かったことを反映して，法思想・法哲学のみでなく，ベンサムの哲学，政治学，宗教論などについての幅広い論文が収められている。上述のスコフィールドなど，イギリスの代表的なベンサム研究者３名の論文の翻訳も収められている本格的な研究書である。

第9章　アメリカの法思想
——自然権思想，歴史法学からリアリズム法学へ

本章では，イギリスから独立した18世紀後半から20世紀前半のアメリカ合衆国（以下，アメリカともいう）の法思想を取り上げる。

イギリス国教会の権威を傷つけたとするチャールズ１世（在位1625-49）による弾圧や，貧困に苦しんでいたイギリスのピューリタンの人々などが17世紀初頭に小さな植民地を建設して以来，イギリスのみならずヨーロッパ各地の人々が北米に移住するようになった。そして18世紀の終わり頃には，13の植民地に約250万もの人々が住むようになったが，1765年の印紙法の導入の前後から本国イギリスとの関係が悪化している。本国の議会に議員を送っていないにもかかわらず税を課されることに不満をもった植民地の人々が，イギリスからの独立を志向するようになったのである。1776年の独立宣言を経てアメリカはイギリスから独立するが，その独立宣言はロック（1632-1704）の自然権思想に影響を受けたものであった（☞第４章コラム９）。

アメリカは，1783年に正式に独立して，連邦政府の組織と権限を定めた合衆国憲法が1788年に発効している。さらに，基本的人権の規定の修正１条から10条を収めた「権利章典」が1791年に成立した。その後，人々の自由競争を重視し，市場に干渉しないことを原則とするリバタリアニズム（自由至上主義）を擁護するような思想が広まっていくが，19世紀の後半に大きな影響をもっていたのが歴史法学であった。ドイツと同様（☞第７章１（２）），アメリカでもこの時期，法は歴史，伝統に基づかなくてはならないと論じられている。その上で，アメリカはイギリスの判例法＝コモン・ローを継承しているのであり，その基本原則である「契約の自由」「財産権の保障」などがアメリカの歴史，伝統に基づいた法原則であると論じられた。この時期，アメリカは世界一の工業国になっていて，歴史法学はその時代に即した法思想でもあった。

しかしながら，ドイツの状況とも似ているが，19世紀末までに工業化の発展が進んでいくつもの巨大企業が誕生して競争が激化し，労働条件の悪化が深刻化する。そして，労働者の権利，弱者の保護とは矛盾する結果を生み出した歴史法学も含まれる「法形式主義」と呼ばれる立場が，まず，オリヴァー・ウェンデル・ホームズ（1841-1935）によって批判された。続いて，そのホームズを受け継ぐ形でロスコー・パウンド（1870-1964）が，法および裁判は「社会的利益」を反映しなければならないと論じている。本章では，そのパウンドに続くカール・ルウェリン（1893-1962）に代表される「リアリズム法学」についても扱うが，ホームズ，パウンド，ルウェリンらの法思想は，法と社会の関係に焦点を当てたもので，それ以前のアメリカの歴史法学やイギリスの法実証主義（☞第８章２（２））と性格を大きく異にするものであった。

１　アメリカ独立期の法思想

（１）アメリカ独立宣言とジョン・ロックの自然権思想

ロックは，立法部が人々の自然権・固有権を守るという信託に違反した際は，立法部に与えられた権力は共同体に戻され，その共同体は自らの望む形で新たな立法部を作ることができると論じていた。ロックのこの主張は，名誉革命当時のイギリスにおいては過激すぎるものであったが（☞第４章２（３）），イギリス本国の議会によって不合理な法を押しつけられるようになったアメリカ植民地の人々には抵抗のための明確な指針を与えるものであった。

18世紀の北米にはフランスの植民地もあったのだが，英仏間のフレンチ・インディアン戦争が1763年に終結して，敗れたフランスがカナダなどから撤退すると，アメリカの植民地の人々の，自分たちはイギリス人であるという意識も強まっていった。しかしながら，その戦費を回収する目的でイギリスはアメリカ植民地の人々に重税を課すようになっていく。その中でも植民地の人々の反感を買ったのが1765年の印紙法であった。これは，新聞，パンフレットなどの印刷物，証書類，さらにはトランプに印紙を貼ることを要求し，違反した場合は裁判にかけるというものであった。印紙を通じた課税であったが，イギリスの議会に植民地から代表を１人も送っていないにもかかわらず税を課されたことが問題になっている。植民地の人々は，課税には同意が必要であることはイギリス人の古くからの権利であり，その権利は同じくイギリス人である自分たちにも認められるべきだとも主張するとともに，ロックの『統治二論』（1689年）の議論を盛んに用いていた。例えば，「代表なければ課税なし」という有名なスローガンを初期に用いたとされるマサチューセッツ植民地の弁護士，著名な政治活動家であったオーティス（1725-83）も，ロックの立法部に対する制限，特に，「立法部は人民自身，あるいは代表者の同意がなければ課税してはならない」というロックの議論（☞第4章2（3））を要約しながら，イギリス議会を批判していた。

オーティスなど，植民地の人々の強い反対もあって印紙法は1766年に撤回された。しかしながら，東インド会社というイギリスの会社の茶箱を海に投げ捨てた1773年のボストン茶会事件の後，ボストン港が閉鎖されるとともに，見せしめとしてボストン港のあるマサチューセッツ植民地の集会を許可制にするなど，イギリスによる弾圧は続いていた。そこで，植民地の人々はイギリスによるアメリカ植民地支配そのものにも反対するようになり，1775年に独立戦争が開始され，翌1776年に独立宣言が採択されている。この独立宣言は，後の第3代アメリカ大統領になるジェファソン（1743-1826）によって主に起草されたが，そのジェファソンもロックの影響を強く受けていた。

> われわれは，自明の真理として，すべての人は平等に造られ，造物主によって，一定の奪いがたい天賦（てんぷ）の権利を付与され，そのなかに生命，自由および幸福の追求の含まれることを信ずる。また，これらの権利を確保するために人類のあいだに政府が組織されたこと，そしてその正当な権力は被治者の同意に由来するものであることを信ずる。そしていかなる政府の形体といえども，もしこれらの目的を毀損するものとなった場合には，人民はそれを改廃し，かれらの安全と幸福とをもたらすべしとみとめられる主義を基礎とし，また権限の機構をもつ，新たな政府を組織する権利を有することを信ずる。（「アメリカ独立宣言」第2パラグラフ）

アメリカ独立宣言のこの部分は，ロックの影響が顕著に見られるところである。ロックの『統治二論』の議論を踏襲して，人間は平等であり，権利をもつというところから開始されている。共同体の共通の権力に処罰権などを譲り渡すという記述はここではないが，天賦（てんぷ）の権利＝自然権をよりよく保障すること

〈コラム20〉　独立宣言とリバタリアニズム

現在の政治哲学，法哲学の有力な立場の1つとして，リバタリアニズム（自由至上主義）という立場がある。そして，その代表的な論者の1人のノージック（1938-2002）は，ロックの自然権思想を基礎として自らのリバタリアニズムの思想を形作っている。ロックは，私的所有権は人々の生存のために必要な自然権であると見なしているが，その私的所有権は，人々が労働を加えた結果生じてくると論じていた（☞第4章2（2））。同じくノージックも，各人の身体と能力はその人のものであり，それらを用いた労働によって作り出された財産もその人のものであると論じている。さらにノージックは，そのような財産を国家が取り上げるとしたら，それは，強制労働と同じであるとまで論じていた。各人が労働で作り出したものはその人のものであり，その一部を税として徴収し，例えば福祉などに充てることは不正であると論じているのである。

上記にあるように，ロックの自然権思想は，アメリカの建国の理念の1つとされている。そして，ロックの議論がリバタリアニズムに近いものであるならば，アメリカの建国の理念もリバタリアニズムに近いものになるだろう。ゆえに，福祉国家的な政策は，アメリカ建国の理念に反したものであるという議論が当然出てくるであろう。

日本でも話題になったハーバード大学のサンデルはNHKで放映された「ハーバード白熱教室」で，このようなロックの解釈を批判して，ロックは例えば名指しで対象を決めるなど，恣意的な選択によって課税することには反対していたが，すべての人々に適用される一般的な法律を作って課税することには反対していなかったと指摘している。実際にロックは『統治二論』において，統治の維持のために自分の資産から割り当て分を支払うことは当然であると論じている。ただ，その場合も共同体の多数者の同意か彼らの代表の多数者の同意が必要であると論じている。

が政府が設立される目的であることは，ロックが強調したことであった。さらにロックが，その目的に政府が反する場合は，立法部や執行権力に信託された権力は再び共同体に戻ると論じていたように，アメリカ独立宣言のこの部分でも，人々が政府を改廃し新たな政府を組織する権利を有することが謳(うた)われている。自然権思想・自然法思想は，ロックの母国であったイギリスでは影響力を失っているが（☞第8章），アメリカ合衆国の建国の理念の1つとして生き続けることになったのである。

（2）違憲審査制と法思想

ロックの思想など，自然権思想はアメリカで発展した違憲審査制にも影響を与えていたと考えられている。アメリカにおいては1788年にアメリカ合衆国憲法が発効しており，単なる国家連合ではなく連邦政府をもつ１つの国家としてスタートしている。そして，1803年のマーベリー対マディソン事件において，連邦最高裁判所が連邦・州の法律や政府の行為が憲法の規定に反していると判断した場合，それを憲法違反であると宣言することを可能とする違憲審査制が導入されているが，その際の連邦最高裁判所の長官を務めていたジョン・マーシャル（1755-1835）は，自然権思想の影響も受けていた。ロックは，立法部の法は，人民の善以外のいかなる目的のためにも制定されてはならないと論じていた（☞第４章２（３））。自然権の保全という基本的自然法に反する立法は無効であるとされていたのだが，ロックの『統治二論』においては違憲審査制の構想は見られない。一方，マーシャルは，フレッチャー対ペック事件（1810年）において，自然法が立法部を制約するとの判断を下している。その事件は，州による市民への土地の払い下げを，贈収賄が絡んでいたとして無効にしたジョージア州議会の法律に関するものであった。その払い下げられた土地を購入したのは善意の第三者たちであったが，マーシャルは，彼らの所有権を否定するジョージア州議会の法律は合衆国憲法第１編10節１項の「いかなる州も契約上の債権債務関係を害する法律を定めることはできない」（契約条項）に反して無効であるとの判決を下している。それとともにマーシャルは，公正に取得された財産を補償なしに没収できないなど，立法部には「制約」があると指摘しており，同僚の判事も，強制されるべき「一般的な原理」があると述べていたが，この「制約」，あるいは，「一般的な原理」は自然法のことを指していた。また，これはマーシャルが少数意見にまわったものであるが，ある州の破産法が上記の契約条項に抵触していると主張したこともある。多数意見は，契約条項の過度な文理解釈である，あるいは債権債務関係を結ぶ契約はその契約を有効とする実定法によって生み出されるため，破産法でその契約関係を規制しても問題ないという立場であった。これに対して，マーシャルは，契約する権利は人々が社会に入る以前からもつものであって，契約上の義務は実定法によって与えられるのではないと論じていたが，これは，契約を守ることは実定法，あるいは国家成立以前の人間としての人間に属する義務を定めた自然法に基づくものであると論じていたロックと同様の契約理解であった（☞第4章2（2））。もちろん，マーシャルは自然法に反する法に対して抵抗権が生じるとは考えておらず，また，判断の基準は合衆国憲法にあったが，立法は自然権をよりよく保障するためにあるというロックの自然権思想，あるいは，独立宣言の一定の影響を見ることができる。

当時のアメリカにおいて，影響力をもっていたのは自然権思想のみではなかった。古代ギリシア，ローマに起源をもつ共和主義という思想も大きな影響力をもっていた。この共和主義には様々な形態があるのだが（☞第2章コラム3，第5章コラム12），その1つの立場では政治腐敗を防いで公共の善を実現することこそが政治の目的であり，そのためには私益にとらわれない徳をもった人が政治を担わなければならないと論じられていた。そして，その徳をもった人，有徳な人とは，財産と教養を兼ね備えた人であるというエリート主義の側面とその裏返しとして，民主主義に対して批判的なところもあった。例えば，共和主義者で第4代アメリカ大統領になるマディソン（1751-1836）は，連邦議会に上院を設置することで，財産と教養をもつ徳のある人を国政に参加させようとしている。マディソンは「合衆国憲法の父」とも呼ばれているが，合衆国憲法もそれをモデルとした日本国憲法と同じく権力分立が徹底されている。これは，民意を反映しやすい下院を大統領職，司法部，それから上院によってコントロールするという共和主義の思想に基づく制度であった。

上記で検討したマーシャルも，自然権思想とともに共和主義の影響も受けていた。まず，違憲審査制自体が共和主義によって支えられている面があった。裁判官は終身で任命されており，例えば下院議員などと比べれば利害関係を有しておらず，また，知性と教養を備えた裁判官は私益ではなく，「何が法か」，さらには「何が憲法か」ということを客観的に明らかにできるとも考えられていたのである。さらに，上記のフレッチャー対ペック事件も，共和主義の観点から説明されることがある。無私の追求という共和主義の理念は，財産権を保障して初めて実現されるのであって，マーシャルも私益によっては左右されないように財産権の保護を実現しようとしたとも考えられている。

このような共和主義的な裁判観は，ジャクソン（1767-1845）が1829年に第7

代大統領に就任し，エリートによる統治ではなくジャクソニアン・デモクラシーと呼ばれた草の根民主主義が力を得たことで，影響力を失っていった。人々の契約や所有権を尊重するというよりも，民意を反映していた州の議会の決定をより重視するようになったのである。このジャクソニアン・デモクラシーに基づく際立った法思想は生み出されていないが，19世紀の半ばになると，歴史法学という法思想がアメリカの裁判に大きな影響を与えるようになる。

2　法形式主義の時代

（1）歴史法学

1860年から1920年までは「法形式主義」の時代であるといわれている。その法形式主義の代表格は，次節で検討するホームズやルウェリンが批判していたクリストファー・ラングデル（1826-1906）であったが，ここでまず検討される「歴史法学」も「法形式主義」の法思想として理解されている。

法形式主義は，元々はパウンドによって「機械的法学」と名づけられていたものである。そして，パウンドは，歴史法学に代表される機械的法学は裁判を先例，法規範を機械的に適用することとしてのみ見ており，社会の変化を捉えきれないのみならず判決が社会に及ぼす影響を考慮しない，欠陥に満ちたものであると論じていた。ただ，アメリカの歴史法学は，ドイツの歴史法学の影響を受けつつ，以下で見るように修正14条によって連邦最高裁判所の扱う事件が増大した際にそれを思想的に支えるという重要な役割を果している。

アメリカでは，1861年から65年に南北戦争という内戦が行われている。奴隷制の維持を目指した南部11州がアメリカ合衆国から離脱して独立を目指したことが要因であった。結果としてリンカーン（1809-65）を指導者とする北軍が勝利して奴隷解放に向けて前進することになる。そして，1865年に（憲法）修正13条によって奴隷制が廃止され，1868年に修正14条によって解放されたアフリカ系の人々にも合衆国市民としての地位が与えられている。修正条項とは基本的人権の規定のことで，本章の冒頭でも見たように，1791年に修正１条から10条の基本的人権の規定が合衆国憲法に追加されていたが，南北戦争後に，解放された奴隷の人々のために新たな修正条項，基本的人権の規定が追加されたのであった。

ところで，修正１条から10条までの修正条項は，信教，言論，出版や集会の自由，人身の自由の保障などから成っていた。また，前節（2）で見たように，合衆国憲法第１編10節１項の契約条項によってマーシャルは州の立法に介入している。ただ，南北戦争終了までは，人々の権利の保障は各州が扱うことと考えられていた。そこに1868年に修正14条が追加されたのだが，その中の「いかなる州もデュー・プロセスなしに生命，自由，財産を奪うことはできない」という規定によって，連邦最高裁判所が州の立法の合憲性を幅広く判断できるようになった。そして，19世紀後半から労働時間の制限などの社会経済的立法が各州で制定されていて，（雇用）契約の自由がその際の一大争点となっている。

そのような雇用契約の訴訟で最も物議を醸（かも）したのが，1905年のロックナー対ニューヨーク事件であった。製パン工場の労働時間が問題になった事件であったが，まず，その工場の経営者のロックナーが，１日10時間，１週間60時間以上働かせてはならないというニューヨーク州法に違反して起訴され，有罪判決を受けている。ただ，このニューヨーク州法自体が合衆国憲法に違反していると訴えられて連邦最高裁判所で議論されている。その際，連邦最高裁の多数意見は，修正14条の「自由」の中に「契約の自由」が含まれ，さらにその州法は契約の自由を不当に侵害するものであると判断して違憲であるとの判決を下している。

アメリカは1890年にイギリスを追い抜き，世界一の工業国になっている。この時代は「金ぴか時代」とも呼ばれ，カーネギー（1835-1919）やロックフェラー（1839-1937）といった有名な企業家も活躍していたが，その一方で，熾烈な競争による負担が労働者にのしかかり，労働条件の悪化が深刻になった。上記のニューヨーク州法など，労働条件の悪化を防ぐための立法が各地で制定されたが，ロックナー判決はそのような法律を憲法違反としたために，大企業よりの恣意的な判決であったと今日でも批判されることがある。ただ，歴史法学という19世紀後半のアメリカで影響力をもった法思想から見てみると，必ずしも恣意的なものとは言えないものであった。

19世紀の初めに活躍したドイツのサヴィニーが歴史法学を普及させているが

(☞第7章1（3)），それはドイツだけに止まるものではなかった。特に19世紀後半にはイギリスやアメリカでも影響力のある法思想になっている。法の歴史的考察を重視した点でこれらの歴史法学は共通しており，例えばイギリスの著名な歴史法学者のヘンリー・メイン（1822-88）も，オースティンが，その法の定義を恒久的なもののように記述しているようだと批判するとともに，法の完全な理解のためには法の起源とその発展についての注意深い探求が必要であると論じていた（☞第8章2（2)）。ただ，メインの法思想は裁判や立法に具体的な影響を与えるものではなかった。

一方，アメリカの歴史法学に属するとされる人々には実務家も含まれており，より実践的な性格をもつものであった。そして，サヴィニーと同様に，法は民族精神に基づくものでなくてはならないと論じられていたが，アメリカの歴史法学では，その民族精神を体現する法は，同じアングロ・サクソン民族の法で植民地時代からアメリカが継受していたイギリスの判例法・コモン・ローであった。さらに，アメリカの歴史法学派は，議会の立法ではなく，慣習を基礎とするコモン・ローこそが人々の正義感覚に近いものであるとも考えていた。

このように，歴史法学の立場からは，何が法かという問題は，コモン・ローによって明らかにされるべきものであった。そして，「デュー・プロセス」という用語もイギリス人の権利を古来より保障してきた13世紀のマグナ・カルタに即して解釈されるべきだとも論じられている。イギリス人が，マグナ・カルタによって，コモン・ローに基づかない政府の恣意的な権力の行使からその自由を守られてきたことはイギリス法の基本的原則であったが，それと同様に，アメリカの人々もコモン・ローに反するような立法からは守られなければならないと論じられたのである。したがって修正14条は，「いかなる州もコモン・ローに基づかずに，生命，自由，財産に対する権利を奪うことはできない」という形で理解されている。ロックナー判決で問題になった契約の自由は，イギリス，アメリカ双方のコモン・ローで認められてきたものであり，さらに，ロックナー判決で扱われた被用者との雇用契約も長時間労働を課すものではあったが，コモン・ロー上は合法であった。そのような根拠に基づいて，当該のニューヨーク州法は違憲とされたのであった。

歴史法学も，ロックナー判決も，それなりの根拠，背景をもったものであった。また，著名な歴史法学者であって，パウンドによってアメリカにおける法形式主義のリーダーと目されていたジェームズ・カーター（1827-1905）という裁判官は，社会もつねに変化するために法における不確実性はつねに存在すると論じていたことが最近の研究では指摘されており，歴史法学は法と社会の関係を，実際は重視していた。ただ，世界一の工業国となっていた当時のアメリカの風潮を反映して「契約の自由」「財産権の保障」などのコモン・ローの原則を絶対視し，それに基づいて判決を下すという面は確かにあった。その点が法形式主義であるとして，次節で見るパウンドなどによって批判されることなる。

（2）ラングデルのケース・メゾット

次に，ラングデルについて検討するが，このラングデルはケース・メゾットと呼ばれる法学教育の方法を普及させた人物であった。すでに述べたように，アメリカでは法はコモン・ロー，判例法に基づいていた。日本のように六法に法のルールが明記されているということがなく，個々の判決の中に法のルールが含まれている。ケース・メゾットというのは，個々の判決（case）に基づく方法であって，ラングデルは判例に触れさせつつ，教員との議論を通じて学生たちにそのようなルール，基本原則を見つけさせ，さらにそれを新しい事件に適用する技術を身につけさせようとしたのであった。このラングデルは弁護士を経て1870年にハーバード大学のロー・スクールの教授，そして法科大学長に就任しているが，このケース・メゾットはアメリカにおける法学教育の基本的な方法になっていった。イギリス，それからアメリカでも従来は例えば，金銭債務訴訟，横領訴訟といった訴訟方式という訴訟の類型から自らの事件に適したものを選んで訴訟を起こしていたのだが，19世紀の後半以降，イギリスと同様，アメリカでもその訴訟方式が廃止されるようになる。それまでの訴訟方式に基づく法の分類方法に代わるものが求められていたときに，ラングデルは手続ではなく実体法に焦点を当てて法の基本原則を示すことで，コモン・ローへの理解を促進することを試みたのであった。

ラングデルが法形式主義者と呼ばれるようになったのは，まず，ラングデルが法をあるがままのものとして，政治的に中立なものとして捉えていたからでもあった。法はどうあるべきかという問題を考慮せず，政治とは切り離して純粋なコモン・ローの原則を見つけ出そうとしたのである。また，ラングデルはすでに見たように，判決の中からコモン・ローのルール，基本原則を導くことができると論じていたが，それらは相互に矛盾しない一貫したものになるとも論じていた。そして，この相互に一貫したいくつかのルール，基本原則を習得すれば，それらを適用することで事件が解決されることになる。さらに，もしそのような基本原則と矛盾するような判決があるならば，そのような判決は誤っているとも考えられていた。このように法の基本原則の一貫性を重視して，法と社会の関係などを考慮していない点を，次節で見るように，ホームズ，あるいは，ルウェリンによって批判されることになる。ラングデルは1895年までハーバード大学のロー・スクールの法科大学長を務めるなど，長い間，大きな影響力を維持し続けていた。このラングデルらに対抗することによって，ホームズらは新しい法学を打ち立てようとしたのである。ラングデル，さらには歴史法学のように判例法，コモン・ローの原則に頼ることには限界があるとされ，一般社会の価値観を裁判に反映させる様々な方法が追求されるようになった。

3　プラグマティズム法学とリアリズム法学

（1）ホームズ，パウンドのプラグマティズム法学

ここでは，まずホームズの法思想について説明したい。ホームズは，弁護士としてキャリアを開始しているが，弁護士業をスタートさせた1867年には書評や論文を学術雑誌に寄稿するなど，当初から学者肌の実務家であった。その主著の『コモン・ロー』も，実務の傍（かたわ）らボストン大学で行ったレクチャーをまとめて1881年に出版されたものであったが，その翌年にはラングデルが法科大学長を務めていたハーバード大学のロー・スクールからの招聘に応えて研究者としてのキャリアを開始した。しかしながら，ハーバードにはわずか３か月間在籍したのみで裁判官に転進し，1902年から引退する1932年まではアメリカの連邦最高裁判所の判事を務めている。

実はホームズは，前節（1）で触れたロックナー判決の判事の1人を務めている。そして，非常に哲学的な少数意見を出しているが，それは「修正14条はハーバート・スペンサーの社会静学を定めているのではない」「この事例は，この国の大半の人々が受け入れていない経済理論に基づいて判決された」といったものであった。

ホームズはまた，短い期間ではあったがハーバード大学のロー・スクールで同僚だったラングデルの著書の書評も執筆している。これは，ケース・ブックと呼ばれるもので，関連する判例が収録された，前節で見たケース・メゾットのための教科書であったが，それに対してもホームズは以下のような批判的な評価を下している。

法の生命は論理ではなく経験であった。その領域におけるすべての成長の種子は，感じられた必要性であった。継続性という形式は，すべての事柄を論理的な連続に還元することを目的とする推論によって維持されるが，その形式とは，新参者が慣例的な要求に従って自らを見苦しくなく見せるために着るイブニングドレスに過ぎない。重要な現象は，コートではなくそれに隠れている人である。すなわち，以前にもたれていた見解との一貫性ではなく，判決の正義と合理性である。（『ホームズ著作集』）

非常に難解な表現ではあるが，ここでの要点は，判決を下す際は正しいと仮定された前提から論理的に解決を見出すのではなく，社会にとって有用か否かという観点から判断されるべきであるということであった。ロックナー判決のホームズの反対意見で触れられていたスペンサー（1820-1903）とは，19世紀後半に活躍した思想家であったが，レセ・フェール，自由放任主義の観点から国家の干渉に対して反対し個人主義を擁護していた。歴史法学もスペンサーの思想を共有していたが，ホームズは，ロックナー判決が，自由放任主義が正しいという根拠のない前提から下されていると批判しているのであった。また，より具体的には契約の成立に関する郵便の到達主義か発信主義かという問いに対するラングデルの解答が批判されている。ラングデルはまず，契約はそれが伝えられるまで完成されることはないというコモン・ローの確立された原理があることが判例法から明らかであると指摘していた。そして，そこから，到達主義が論理的に導かれると論じていたが，それに対してホームズは，どちらの説であってもそれがより便宜的であると感じられるならば，そのような政策判断によってそれが採用される十分な理由となると論じていた。

上述のラングデルの著書への書評で用いられた「法の生命は論理ではなく経験であった」という一節は，ホームズの主著の『コモン・ロー』でも用いられているが，ホームズの立場を象徴的に示すものとして，今日でも度々引用されている。ホームズは，判決は一般的な原理から論理的に導き出されるべきではなく，社会に対する有用性といった政策的な理由に依拠すると論じていたのである。ホームズの法思想は，19世紀末に生じたアメリカの思想で，有用性を正しさの基準とする実践主義の哲学，プラグマティズムに基づいているため，プラグマティズム法学と呼ばれている。

ところでホームズは，ロックナー判決やラングデルに代表される，19世紀後半のアメリカで影響力をもっていた法形式主義と呼ばれている立場だけではなく，オースティンの分析法理学（☞第8章2（2））も批判していた。そこで見たように，オースティンは法全体を，まとまりをもったものとして捉えるために，法を主権者（議会）の命令であると定義し，さらにコモン・ロー，判例法も議会によって支持された間接的な命令として捉えていた。ここで問題となってくるのは，刑法のみでなく民法も命令として捉えられるかどうかであったが，オースティンは契約違反や不法行為の際の損害賠償は，刑法における刑罰に当たるものであり，不法行為法なども主権者の命令として捉えることができると論じていた。不法行為法については，そこでは被告は有責であって咎（とが）められるべきであり，したがって，刑事犯と同じく制裁，すなわち，損害賠償を課せられると論じていた。ホームズはこれに対して，ロックナー判決やラングデルを批判した時のように，ある行為が不法行為か否かは，その行為を犯した人が咎められる心理状態にあったか否かを判断して，そこから論理的に決定されるのではないと論じている。そして，例えば，無過失の場合，とがのない場合にも厳格責任という形で不法行為責任が問われるように，ある行為を不法行為とするか否かは，公共政策によって決定されると論じている。その上で，この公共政策を，当初は，陪審員，あるいは，裁判官によるもの，後には経済学者などの社会科学者によってなされる政策的判断のことであると論じるようになる。ただ，ホームズは，この政策的判断の具体的な内容を示すことはなかった。それは，ホームズと同様にプラグマティズム法学を推し進めたパウンドによって示されていると言える。

パウンドもホームズと同じく，実務家としてキャリアをスタートしているが，ネブラスカ大学，ノースウェスタン大学，シカゴ大学，ハーバード大学のロー・スクールの教授を歴任し，1916年から36年までハーバード大学のロー・スクールの法科大学長を務めている。『コモン・ローの精神』（1921年），『法による社会的コントロール』（1942年）など著作も多く，20世紀前半のアメリカを代表する法学者であった。

前節の最初に見たように，法形式主義と呼ばれているものは，元々はパウンドによって「機械的法学」と呼ばれていたものであった。パウンドには，「機械的法学」という1908年の論文があるのだが，そこで歴史法学などを批判しつつ，自らの法学の意義を説いている。

〔自らの法学は〕，法の哲学としてのプラグマティズムを求めての運動である。前提された第１原理に対してというよりも，それらが統治することになる人間の状況に原理や原則を適用させること，人間の要素を中心に置き，論理を手段という真の地位に降格させることを求めている。（「機械的法学」）

ホームズと同様にパウンドも，「前提された第１原理」から結論を導くことを批判しているが，パウンドに特徴的なことは，歴史法学が前提としていた第１原理が時代にそぐわないことも強調していることであった。パウンドは，歴史法学の第１原理であった「雇用者と労働者の間の契約の自由」は，アメリカの建国以降受け入れられていた時代もあったが，19世紀末には個々の労働者の生活を破壊してしまっていると論じていたのである。

自らのプラグマティズム法学についてパウンドは，人間の必要性，利益の観点から法を考える立場であると論じている。その具体的な内容は，「社会的利益についてのサーヴェイ」という1943年の論文で明らかにされているが，パウンドはまず，立法者や裁判官が考慮すべき社会的利益の一覧として，財産の取得や取引の安全などの「一般的安全における社会的利益」，家族制度などの「社会的制度の安全における社会的利益」「一般的道徳における社会的利益」「社会的資源の保存における社会的利益」，経済的発展などの「一般的発展における社会的利益」，個人の生活の状況などの「個人の生活における社会的利益」の６つを挙げている。そして，これらの利益を調和させるような形で，立法，裁判が行われなければならないと論じていたが，この中で最も重く考えられなくてはならないのは，個人の生活における社会的利益であると考えていた。

歴史法学が第１原理としていた「契約の自由」は，上記のリストでは，一般的安全における社会的利益に含まれるものである。ただ，ロックナー判決で労働者の権利が守られなかったように，19世紀の末に一般的安全における社会的利益のみを尊重するような判決は，個人の生活における社会的利益を犠牲にすることにつながるとパウンドは論じていた。同じく一般的安全における社会的利益に含まれる財産権についても，以下のように論じている。

> 法が所有者と認める人を除いて，人間の存在の自然的な媒体であり人間の活動の手段であるものから完全に排除することは，双方の側の利益の合理的な衡量，それらを調和させる，あるいは所有者の側と同様に排除される側の犠牲も最小限にするような合理的な試みによって評価されなければならないという感情が増している数多くの兆候がある。(「社会的利益についてのサーヴェイ」)

パウンドは，財産権も特別視すべきではなく，それは一般的安全における社会的利益であり，個人の生活における社会的利益と衡量，調和させなければならないと論じていたのである。なお，パウンドは，「前提された第１原理」から結論を導くものに，歴史法学だけでなく自然権論も含めていた。パウンドの立場からすると，本章１（２）で見たマーシャルなども，歴史法学と同様に一般的安全における社会的利益を偏重しているとして批判されうるだろう。さらにパウンドは，オースティンに代表される分析法理学についても，「前提された第１原理」に基づいたものとして批判していた。すでに見たように，パウンドは歴史法学が第１原理としていた「契約の自由」は，19世紀の末にはそぐわないとも論じていた。この批判は，歴史法学が当時の社会の実情を全く考慮していないという批判でもあった。同じく，法を主権者の命令によってまとめられたものに整理することに専心していたオースティンに代表される分析法理学（☞第８章２（２））も，社会から閉じられたものとして法を捉えているとパウンドは批判している。パウンドは，「目的こそあらゆる法の創造者である」と論じたイェーリング（☞第７章４（１））の影響も受けており，法はそれ自体が目的ではなく，人々の生活のより良き保障の手段であることを強調したのであった。そして，パウンドはおもに立法によってバランスの取れた社会的利益を実現させようと考えていた。パウンドの法学は「社会学的法学」とも呼ばれているが，ホームズを引き継いで，歴史法学，自然権論，さらには分析法理学とも異なる，社会から法を見る法思想に具体的な姿を与えることを試みたのであった。

（２）リアリズム法学

本章の最後に，日本では「現実主義的法学」と紹介されることもあるリアリズム法学を検討する。このリアリズム法学が最も活発に論じられたのは1930年代であるが，その主導者であったルウェリンも述べているように，リアリズム法学者のグループがあったわけではなく，何らかの完成されたリアリズム法学の見解が示されたわけではなかった。「リアリズム法学」という言葉自体は，そのルウェリンによって広められているが，ルウェリンは，リアリズム法学の主な共通の出発点として，①流動的で変化する法という考え方，②社会の目的の手段としての法，③社会の変化に法を対応させるための，法の常なる再検討の必要性についての認識，④裁判所，あるいは人々が実際に何をしているかを完全に説明することを試みる限りにおける伝統的な法的ルールや概念への不信，⑤，④と関連して，先例などが判決に対する最も重要な要因になるという伝統的な考え方への不信，⑥従前よりもより狭いカテゴリーでのグループ化，⑦その効果の観点から法を評価するという主張というあまりにも幅広いものを提示してしまっている。その結果，リアリズム法学の輪郭がぼやけてしまったのであった。ただ，リアリズム法学を前節で検討したラングデルと対比させ，さらには本節で検討したホームズやパウンドの法思想の延長線上に置いてみると，リアリズム法学の特徴をつかむことができるだろう。

上述のようにリアリズム法学者のリストを作ることも簡単ではなく，リアリズム法学とは，1930年代前後のアメリカの法学界にあったムードのようなものであると指摘されることもある。ただ，リアリズム法学者と呼ばれていた人々に共通するものとして，ラングデルに代表される法形式主義に基づく法学に取って代わるものを生み出そうとしたということがある。ラングデルは判例からコモン・ローのルール，基本原則を導いていたが，その基本原則に基づいて，既存のコモン・ローとの一貫性を維持しつつ，裁判官は事件を解決することになっていた（☞本章２（２））。いわば，法は政治，経済，社会から自律したものとして考えられていた。

しかしながら，本節（１）で見たように，このような法の理解に対してホームズは，「法の生命は論理ではなく経験であった」と述べて，法は，政策に基づくものでなければならないと論じ，最終的には，経済学者など，社会科学者によって政策的判断がなされなければならないと論じていた。そして，リアリズム法学の中には，「科学的リアリズム」と名づけられうる立場があったが，この科学的リアリズムの論者たちは，ホームズが述べていたように，法学以外の社会科学の知識を用いてラングデルとは異なる形で法のルールを作り出そうとしたのである。例えば，コーエン（1907-53）という法学者は，リアリズム法学の代表的な論者の１人とされているが，労働組合はその成員の行為による不法行為に対して責任をもつかという問いに対して，組合が法人格をもつか否かから判断するといった，法形式主義に見られるような方法ではなく，望ましい社会的，経済的な目標を達成するのはどのような法的規制かを検討すべきであると論じていた。

一方，ルウェリンがそこに含まれる「伝統的リアリズム」という立場もリアリズム法学にはあったが，それは，経済学などに頼らず，法律家がこれまで用いて来た方法を活用することで，ホームズの政策，あるいはパウンドの社会的利益に即した法的ルールを導こうとするものであった。ルウェリンは，ニューヨークで法実務に関わった後，イェール大学，コロンビア大学，シカゴ大学のロー・スクールで教鞭を執っているが，法学初心者のために書かれた『ブランブルブッシュ』（1930年）は，20世紀中は，アメリカのロー・スクールの入学生の課題図書として指定されることも多かったようである。そのルウェリンは，法と社会の関係について以下のように述べている。

生活と調和しない法，法の社会との歯車をすり減らす法についての方法は，正しい美をもつことができない。ルールではなく，生命のある制度，単なる法律家にとっての安定性ではなく，安定性と民衆の法が奉仕すべき正義が必要性を定義する。(『法理学──リアリズムの理論と実践』)

ルウェリンによれば，ラングデルが考えていたように，相互に矛盾しない，一貫したものとして法を考える法形式主義は，法と社会の距離を遠ざけてしまうのであり，むしろ，先例がある際も，政策的考慮によってそれを覆すことが可能な形が望ましいとしている。また，ルウェリンは，1951年に成立した，アメリカに共通の商法典である統一商事法典の編纂作業においても主導的な役割を果していたが，そこでも，細かなルールではなく，例えば，当事者が合理的に行為したか，商慣習に従って行為したか否かを裁判官に判断させる規定が数多くあり，ビジネスの慣習に即した判決が下せるように工夫されている。

ルウェリンは以上から先例のルールを軽視しているとして，その法思想が「ルール懐疑主義」と名づけられることもある。しかしながら，すでに見たルウェリン自身のリアリズム法学の定義からもわかるように，実際の裁判を法的ルールのみで説明することをルウェリンは批判していたのであり，先例やルールの役割を軽視していたわけではなかった（☞本章コラム21）。

同じくルウェリンのリアリズム法学の定義の中に狭いカテゴリーでのグループ化というものがあるが，ルウェリンは「状況感覚」というものも重視していた。やや複雑なものであるが，状況感覚とは狭いカテゴリーに含まれるいくつかの事例の間に法的な関連性があるか否かについて，ベテランの法律家たちの間に見られるような共通の理解のことであった。より具体的に言うと，先例とは異なる事実関係に基づくため先例から離れるべきである，あるいは逆に，先例と同様の事例であるため，同様に解決すべきであるといった判断をする際に必要となるものが熟達した法律家たちの間で共有されているとルウェリンは考えていたのであった。したがって，先例に従うにしても，あるいは，法を社会の変化に合わせるためにそこから離れるにしても，裁判官も含めた法律家の間で状況感覚が共有されているため，恣意的にはならないと考えられている。ルウェリン自身の例ではないが，同時代のイギリスの判例では，店主が詐欺師に電話でだまされた事件と，対面でだまされた事件では異なった扱いをされていた。詐欺師がだまし取った商品を善意の第三者に売った場合，前者の判決では

〈コラム21〉 ルール・事実懐疑主義とリアリズム法学

ルウェリンは，リアリズムとは法実践を「生のままに，それが働くがままに見る」ことであると述べていた。そのようなリアリズム，法の現実を見る立場からラングデルなど，形式主義的な法学を批判したのであった。

このルウェリンの法思想の特徴として「ルール懐疑主義」に基づくものであったと論じられることがある。裁判官が先例などの法的ルールを適用することで判決を下しているという法形式主義の説明に対して，裁判官の判決において，先例などが果たす役割は限りなく小さいとルウェリンは考えていたと論じられているのである。ルウェリンは，裁判官の判決は主観的なもので，法的ルールに沿って解決されているように見せかけていると考えていたと紹介されることもある。確かに1930年に書かれた『ブランブルブッシュ』では「ルールは，裁判官が何をするか，あなたが理解するか予言するかを助ける限りにおいて重要である」（『ブランブルブッシュ』第１章）と述べていた。しかしながら，1951年の『ブランブルブッシュ』第２版の冒頭では，この部分の記述について自らの法思想への誤解を生むものであったと注意を促している。ルウェリンは，先例，ルールの効果で曖昧な部分は周辺のものであり，大部分においてはかなり確定的であるとまで論じていた。ルウェリンが批判したのは，ラングデルなどが，実際の裁判における先例，ルール以外の要素を十分に考慮していなかったことであって，その法思想は過激なルール懐疑主義を連想させるものではなく，極めて常識的なものであったと言えるだろう。

本章で触れていないが，リアリズム法学の唱道者として，ルウェリンと同様の影響力をもっていたのが，ジェローム・フランク（1889-1957）であった。そのフランクは，1930年の『法と現代精神』という主著で，例えば，ある証人の証言を信じる裁判官もいたり，逆に信じない裁判官もいたりするため，裁判官ごとに事実認定は変わってくることを指摘している（「事実懐疑主義」）。そして，たとえ明確なルールがあっても，そのルールがどのように適用されるかは予測できないとも指摘していた。さらに，大事なのは個々の裁判の結論であって，先例などのルールは，その結論を導くために裁判官によって柔軟に解釈されてよいとまで，フランクは論じていた。ただ，フランクは後の1940年代には，裁判官の個性が判決に影響しそうな場合は，そのような影響を排除するよう，当の裁判官が努力しなければならないと主張したり，ほとんど（10の内９つ）の事例は，裁判所に来る前に結論が決まったものであると認めていたりしたことも，近年の研究では強調されている。フランクも，ルールが果たす役割を十分に理解していたと解釈されるようになっているのである。

相手方の同一性に関する錯誤があり，詐欺師と店主の間の契約は無効であり，店主は，善意の第三者に商品の返却を請求できるとされたが，後者の判決ではそうならなかった。後者では店主は詐欺師に会っていたため，察知できたとされたのである。ルウェリンは，こういった区別が法律家の間には共通に理解されていると考えていたのであった。さらに，ラングデルが提唱していたように，ルール，法の基本原則を習得すればよいということではなく，実際は，この状況感覚のような「法律家の技巧」が裁判においては重要な役割を果しているため，法学教育においてもこの法律家の技巧を習得することに重きを置くべきだと主張している。

> 起きていることについての現実主義的で新鮮な観察，そしてそのすべてを説明する持続的な努力という基本的なアプローチを追求することで，より新しい法理学が，これらの技巧を伝達可能な研究にできるならば，それは真の助けを提供するだろう。（ルウェリン『法理学――リアリズムの理論と実践』）

本節では，ホームズ，パウンド，それからリアリズム法学について見てきたが，ホームズの問題意識が受け継がれ，法形式主義に代わるものが徐々に具体的な形で提示されてきたと言えるだろう。

ま　と　め

以上，本章ではイギリスから独立した18世紀後半から20世紀前半までのアメリカの法思想を検討してきた。ロックの自然権思想の影響下，独立宣言が書かれたものの，自然権思想の影響はアメリカでは限定的であった。ただ，例えば，マーシャルが契約の自由を自然権として捉えてそれを侵害した州法を憲法違反であると判断したように，自然権を保護するための国家というロックの自然権思想は違憲審査制を支える思想の１つでもあった。

また，本章では19世紀の半ば以降に歴史法学が影響力をもって，契約の自由が保護された過程についても概観した。この歴史法学が最も影響力をもったのは，アメリカの工業化が最も進んだ時期であったが，この歴史法学は，概念法学と法実証主義がドイツとイギリスで果した役割（☞第７章，第８章）をアメリカで果したとも言えるだろう。ただ，近代のアメリカの法思想で最も意義あるものであったのが，歴史法学やラングデルのケース・メゾットに代表される法形式主義を批判して，独自の主張を示したホームズやパウンドのプラグマティズム法学，さらには，ルウェリンなどのリアリズム法学であった。ホームズがオースティンの分析法理学を批判し，パウンドがその分析法理学と自然権思想を批判していたように，自然権思想，法実証主義とは異なる法思想が登場したのである。

ただ，法形式主義を批判する立場にも問題がないわけではなかった。ロックナー判決は，本章で見たように修正14条の「自由」を判例法，コモン・ローで保障されてきた自由として捉えようとしたものである。しかしながら，そのような判決，あるいはそれを支えた歴史法学が力を失ったことで，修正14条の「自由」，基本的人権の内容をコモン・ローから導くことができなくなってしまった。コモン・ローのような法的なものではなく，裁判官の政治信条によって基本的人権の内容が決められるようになったと指摘されることもある。

◆参考文献

金井光生『裁判官ホームズとプラグマティズム――〈思想の自由市場〉論における調和の霊感』（風行社，2006年）

本章で扱ったホームズ，パウンド，ルウェリンは，アメリカのみならず日本の裁判を学ぶ上でも有用なものではあるが，最近に限って言うと，日本の研究書はあまり見られない分野である。本書はホームズの法思想の基礎となったプラグマティズム，ホームズの法思想の変遷など，その全体像を知ることができる貴重な著書である。

阿川尚之『憲法で読むアメリカ史（全）』（筑摩書房，2013年）

著者は国際弁護士の草分け的存在であるとともに，アメリカ憲法学の著名な研究者である。本書では，建国当初から南北戦争，ニューディール，冷戦といったアメリカの歴史の節目を憲法問題，憲法訴訟によって描いている。アメリカ憲法の歴史を知る上で有用な一冊である。

清水潤『アメリカ憲法のコモン・ロー的基層』（日本評論社，2023年）

アメリカ法，アメリカ憲法に対するイギリスのコモン・ローの影響について，包括的かつ緻密な研究がなされている大著である。特に本章でも扱っているアメリカの歴史法学について，数多くの原著や当時の判決を検討することで，その思想や歴史的背景，法実務への影響などが丹念に描かれている。本格的な研究書であるが，アメリカ法，アメリカ憲法をより深く理解するためにも有用な一冊である。

第10章　現代の日本法と法思想史
——まとめにかえて

本章では全体のまとめとして,「現代法」「現代の日本法」の観点から第1章から第9章で扱われたヨーロッパ，アメリカの法思想史を検討してみたい。その際，特に現代法への影響が顕著な第7章〜第9章を中心に検討したい。序章で述べたように，現代の観点からヨーロッパ，アメリカの法思想史に接近することで，現代の社会や法，現代の日本法への理解を深めるとともに，それらをより多様な視点から検討してもらうことを狙いとする。以下，日本国憲法を中心に法思想史と絡めて検討していくが，あくまでも例示であって，読者には自身で現代の法を考える際の様々なヒントを法思想史から見つけ出してほしいと考えている。

1　憲法とのかかわり

(1) アメリカ，イギリスの憲法と自然権・自然法思想，法実証主義

ここではまず，日本の憲法と法思想史のかかわりを明らかにするとともに，イギリスとドイツの憲法と日本の憲法を，法思想の観点から比較してみたい。その上で，日本国憲法の主要な特徴であり，相互に関連がある「基本的人権の尊重」「国民主権」「違憲審査制」といった点からヨーロッパ，アメリカの法思想史に接近してみたい。

さて，現代の日本の憲法に大きな影響を与えた憲法は，言うまでもなくアメリカ合衆国憲法である。第9章で見たように，1776年に採択されたアメリカの建国の理念が示されている独立宣言は，ロック（1632-1704）の影響を受けて人間は平等であり生まれながらの権利をもつこと，政府が設立される目的はその権利をよりよく保障するためであることを宣言している。一方で日本国憲法に

も，「この憲法が国民に保障する基本的人権は，侵すことのできない永久の権利として，現在及び将来の国民に与へられる」（11条）と定められており，日本国憲法は，ロック，それからアメリカ由来の自然権思想に拠って立つものであるという理解が可能である。

また，日本国憲法の前文に「これは人類普遍の原理であり，この憲法は，かかる原理に基くものである。われらは，これに反する一切の憲法，法令及び詔勅を排除する」と書かれていることからも，日本国憲法が自然法思想に基づいているという理解が示されている。上記の引用の冒頭の「これ」は，その前に書かれている平和と自由の維持のために民主主義を基本原理とすることを指すと考えられるが，「これに反する一切の憲法，法令及び詔勅を排除する」とも書かれていることから，憲法より上位にある法として自然法が想定されているという理解である。

その自然権思想，自然法思想に基づく憲法の比較の対象となるのは，法実証主義に基づくイギリスの憲法であろう。**第8章**でベンサム（1748-1832）とともに扱ったオースティン（1790-1859），さらに19世紀の終わりにイギリス憲法の原則を要約したダイシー（1835-1922）も，イギリスではたとえ悪法であっても一度正統な手続によって制定されれば法として認められることが原則であると論じていた。確かに，例えば1998年人権法（自由権の保障などを定めた欧州人権条約をイギリス法に編入した法律）によって欧州人権条約の基本的人権の規定をイギリスの裁判所でも用いることができるようになり，裁判所は議会の法律が人権条約と不適合であると宣言できるようになった。しかしながら，裁判所によって不適合と宣言された法律を改廃するか否かは，あくまでも議会に委ねられていて，「悪法も法である」という原則に変化はない。その上で，欧州人権条約と不適合とされた法律を改変するよう世論のプレッシャーはかかっており，ベンサム，オースティン，ダイシーが論じていたように，イギリスでは悪法が維持されないよう世論が議会をコントロールしていると言えるだろう。

（2）日本国憲法，ドイツの憲法と自然権・自然法思想

翻って日本の状況を見てみると，憲法改正国民投票法が2007年に成立し，日本国憲法96条で規定された憲法改正の手続が整うことになった。日本国憲法は

憲法改正の限界を定めておらず，第３章の基本的人権の諸規定が改正の対象になる可能性もあるが，もしそうなれば，それらは「永久の権利」ではなくなり，やや極端な話にはなるが，イギリスのような法実証主義に基づく憲法に近づく可能性も出てくる。この点を考える際はドイツの憲法と日本の憲法を法思想の観点から比較することが有用である。

第７章で見たように，ドイツでは19世紀の後半から制定法のみが法であると考えられる傾向が強まったが，1933年から実権を握ったナチス・ドイツにより，ユダヤの人々への迫害（市民権を奪ったニュルンベルク法など），障がいをもった人々への差別（断種を強制した遺伝病子孫予防法など）が法制化され，「法律は法律だ」というナチスの圧力に法学者や法律家たちは屈してしまったという見方もされている。その反省によって，ドイツの憲法（ボン基本法）では１条の１項で「人間の尊厳は不可侵である。これを尊重し，かつ，保護することは，すべての国家権力の責務である」と定められている。さらに日本国憲法との違いは，ドイツ憲法が憲法改正の限界を次のような「永久条項」によって条文で明記していることである。

> 第79条（基本法の変更）③この基本法の変更によって，連邦の諸ラントへの編成，立法に際しての諸ラントの原則的協力，または，第１条および第20条にうたわれている基本原則に触れることは，許されない。

20条では連邦国家，権力分立，法治国家などの基本原則などが定められているが，それとともにナチス時代のような人間の尊厳を侵害する法律を作ることを禁止した１条を，79条の「永久条項」によって決して変更できないものとしているのである。以上からドイツ憲法は日本国憲法と比べても自然法思想の影響がより強いものであると考えることができるだろう。

もちろん，本章の冒頭で見たように，日本国憲法も11条で基本的人権の規定で定められた権利を「永久の権利」としているが，上記のドイツ憲法とは違い憲法改正の限界が憲法において定められているわけではない。法的に定められたものではないため，**第８章**で見たような，ベンサムが論じていた世論によるコントロールで究極的には維持されていると考えることもできるだろう。

（3）基本的人権の保障・国民主権と法思想史

日本国憲法の基本的人権の規定について法思想史の観点から考える際には，**第5章**で説明されたルソー（1712-78）の人民主権論についても検討する必要がある。日本国憲法の基本的原則は周知の通り，国民主権，基本的人権の尊重，平和主義であるが，本章のここまでの説明と特に関連するのが，国民主権と基本的人権の尊重との関係である。まず，日本国憲法はその前文で「主権が国民に存する」ことを宣言しており，国民の多数によって選出された国会議員の多数決によって法律が制定されている。それとともに，日本国憲法では第3章で基本的人権の保障が謳(うた)われ，多数決原理から切り離された裁判所の違憲審査制にそれらを守る役割を委ねている。日本国憲法においては，このように国民主権の原則と基本的人権の尊重の原則の両立が違憲審査制を介して目指されている。法思想史の観点からは，**第5章**で説明されたルソーの法思想と**第4章**で扱われたロックの法思想の双方を取り入れたものとして理解することも可能である。

第5章で見たように，ルソーの社会契約論，一般意志論は，人民主権を徹底することを1つの目的としていた。同じく**第5章**で説明されていたように，平等を重視する観点からルソーにおいては各人の所有権がどれだけ保障されるかは一般意志，すなわち共同体の決定に依存していた。一方，時代は遡るが，**第4章**で見たロックは対照的に，国家の権力から生命，自由，財産に対する固有権，自然権を守ることを目的として『統治二論』を執筆していた。もちろん，ロックが対抗しようとしていたのは国王の絶対的権力であったが，**第9章**で見たようにロックの自然権論の影響が見られるアメリカ独立宣言では，イギリス政府に対して植民地の人々の自然権が主張されている。そして，その後，マーシャル（1755-1835）によって違憲審査制が確立されるが，そのマーシャルも，共和主義の影響を受けつつロックの影響も受けていた。マーシャルは，ロックのように抵抗権の行使を説いたわけではなかったが，政府，あるいは議会の多数派から人々の自然権を守るために，それを侵害すると考えた立法を違憲としている。

上述の日本国憲法における国民主権の原則と基本的人権の尊重の原則は，それぞれルソーに代表される人民（国民）主権の思想とロックに代表される人々の権利を守る思想が反映されたものである。ただ，第5章の最後で述べられているように，民主主義（ルソー）と人々の権利を尊重するような自由主義（ロック）は，原理的に対立する。もし憲法改正により基本的人権の規定の改正まで進むとすると，それは，ルソーの思想を究極まで追い求めることに近いとも言える。直接民主制（ルソー），間接民主制（日本国憲法）の違いは残るものの，人々の権利を共同体に服せしめる危険な道になるであろう。

ところで，近年の政治思想史研究では「共和主義」の観点から欧米の思想史を整理する優れた試みがいくつもなされている。本書でも第2章コラム3のキケロ（前106-前43），第5章コラム12のルソー，さらには第9章のマーシャル（1755-1835）を扱った箇所で共和主義に触れている。この共和主義思想を有していたとして捉えられる有名な思想家は数多く，上記の思想家の他にも，本書で取り上げたところでは，アリストテレス（前384-前322），マキアヴェッリ（1469-1527），モンテスキュー（1689-1755），さらにはマディソン（1751-1836）などが，その代表的な例として挙げられている。

第5章のコラム12でも説明されているように，この共和主義は非常に多義的で曖昧な概念であり，共和主義とはどういった思想なのかについて，今日でも争いがある。ただ，共和主義に特徴的な要素として，強大で恣意的な権力から人々の自由を守ることに注力していることを挙げることができるだろう。そして，①政治と自由の密接な関係を強調し，市民が公共的な事柄への関心を持ち，積極的な政治参加が必要であると論じる立場と，②恣意的な支配・権力行使から自由を守るための，法の支配や権力分立といった制度論に重きを置く立場の２つに分類されることが一般的である。また，統治に関わる人々が私利私欲や恣意的な権力行使に走らないよう，彼らに徳・公共心を求めることも共和主義の特徴と言えるだろう。様々な分類が可能であるが，本書で扱った思想家では，アリストテレスとルソーが①に，キケロ，マキアヴェッリ，モンテスキュー，マディソンが②に分類されるのが一般的である。マーシャルの思想では，統治に関わる人々に徳・公共心が求められることに，より重点が置かれている。

なお，上記でルソーに関して否定的に記述しているが，共和主義の伝統に置くと，全く異なった評価も可能となってくる。第5章で見たように，ルソーは，自由を人間にとって最も基本的な価値であると見なしていた。そして，一般意志の表明である法によって隷属状態から人々を守ることができると考えていたと，共和主義の伝統からは整理できる。逆にロックの自由主義の流れを汲むリベラリズムに対して，現代の代表的な共和主義者のサンデルは，公共的な事柄への無関心を生み出し，抑圧的な政府などに対して抵抗できなくなるのではないかと批判している。さらに，違憲審査制は，人々の権利，ないしは国家からの干渉を防ぐ消極的自由を擁護している自由主義思想が制度化されたものとしても理解できるが，その制度も次に見るような，数多くの批判に晒されている。

（4）法思想史の観点から見る違憲審査制

人々の権利を守るとされる違憲審査制に問題がないわけではない。ここでも，法思想史の観点からどのようなことが言えるか例示したい。**第8章**で扱ったベンサムの自然権に対する批判は，現代の違憲審査制に対する批判にもつながるものであった。ベンサムは自然法・自然権などを共感・反感の原理に基づくもので明確な指針を与えることができないと批判していたが，それは現代でも基本的人権の規定に対する批判として応用されている。

ベンサムの議論を現代の基本的人権の規定に対する批判に応用したものとして，オーストラリアの法哲学者のキャンベルのものがある。キャンベルは，アメリカ合衆国憲法の基本的人権の規定は曖昧なものであり，その内容を裁判官に確定させることは「法曹の支配」につながると批判しているが，これは，自然法に反するとして実定法の効力を否定する判決は，裁判官による立法権の簒奪（さんだつ）であるというベンサムの議論を応用したものである。**第9章**で扱った歴史法学の影響もあって，19世紀後半のアメリカ合衆国憲法の基本的人権の内容は，イギリス，アメリカの伝統的な判例法，コモン・ローの原則に基づいて決められていた。しかしながら，同じく**第9章**で見たようにホームズ（1841-1935），パウンド（1870-1964）などによって，コモン・ローの原則の「契約の自由」「財産権の不可侵」などの後進性が批判された後は，コモン・ローに依拠せずに修正14条の「自由」の内容，基本的人権の内容を裁判官たちが決定するようになる。批判者からすると，法的な根拠に基づかず，裁判官の政治思想によって定められるようになっている。例えば，テキサス州の妊娠中絶禁止法を憲法違反としたロー対ウェイド事件（1973年）の判決は，憲法上の明文規定がない中，様々な人権規定の「半影」として，また修正14条の「自由」の中に中絶の権利が認められると判示している。ただ，リベラルな政治思想をもっていた連邦最高裁判所の裁判官が，民主的に選ばれた州議会の議員の多数派の意思を明確な法的根拠なしに覆したとの批判も根強い。実際，ベンサムの自然権・自然法批判に基づくものではないが，このロー対ウェイド事件の判決（ロー判決）は憲法が採択された時の意味や理解を重視する「原意主義」という立場から強く批判されてきた。そして，2022年６月のドブス対ジャクソン女性健康機構事件の判決で連邦最高裁判所は，医学的な緊急事態や胎児が重度の異常を有する場合を除いて妊娠15週目以降の中絶を禁止するミシシッピ州妊娠期間法を合憲と判示して，ロー判決を覆している。この判決では，ロー判決が「自由奔放な司法による政策決定」に基づくものとして批判されている。そして，歴史と伝統に基づいて判断すると，修正14条の「自由」の中に含まれるいかなる権利とも，中絶の権利は異なっているとする法廷意見も示されている。

アメリカと同様に違憲審査制のあるドイツでも，憲法（ボン基本法）１条の１項で保障されている「人間の尊厳」が何を意味するかは明確ではない。**第３章**で見たように，アクィナス（1225頃-74）は人間が固有に尊厳をもつことを説いていたが，キリスト教に基づく人間の尊厳理解もこの１条１項に影響を与えている。また，この規定は**第６章**で見た，自律の力をもつ人間は尊厳をもっており手段としてのみ扱ってはならないというカント（1724-1804）の法思想の影響も強く受けたものである。ただ，人間の尊厳をめぐる問題は一義的な解決が極めて困難なものである。**第８章コラム18**で触れたトロッコ問題が現実の法律で問題になった例であるが，ドイツで2004年に航空安全法が改正され，ハイジャックされた飛行機による自爆テロの恐れがある際は，テロ犯でない乗客・乗員が搭乗していても撃墜することが合法となった。しかし，2006年に連邦憲法裁判所によって，無辜（むこ）の人々の尊厳を侵害しているとして，その法律は違憲無効であるとの判決が下されている。人間を手段としてのみ扱ってはならないというカントの哲学が反映された判決とも考えられるが，撃墜しなかったことでより大勢の人々が亡くなってしまう際，そういった人々の尊厳はどうなるのかという批判も当然生じている。また，日本国憲法の規定を例として挙げてみると，36条は「公務員による拷問及び残虐な刑罰は，絶対にこれを禁ずる」と定めているが，周知の通り1948年の最高裁判決では，死刑は残虐な刑罰ではないとの判決が下されている。もちろん，判決文では国民感情に基づいた判断であるとの補足意見が付されているが，死刑について様々な意見がある中，裁判官の判断のみによって死刑（絞首刑）が残虐であるか否かが決定されることには疑問の余地があるとする見方もある。いずれにせよ，日本の違憲審査制を考える際も，このように，ベンサムの自然法，自然権批判まで遡って考えることが可能である。

（5）生存権と法思想史

以上，日本国憲法の改正の問題，国民主権の原則と基本的人権の尊重の原則の関係，違憲審査制の是非といった観点から法思想史に接近し，法思想史の観点からどのような考察が可能かを紹介した。次に憲法で規定されている生存権の問題について見てみたい。

日本国憲法の25条では１項で「すべて国民は，健康で文化的な最低限度の生活を営む権利を有する」と定められている。この条文は政府の法的義務ではなく道徳的義務を定めたものであるとするプログラム規定説が判例の立場であるが，実際には，日本人の約50人に１人が何らかの生活保護を受給していると考えられている。この問題についても，本書で扱われている法思想史から示唆を得ることができる。

第８章で扱ったベンサムは，社会の各人が自己の利益を追求すると想定しつつ，議会で成立する法律は社会のすべての人々にとって利益となる普遍的利益に基づくものになると考えていた。各選挙区の議員は，その選挙区の有権者の「特殊的利益」を実現しようと努めるが，それでは議会の投票で多数票を獲得することができないことに気づく。結局，他の選挙区の議員の賛同を得る必要があるため，すべての選挙区の有権者の利益を促進する普遍的利益に基づく法律，政策が採択されるようになるとベンサムは論じていた。しかしながら**第６章**で説明されたように，このような社会はヘーゲル（1770-1831）が「欲求の体系」として捉えたものであった。ヘーゲルは，ベンサムなどによって示されていたように，近代の社会では各人は，他の人と相互依存の関係を結ぶことで各人の利益，欲求を実現していると分析していた。実際にはベンサムは，死によって生み出される苦痛の大きさから福祉政策を認めていたと考えられているが，**第8章**でも見たように，人々の快楽，自己利益を基礎として法や政治を考えていた。そして，各人が相互の利益を満たす場として社会や国家を捉えることは現代でも一般的な考え方だと思われる。

その一方で，ヘーゲルは，欲求を満たせる人とそうでない人の格差が能力差や生まれの違いや偶然的要因によって拡大して，**第6章**でも触れられているように，「放埓(ほうらつ)や貧困の光景」や「人倫的な退廃の光景」が生じてしまうと論じていた。ヘーゲルの生きた19世紀のドイツでは，例えば，営業の自由が促進されたことによって規模の小さい経営者が乱立し大量の貧しい職人労働者が発生している。そのような状況下でヘーゲルは，人々の利益に基づく相互関係で成り立っていた市民社会を補助するものとして，**第6章**で見たように福祉行政や職業団体の必要性を論じたのである。特にヘーゲルは，「第２の家族」のような役割を果すことを職業団体に期待しており，構成員相互の助け合い，私的な利益に止まらない普遍的なものの追求を促したのであった。現代の日本では，生存権を保障する制度が利益に基づく相互依存の関係では正当化できないことが批判の対象とされ，大部分の人々が負担のみを強いられていることが問題視されている。ヘーゲルも現金の給付ではなく，上記の職業団体等を重視していたのだが，能力不足などから他者と利益に基づく相互依存の関係を結ぶことができない人々がいることを前提に議論していることは特徴的である。そしてヘーゲルが，そのような人々を放置することから生じる悲惨な光景を目の当たりにしつつ論じていたこと，さらには，「特殊」と「普遍性」の統合という観点で市民社会や国家を分析していたことからも，学べることは大きいのではないだろうか。

2　刑事，民事の裁判とのかかわり

（1）刑事裁判と法思想史

刑法と法思想史という観点では，**序章**で見た苦痛，刑罰の最小化を目指したベンサムの抑止論と応報刑論の対立がよく論じられるが，ここでは，日本の法制度を支えるものとは異なる法思想の例として，刑事裁判と法思想史の関係について扱いたい。

刑事裁判も，本書で扱ったヨーロッパ，アメリカの法思想史において重要な位置づけを与えられてきた。日本国憲法37条１項では「すべて刑事事件においては，被告人は，公平な裁判所の迅速な公開裁判を受ける権利を有する」と規定されている。そして，「公平な裁判所」とは，最高裁の判例では「構成などにおいて偏頗のおそれがない裁判所」とされているが，近代の自然権思想，自然法思想において裁判の公平さは重大な問題であった。**第１章コラム２**で見たように，私人間の争いを解決する矯正的正義についてであるが，アリストテレスは裁判においては「『高潔な人』が『劣悪な人』からふんだくろうが，『劣悪な人』がふんだくろうが何の変わりもない」（『ニコマコス倫理学』第５巻第４章）と論じていた。また，**第４章**で見たようにロックは，自然状態において人々は自然法を執行する権力をもつが，そこでは各自が自身の裁判を行うことが許容されるため自身に有利な裁判を行ってしまうと論じている。そういった不都合を回避するために，自然法の執行権，処罰権力を放棄して共同体に加入し，そこで共通の裁判官によって固有権，自然権を保護してもらうようにするというのがロックの議論であった。裁判は公正，公平であるべきことや「公平な裁判所」の設立，維持は国家の重要な役割の１つであると論じられてきたのである。ロックは『統治二論』で裁判について以下のようにも述べている。

> 暴力が用いられ，権利侵害がなされる場合には，それらが，たとえ裁判を司るために任命された人々の手によるものであっても，また，法の名，法の口実，法の形式を使っていかに粉飾したところで，所詮は暴力であり，権利侵害であることに変わりはない……。法の目的は，その下に服する人々にそれを公平に適用することで罪のない人々を保護し，救済することにあるのであって，それが誠実になされない場合には，どこにおいても，被害者に対して戦争が行われるということになる。（『統治二論』後編第３章20）

自然状態とは違い共通の裁判官がいるところにおいても，裁判が歪められ法が公然とねじ曲げられることは権利侵害であり，その害を受けているものに対して戦争が行われていることと同じであるとロックは論じている。**第４章**で見たようにロックは，自然法，信託から生じる制限に反した執行権者や立法部には抵抗権が生じると論じていた。それと同様に，公平な裁判が行われていない際にも抵抗権が生じると論じていたのであった。当時，例えばジェームズ２世（在位1685-88）は，自らが即位する際に反乱を企てた人々を即日，厳罰に処し，300人以上を処刑して800人を奴隷身分のままイギリス領になっていた西インド諸島に追放したと言われている。また，**第４章**で触れたように，ホッブズ（1588-1679）の自然法にも，「人々の間を平等に取り扱え」という公平な裁判に関するものがあった。そして，ロックと同じように，主権者がそれに従わなければ戦争状態，自然状態に陥ってしまうと論じられている。

もちろん，ロックやホッブズの危惧を今日の日本で共有することは難しいだろう。ただ，2014年にアメリカのニューヨークで，非武装のアフリカ系住民を殺害した白人警官が不起訴になった際，「正義なくして平和なし（No Justice, No Peace）」が大規模なデモのスローガンになっていた。英語のJusticeには裁判という意味もあるため，このデモは「公平な裁判所」を求めるものとしても理解できる。同様の事件は，2020年にアメリカのミネアポリスでも起きている。ロックは，法の目的は，法を公平に適用することで達成されるのであり，その適用が誠実になされない場合は戦争が行われていることと同じであるとまで述べていたが，今日でも的外れな議論ではないだろう。

確かに日本国憲法37条１項で保障されている公平な裁判は，刑事被告人の権利として定められているものである。法思想史の観点から見ると，公平な裁判所の保障も含まれる適正な刑事手続の保障は，ホッブズが批判していたイギリスの判例法，コモン・ローの裁判の原則がアメリカに継承され日本に導入されたもので，財産権の保障などと同じように国王の専制的な支配から人々の権利，自由を守ることを目的としていたものである。そして日本では，2008年に被害者や遺族が刑事裁判に参加できるようになった後も，被告人の権利の手厚い保障が批判されることもあり，十分に正当化されている権利と考えるのは難しい。しかしながらロックやホッブズは，「公平な裁判所」を，個々の被告人の権利のためだけのものでなく，社会の安定という社会全体の財産としても考える視点を私たちに確認させてくれている。

〈コラム22〉 法思想史と死刑制度

死刑制度は被告人の命を奪うという究極の刑罰制度であるが，思想家によって立場が大きく異なる制度でもある。例えば，本章で触れているロックは，自然法違反を処罰するために人々は「必要だと思われる罪に対しては死刑にさえ処するためにも，生来的に権力を与えられている」(『統治二論』後編第7章87）と論じていた。また，国家成立後も，政治権力が「固有権の調整と維持とのために，死刑，従って，当然それ以下のあらゆる刑罰を伴う法を作る権利」(『統治二論』後編第1章3）であると捉えられ，死刑制度を自明なものと見なしていた。一方，ホッブズも「臣民が主権的権力の命令によって殺されてもいいということが，ありうるし，またしばしばおこる」(『リヴァイアサン』第2部第21章）と述べ，死刑制度を認めている。ただ，**第4章**で見たように，ホッブズは，自己保存は人間の本性上必然的なことであり，死に直面する究極的な状況では人々が法に違反しても免罪されると論じており，死刑執行に抵抗する権利は認められていた。

ところで，死刑も含めた刑罰の正当化論については，近代以降は，刑罰は，犯罪行為に対する公的な非難，応報であるという応報刑論と，刑罰は犯罪の予防，抑止に役立つものでなければならないという目的刑論が対立してきた。本書で扱った思想家でいうと，応報刑論の代表的な論者と考えられるのが，**第6章**で扱ったカントであり，逆に，目的刑論の代表とされるのが**第8章**で説明したベンサムである。

応報刑論の立場を端的に示したものとして，「目には目を，歯に歯を」という同害報復の原理があるが，カントの刑罰論も同様なものを目指していたと説明されている。**第6章**でも見たように，カントの道徳，立法は，「普遍的立法の原理」「普遍的法則」に基づくものであった。そこからカントは，人を殺すことは，他人も自分を殺すことを受け入れることになるという応報的な原理を受け入れていたという解釈が示されているのである。また，同じく**第6章**でみたように，(死刑にどの程度の抑止力があるのかといった）経験的な目的を排除しているのもカントの特徴で，死刑の問題も，純粋に犯罪者は罰せられなければならないという観点から論じていた。

一方，目的刑論の立場は，**第8章**で扱われたベンサムに見られる。政府や法の目的は，快楽の最大化，苦痛の最小化であると論じたベンサムにとっては，刑罰それ自体も「苦痛」であり，最小化しなければならないと論じていた。刑罰が，より小さな苦痛で，同種の犯罪の発生から生じる苦痛を抑止する限り，刑罰が正当化されると論じている。そして，ベンサムは「死刑論」という小論を執筆しており，①司法に関わる人々による情けによって死刑が適用されない場合もあり，抑止という役割を果たせない，②後に減刑が必要になる場合でも刑罰を緩和することができない，③誤った証拠によって取り返しのつかない苦痛（冤罪による死刑）を生み出しうるといった理由を挙げ，死刑に反対していた。

なお，現在は，刑罰は犯罪の予防を目的とするべきであるが，犯罪と刑罰の均衡という応報の側面も考えるべきであるという相対的応報刑論が一般的に支持されている。

（2）法思想史研究と法解釈

最後に主に民法における法解釈について法思想史の研究から何が言えるのか，簡単に触れておきたい。1898（明治31）年に施行された日本の民法典はドイツ民法典第1草案を参考にしたという理解が一般的である。そして，そのドイツ民法典第1草案は，**第7章**でも触れられているように，古代ローマ法を参考にしたロマニステンと呼ばれる学派の中心的な人物であったヴィントシャイト（1817-92）によって主導されていた。ヴィントシャイトが活躍したのは19世紀後半であったが，契約の自由を尊重する産業革命の時代にも適している個人主義的，自由主義的な部分をローマ法から抽出し，概念法学という形でそれを矛盾のないよう体系化したのがドイツ民法典であった。確かに1947年に改正され，近年も債権法について大きな改正がなされ2020年4月1日から施行されているが，日本の民法典の基本的な構造は約120年間，変わっていないという見方も可能である。日本の民法は，**第2章**で説明されているストア派の自然法論などの影響を受けた古代ローマの法学，**第7章**で詳述されているサヴィニー（1779-1861）や，サヴィニーの体系的方法を突き詰めたプフタ（1798-1846），さらにはヴィントシャイトの概念法学など，ヨーロッパの法思想の基礎の上に打ち立てられたのである。

第7章では，概念法学に対抗する自由法運動などの法思想も検討されている。同じく，**第9章**でもアメリカの法形式主義，歴史法学派に対抗するものとしてプラグマティズム法学やリアリズム法学が説明された。ドイツ，アメリカの双方において，産業革命，資本主義を促した法が20世紀の初めに，社会の変化を反映していないと批判されたのである。ただ，**第7章コラム17**で紹介されているように，プフタは論理ばかりでなく法の目的も考慮をしており，ヴィントシャイトも学説が分かれる問題に関しては法学による法形成への期待を示していたと近年は見直されている。同じく**第9章**で扱った歴史法学派のカーター（1827-1905）も法形式主義者であるとパウンドによって批判されていたが，最近の研究から，社会の変化に即して法も変化すべきと論じていたことが明らかになっている。自由法運動やプラグマティズム法学，リアリズム法学の論者たちが自分たちの立場の優位性を示すために，対抗する概念法学や法形式主義を極端な形で描き，そのような理解が最近まで影響を及ぼしているということはあるだろう。逆に代表的なリアリズム法学者であったルウェリン（1893-1962）の法思想を「ルール懐疑主義」に基づくものとして描くことが難しいことは，**第9章コラム21**で示したとおりである。

今日の民事の裁判などにおける法解釈の際の指針として，日本の代表的な法哲学者の田中成明は，法律の体系的・文理的な意味や立法者の意思を重視しつつ，社会経済的情勢や社会一般の価値観との乖離（かいり）が出ないようにバランスを取る必要があることを強調している。19世紀後半以降のドイツ，アメリカの法解釈をめぐる法思想を見てみると，**第7章**の概念法学とそれを批判した自由法運動の間の対立，**第9章**の法形式主義とそれを批判したプラグマティズム法学・リアリズム法学の間の対立も，体系的・論理的に法の意味を確定してそれを適用するか，あるいは，社会経済的情勢や社会一般の価値観を重視するかについての対立であったと言えるだろう。確かに**第7章**で見たように，ヴィントシャイトは概念による法の体系化を重視して，概念の操作によって法を導けることを強調しており，また，**第9章**で見たラングデル（1826-1906）も，判例法，コモン・ローの原則を論理的に一貫したものとして捉え，社会にとっての有用性よりも原則をそのまま適用すること重視していた。しかしながら，その一方で，近年の研究では上述のようにドイツの概念法学やアメリカの歴史法学の見直しが始まっている。そして，特にアメリカでは，法形式主義とリアリズム法学の間の対立を相対化する研究が盛んである。

アメリカの法思想史研究者，法哲学者のタマナハは，19世紀後半から現代まで，法形式主義者と考えられる人々も，明確な先例がない際は裁判官が裁量を用いることを認めており，逆に，プラグマティズム法学やリアリズム法学に近い人々も，通常の裁判では法の機械的な適用を認めていたと指摘している。さらに，現代のアメリカ法学では，法形式主義，プラグマティズム法学の後継者たちの間で対立が続いているとされているが，そこでも大きな差はないのではないかと指摘している。その上でタマナハは，体系的・論理的に導かれる法のルールに一定の拘束力を認めつつ，裁判官の社会についての見解が判決において建設的な役割を果すという立場を，歴史法学者たちとリアリストたちは共有していたと論じ，そのような立場を「バランスの取れたリアリズム」と名づけている。そして，現代のアメリカ法学でも，法形式主義，プラグマティズム法学の後継者たちの双方が，実際は，「バランスの取れたリアリズム」の立場に立っていると論じている。

本書の**第7章**と**第9章**では，具体的な法的問題や判例に即して説明がなされている。それぞれの法的問題への解答や判決は，ドイツの概念法学や自由法運動，そして，アメリカの歴史法学やプラグマティズム法学などの法思想が反映されたものである。その一方で，タマナハが指摘しているように，アメリカでは法思想の間で共有されてきたものがあり，また，ドイツでも，プフタやヴィントシャイトが法の体系性一辺倒ではなかったことが本書では示されている。タマナハの研究や**第7章**で示されている法解釈をめぐる法思想史の新しい理解は，体系的・論理的に法の意味を確定してそれを適用すること，社会経済的情勢や社会一般の価値観を重視することの双方の重要性を当時の法思想家たちが意識していたことを示すものであろう。

ならば，上述した今日の日本の民事の裁判における法解釈の際の指針と同様に，当時の法思想家たちも，法の体系性と社会的価値の反映の間でバランスを取ることを意識していたとも言えるだろうし，概念法学や自由法運動，さらには法形式主義やプラグマティズム法学，リアリズム法学を両極端なものとして捉えてしまうことはできないだろう。その上で，彼ら各々がより重きを置いていた「法の体系性」と「社会的価値の反映」をどのように正当化したのか，そしてどのように実現しようとしていたのかを参考にすべきである。例えば，**第9章**で見たような，アメリカの歴史法学がコモン・ローの原則に忠実であったことは，法の支配を徹底するためであったと考えられる。また，ルウェリンは法と社会の歯車を噛み合わせつつ，裁判官の判断が恣意的にならないように，法律家によって共有されていた状況感覚の重要性を強調していた。さらに**第7章**で見たドイツのヘック（1858-1943）の利益法学は，立法者の利益衡量に着目することで，概念法学とも自由法論とも距離を置いたよりバランスの取れた法解釈の方法を示しているとも言える。**第7章**と**第9章**で示された法解釈をめぐる法思想が，現代の日本の法解釈と近い形，枠組みで議論されていたならば，今日の日本で法の体系性と社会的価値の反映の間でバランスを取る際に重要な示唆を与えてくれるのではないだろうか。

以上，本章では，例示的なものではあるが，現代，現代の日本法から法思想史に接近し，翻って法思想史の観点から現代の日本法のいくつかの論点について検討した。序章でも述べたように，現代の日本の法も，その起源を辿ると何らかの法思想によって生み出され維持されてきたのであり，本書で扱われている法思想史を理解することは，日本の法の成り立ちやその意義を理解することにつながるものである。また，本章でも示したように，現代の日本の法を支えている法思想と対抗する法思想，あるいは現代の日本法には大きな影響を与えているようには思われない法思想を見ることも，現代の日本法を批判的に考えたり，相対化したり再評価する際のヒントとなり，現代の日本法への理解を深めることにもつながるだろう。

引用・主要参考文献一覧

序　章

〈訳書〉

初宿正典・辻村みよ子編『新解説世界憲法集〔第5版〕』（三省堂，2020年）

第1章

〈訳書〉

アリストテレス（渡辺邦夫・立花幸司訳）『ニコマコス倫理学　上・下』（光文社，2015年，2016年）

プラトン（久保勉訳）『ソクラテスの弁明　クリトン』（岩波文庫，1964年）

プラトン（藤沢令夫訳）『国家　上・下』（岩波文庫，1979年）

〈参考文献〉

高橋広次『アリストテレスの法思想――その根柢に在るもの』（成文堂，2016年）

――――「アリストテレス自然法論の再考――『ハプロース・ディカイオン』の意義に即して」『南山法学』41巻3・4号（2018年）

納富信留『ソフィストとは誰か？』（人文書院，2006年）

第2章

〈訳書〉

アリアノス「アレクサンドロス東方遠征記（後2世紀前半）」歴史学研究会編『世界史史料1（古代のオリエントと地中海世界）』（岩波書店，2012年）

ガーイウス（佐藤篤士監訳，早稲田大学ローマ法研究会訳）『法学提要』（敬文堂，2002年）

キケロー（岡道男訳）「国家について」「法律について」キケロー（岡道男ほか編）『キケロー選集8　哲学Ⅰ』（岩波書店，1999年）

セネカ（大西英文訳）「閑暇について」セネカ（兼利琢也・大西英文訳）『セネカ哲学全集1　倫理論集Ⅰ』（岩波書店，2005年）

セネカ（大西英文訳）「幸福な生について」セネカ（大西英文訳）『生の短さについて　他二篇』（岩波文庫，2010年）

山本光雄・戸塚七郎訳編『後期ギリシア哲学者資料集』（岩波書店，1985年）

〈参考文献〉

岩田靖夫『ギリシア思想入門』（東京大学出版会，2012年）

柴田光蔵『ローマ法概説〔増補版〕』（玄文社，1983年）

船田享二『法思想史〔全訂版〕』（勁草書房，1968年）

第３章
〈訳書〉
アウグスティヌス（山田晶訳）「告白」山田晶編『アウグスティヌス　世界の名著16』（中央公論社，1978年）
アウグスティヌス（赤木善光・泉治典・金子晴勇訳）『アウグスティヌス著作集　第11巻「神の国」⑴』（教文館，1980年）
アウグスティヌス（泉治典訳）『アウグスティヌス著作集　第13巻「神の国」⑶』（教文館，1981年）
アウグスティヌス（泉治典・原正幸訳）「自由意志」アウグスティヌス（泉治典・原正幸訳）『アウグスティヌス著作集　第３巻　初期哲学論集⑶』（教文館，1989年）
アクィナス，トマス（稲垣良典訳）『神学大全　第13冊』（創文社，1977年）
アクィナス，トマス（大鹿一正ほか訳）『神学大全　第17冊』（創文社，1997年）
アクィナス，トマス（稲垣良典訳）『神学大全　第18冊』（創文社，1985年）
アクィナス，トマス（稲垣良典訳）『神学大全　第20冊』（創文社，1994年）
アクィナス，トマス（柴田平三郎訳）『君主の統治について――謹んでキプロス王に捧げる』（岩波文庫，2009年）
〈参考文献〉
稲垣良典『トマス・アクィナス「神学大全」』（講談社，2019年）
出村和彦『アウグスティヌス――「心」の哲学者』（岩波新書，2017年）
ヨンパルト，ホセ『法哲学案内』（成文堂，1993年）

第４章
〈訳書〉
ホッブズ，トマス（水田洋訳）『リヴァイアサン　１・２〔改訳版〕』（岩波文庫，1992年）
ロック，ジョン（加藤節訳）『完訳　統治二論』（岩波文庫，2010年）
〈参考文献〉
岡村東洋光『ジョン・ロックの政治社会論』（ナカニシヤ出版，1998年）
田中浩責任編集『トマス・ホッブズ研究』（御茶の水書房，1984年）
浜林正夫『ロック（イギリス思想叢書４）』（研究社出版，1996年）

第５章
〈訳書〉
ルソー，ジャン＝ジャック（原好男訳）「人間不平等起源論」『ルソー全集　第４巻』（白水社，1978年）
ルソー，ジャン＝ジャック（作田啓一訳）「社会契約論」『ルソー全集　第５巻』（白水社，1979年）
〈参考文献〉
川合清隆『ルソーとジュネーヴ共和国――人民主権論の成立』（名古屋大学出版会，2007年）
永見文雄『ジャン＝ジャック・ルソー――自己充足の哲学』（勁草書房，2012年）
永見文雄・川出良枝・三浦信孝編『ルソーと近代――ルソーの回帰・ルソーへの回帰　ジャン

＝ジャック・ルソー生誕300周年記念国際シンポジウム』（風行社，2014年）

第６章

〈訳書〉
カント，イマヌエル（熊野純彦訳）『人倫の形而上学　第１部　法論の形而上学的原理』（岩波書店，2024年）
カント，イマヌエル（平田俊博訳）「人倫の形而上学の基礎づけ」カント（坂部恵・有福孝岳・牧野英二編）『カント全集７（実践理性批判・人倫の形而上学の基礎づけ）』（岩波書店，2000年）
カント，イマヌエル（坂部恵・伊古田理訳）「実践理性批判」カント（坂部恵・有福孝岳・牧野英二編）『カント全集７（実践理性批判・人倫の形而上学の基礎づけ）』（岩波書店，2000年）
カント，イマヌエル（北尾宏之訳）「理論と実践」カント（坂部恵・有福孝岳・牧野英二編）『カント全集14（歴史哲学論集）』（岩波書店，2000年）
カント，イマヌエル（遠山義孝訳）「永遠平和のために」カント（坂部恵・有福孝岳・牧野英二編）『カント全集14（歴史哲学論集）』（岩波書店，2000年）
ヘーゲル，ゲオルク・ヴィルヘルム・フリードリヒ（上妻精・佐藤康邦・山田忠彰訳）『法の哲学　上・下』（岩波文庫，2021年）
〈参考文献〉
網谷壮介『共和制の理念――イマヌエル・カントと一八世紀末プロイセンの「理論と実践」論争』（法政大学出版局，2018年）
木原淳『境界と自由――カント理性法論における主権の成立と政治的なるもの』（成文堂，2012年）
権左武志『ヘーゲルにおける理性・国家・歴史』（岩波書店，2010年）

第７章

〈訳書〉
イェーリング，ルドルフ・フォン（山口廸彦編訳）『イェーリング・法における目的』（信山社，1999年）
ヴィントシャイト，ベルンハルト（栗城寿夫訳）「パンデクテン教科書」久保正幡先生還暦記念出版準備会編『西洋法制史料選Ⅲ近世・近代』（創文社，1979年）
エールリッヒ，オイゲン（石川真人訳）「自由な法発見と自由法学」『北大法学論集』39巻１号（1988年）
サヴィニー，フリードリヒ・カール・フォン（守矢健一訳）「F. C. サヴィニ『立法と法学とに寄せるわれわれの時代の使命について』（その２）」『法学雑誌』60巻１号（2013年）
ティボー，アントン・フリードリヒ・ユストゥス（石部雅亮訳）「ドイツにおける一般民法典の必要性について」，石部雅亮「外国法の学び方――ドイツ法５」『法学セミナー』（1974年６月）所収
ヘック，フィリップ（法学理論研究会訳）「法解釈と利益法学⑴」『法政研究』42巻４号（1976年）

―――「法解釈と利益法学(4)」『法政研究』44巻1号（1977年）
〈参考文献〉
石部雅亮「ドイツ民法典編纂史概説」石部雅亮編『ドイツ民法典の編纂と法学』（九州大学出版会，1999年）
笹倉秀夫『近代ドイツの国家と法学』（東京大学出版会，1979年）
村上淳一『ドイツの近代法学』（東京大学出版会，1964年）

第8章

〈訳書・原文〉
初宿正典・辻村みよ子編『新解説世界憲法集〔第5版〕』（三省堂，2020年）
ベンサム，ジェレミー（中山元訳）『道徳および立法の諸原理序説　上』（筑摩書房，2022年）
J. Austin, W. E. Rumble (ed.), *The Province of Jurisprudence Determined* (Cambridge University Press, 1995).
J. Austin, *Lectures on Jurisprudence or the Philosophy of Positive Law*, 4th ed. (John Murray, 1879).
J. Bentham, J. H. Burns & H. L. A. Hart (eds.), *A Comment on the Commentaries and A Fragment on Government* (The Athlone Press, 1977).
J. Bentham, F. Rosen & J. H. Burns (eds.), *Constitutional Code,* vol. 1 (Clarendon Press, 1983).
W. Blackstone, *Commentaries on the Laws of England,* vol. 1 (The University of Chicago Press, 1979).
※上記の5冊の訳のいくつかは，スコフィールド，フィリップ（川名雄一郎・高島和哉・戒能通弘訳）『功利とデモクラシー――ジェレミー・ベンサムの政治思想』（慶應義塾大学出版会，2020年）に基づく。
〈参考文献〉
深田三徳『法実証主義と功利主義――ベンサムとその周辺』（木鐸社，1984年）
三浦基生『法と強制――「天使の社会」か，自然的正当化か』（勁草書房，2024年）
八木鉄男『分析法学の研究』（成文堂，1977年）

第9章

〈訳書・原文〉
高木八尺・末延三次・宮沢俊義編『人権宣言集』（岩波文庫，1957年）
O. Holmes, S. Novick (ed.), *The Collected Works of Justice Holmes : Complete Public Writings and Selected Judicial Opinions of Oliver Wendell Holmes,* The Holmes Devise Memorial Edition, vol. 3 (The University of Chicago Press, 1995).
K. Llewellyn, *Jurisprudence : Realism in Theory and Practice* (Transaction Publishers, 2008).
―――, *The Bramble Bush* (Oxford University Press, 2008).
R. Pound, Mechanical Jurisprudence, in *Columbia Law Review* 8 (1908).
―――, A Survey of Social Interests, in *Harvard Law Review* 57 (1943).

〈参考文献〉
大森雄太郎『アメリカ革命とジョン・ロック』(慶應義塾大学出版会，2005年)
戒能通弘『近代英米法思想の展開――ホッブズ＝クック論争からリアリズム法学まで』(ミネルヴァ書房，2013年)
――――編『法の支配のヒストリー』(ナカニシヤ出版，2018年)

第10章

〈訳書〉
アリストテレス（渡辺邦夫・立花幸司訳）『ニコマコス倫理学　上』(光文社，2015年)
初宿正典・辻村みよ子編『新解説世界憲法集〔第5版〕』(三省堂，2020年)
ホッブズ，トマス（水田洋訳）『リヴァイアサン　2〔改訳版〕』(岩波文庫，1992年)
ロック，ジョン（加藤節訳）『完訳　統治二論』(岩波文庫，2010年)
〈参考文献〉
鈴木秀美・三宅雄彦編『〈ガイドブック〉ドイツの憲法判例』(信山社，2021年)
田中成明『法学入門〔第3版〕』(有斐閣，2023年)
中村隆志「フィリップ・ペティットの共和主義論――政治的自律と異議申し立て」『関西大学法学論集』61巻2号（2011年）

人名索引

あ 行

アウグスティヌス（Aurelius Augustinus）　12, 47, 55-64, 66, 68, 73, 74
アウグストゥス（Augustus）　38, 49
アクィナス（Thomas Aquinas）　6, 12, 26, 55, 64, 66, 67, 70-74, 77, 78, 80-82, 87, 223
アリストテレス（Aristoteles）　6, 12, 14, 17, 19, 23-31, 33, 45, 48, 50, 66, 67, 70, 72, 73, 226
アルキダマス（Alkidamas）　12, 16
アルノルト（Wilhelm Arnold）　162
アレクサンドロス大王（Alexandros）　23, 33-35
アンティフォン（Antiphon）　12, 16
イェーリング（Rudolf von Jhering）　159, 165-167, 170, 173, 174, 211
イエス（Jesus Christ）　55
稲垣良典　74
イルネリウス（Irnerius）　65
ヴィントシャイト（Bernhard Windscheid）　152, 159, 161, 163, 173, 174, 229, 230
ウルピアヌス（Domitius Ulpianus）　12, 49-53
エールリッヒ（Eugen Ehrlich）　152, 162, 165, 168-170, 172, 174
エピクロス（Epikouros）　12, 36, 37
エリザベス女王（Queen Elizabeth）　78
オースティン（John Austin）　8, 152, 156, 176, 177, 187-194, 204, 208, 210, 216, 218
オーティス（James Otis）　198
オットー１世（Otto I）　64

か 行

カーター（James Carter）　205, 229
カール大帝（Karl der Große）　56
ガイウス（Gaius）　12, 39, 49, 50, 52, 53
カエサル（Julius Caesar）　43
カリクレス（Callicles）　12, 16, 25
カルネアデス（Karneades）　12, 37
カント（Immanuel Kant）　7, 76, 108, 113, 125-136, 138-140, 142, 148
カントロヴィッツ（Hermann Kantorowicz）　152, 165, 166, 168, 170, 174
ギールケ（Otto von Gierke）　152, 159, 162, 163, 174
キケロ（Marcus Tullius Cicero）　12, 42-44, 48, 50, 53, 60, 73
キャンベル（Tom Campbell）　222
キルヒマン（Julius Hermann von Kirchmann）　165
クィントス・ムキウス・スカエウォラ（Quintus Mucius Scaevola）　12, 36, 42, 53
クック（Edward Coke）　76, 85
グラティアヌス（Gratianus）　65
クリティアス（Critias）　17, 18
グリム（Jacob Grimm）　159
クリュシッポス（Chrysippos）　12, 35, 36
グレゴリウス７世（Gregorius VII）　64, 65
クレッシェル（Karl Kroeschell）　162
グロティウス（Hugo Grotius）　46, 76, 99, 101, 109, 115, 116
クロムウェル（Oliver Cromwell）　79
コンスタン（Benjamin Constant）　123

さ 行

サーモンド（John Salmond）　191
サヴィニー（Friedrich Carl von Savigny）　7, 143, 152, 156-161, 167, 172, 173, 203, 229
サビヌス（Masurius Sabinus）　12, 49, 53
サンデル（Michael Sandel）　199
ジェームズ２世（James II）　79, 88, 227
ジェファソン（Thomas Jefferson）　198
シュタイン（Heinrich Friedrich Karl vom

Stein)　125, 155
スアレス（Francisco Suárez）　72
スコフィールド（Philip Schofield）　195
スペンサー（Herbert Spencer）　207
セネカ（Lucius Annaeus Seneca）　12, 36, 44, 46-49, 63, 73
ゼノン（Zenon）　12, 35
セルウィウス・スルピキウス・ルフス（Servius Sulpicius Rufus）　12, 38, 42, 53
ソクラテス（Socrates）　12, 13, 17-22, 31
ソロン（Solon）　47

た　行

ダイシー（Albert Venn Dicey）　152, 194, 218
田中成明　230
タマナハ（Brian Tamanaha）　230
ダランベール（Jean Le Rond d'Alembert）　100
チャールズ1世（Charles I）　78-80, 85, 89, 96, 196
ディオゲネス（Diogenes）　12, 35, 48
ディドロ（Denis Diderot）　100, 102, 113
ティボー（Anton Friedrich Justus Thibaut）　152, 156, 157, 172, 173, 192
ティモン（Timon）　12, 37
ドラテ（Robert Derathé）　106, 116, 123

な　行

ナポレオン（Napoléon Bonaparte）　125, 136, 153, 155, 156
ネロ帝（Nero）　46, 55, 61
ノージック（Robert Nozick）　199

は　行

ハインリヒ4世（Heinrich IV）　64, 65
パウルス（Iulius Pauls）　12, 49, 51, 52
パウンド（Roscoe Pound）　8, 152, 197, 202, 209-211, 215, 216, 222, 229
パピニアヌス（Aemilius Papinianus）　12, 49, 52
ハルデンベルク（Karl August Fürst von Hardenberg）　125, 147, 155
バルベラック（Jean Barbeyrac）　76, 100, 106, 116
ビトリア（Francisco de Vitoria）　72
ビュルラマキ（Jean-Jacques Burlamaqui）　106
ピュロン（Pyrrhon）　12, 37
フィーヴェク（Theodor Viehweg）　45
フィヒテ（Johann Gottlieb Fichte）　155
フィルマー（Robert Filmer）　76, 89-91, 99
プーフェンドルフ（Samuel Pufendorf）　76, 99, 101, 116
プフタ（Georg Friedrich Puchta）　7, 152, 159, 160, 173, 229
ブラックストーン（William Blackstone）　152, 178-182, 185, 189, 194
プラトン（Plato）　12, 14, 16, 18, 20-24, 28, 30, 31, 48, 57
フリードリヒ大王（Friedrich der Große（Friedrich II））　125
プロクルス（Proculus）　12, 49, 53
プロティノス（Plotinos）　12, 57
フンボルト（Wilhelm von Humboldt）　155
ヘーゲル（Georg Wilhelm Friedrich Hegel）　7, 76, 108, 113, 125, 136-140, 142, 143-148, 157, 173, 224, 225
ヘック（Philipp Heck）　152, 165, 170, 171, 174
ベンサム（Jeremy Bentham）　1, 152, 176-190, 193-195, 218, 222, 224-226
ホームズ（Oliver Wendell Holmes）　8, 152, 197, 202, 206-209, 211, 212, 214, 215, 222
ボシュエ（Jacques-Bénigne Bossuet）　99
ポステマ（Gerald Postema）　183
ボダン（Jean Bodin）　76, 116, 121
ホッブズ（Thomas Hobbes）　6, 76-80, 82-87, 90, 92, 94, 97, 102, 115, 116, 118, 121, 191,

227
ポリュビオス（Polybios）　44, 59

ま 行

マーシャル（John Marshall）　152, 200, 201, 203, 210, 215, 220
マキアヴェッリ（Niccolò Machiavelli）　121
マディソン（James Madison）　201
マルクス（Karl Marx）　30, 148
マルクス・アウレリウス・アントニヌス（Marcus Aurelius Antoninus）　12, 36
三島淑臣　31, 149
村上淳一　175
メイン（Henry Maine）　187, 192, 193, 204
メッテルニヒ（Klemens von Metternich）　147, 153
メンガー（Anton Menger）　164
モンテスキュー（Montesquieu）　106, 113, 115, 116

や 行

ユスティニアヌス（Justinianus）　12, 53, 54

ら 行

ラートブルフ（Gustav Radbruch）　174
ラス・カサス（Bartolomé de las Casas）　72
ラスレット（Peter Laslett）　88
ラングデル（Christopher Langdell）　202, 205-208, 211-213, 215, 216
ランダウ（Peter Landau）　173
リッター（Joachim Ritter）　137, 147
リプシウス（Justus Lipsius）　48
リュクルゴス（Lykurgos）　47
ルイ15世（Louis XV）　99
ルウェリン（Karl Llewellyn）　152, 197, 202, 206, 211-213, 215, 216, 231
ルソー（Jean-Jacques Rousseau）　3, 5, 7, 9, 76, 99-114, 116-123, 126, 133, 134, 138, 139, 220, 221
ルター（Martin Luther）　48, 78
ロック（John Locke）　3, 5-7, 9, 76-78, 87-91, 92-97, 99, 102, 109, 111, 115, 119, 152, 176-178, 181, 184, 189, 196-199, 201, 215, 217, 218, 220, 221, 226, 227
ロベスピエール（Maximilien François Marie Isidore de Robespierre）　154

事項索引

あ 行

握取行為　39, 42
悪法　26, 43, 87, 174, 176, 177, 186-189, 194, 218
アメリカ合衆国憲法　4-6, 152, 200, 222
アメリカ独立宣言　6, 97, 152, 181, 198, 199, 220
アンシャンレジーム　99, 154
生ける法　168, 169, 174
違憲審査制　5, 8, 152, 186, 191, 194, 200, 201, 215, 217, 220, 222, 223
一般意志　5, 76, 110-115, 118-122, 139, 220
イデア論　20, 23, 24
印紙法　196-198
ヴォルムスの協約　65
永久法　61, 63, 68, 69
エピクロス派　35, 36, 42, 53
王権神授説　76, 89, 99, 100

か 行

懐疑派　12, 35, 37, 38, 42, 49, 53
外国人係法務官　40, 41
概念法学　8, 152, 154, 165, 171, 174, 215, 229-231
科学的リアリズム　212
学説彙纂　53, 54, 65, 158, 161
カトリック　48, 82, 84, 88
可能態　23, 66
カノッサの屈辱　64, 65
神の国　57, 58
神の似姿　61, 67, 74
機械的法学　202, 209
危険負担　51, 52, 166, 173
基本的人権　5, 8, 194, 196, 202, 203, 216-218, 220-222
キュニコス派　12, 35, 48
共感・反感の原理　180, 182, 184, 222
強者の自然権（権利）論　16, 17, 25, 31, 174
矯正的正義　27-30, 72
共通善　67, 68, 70, 112, 114, 122
教父　56, 63
共和主義　121, 152, 201, 221
共和政／共和制　39, 43, 49, 121, 134, 135, 154
キリスト教　6, 55-58, 61, 62, 64-66, 73, 77, 78, 82, 91, 122, 223
グラティアヌス教令集　12, 62, 65
刑事裁判　226, 227
契約条項　200, 203
契約の自由　153, 164, 173, 196, 203-205, 209, 211, 215, 222, 229
ゲルマニステン　152, 158, 159, 162, 163, 174
現実態　23, 24, 66
権利章典　87, 96
権利請願　78
交換的正義　71, 72
皇帝教皇主義　53, 65
功利主義　2, 182, 183
功利の原理　183, 185
国際連合　135
国際連盟　135
国民主権　5, 217
コスモポリタニズム　33, 35, 36, 47, 53
コモン・ロー　41, 85, 184, 189, 190, 196, 204-208, 216, 222, 227, 230, 231
固有権　6, 76, 93-95, 97, 111, 184, 197, 220, 226
古来の国制論　85, 96
根源的契約　132, 134, 135
混合政体論　44

さ 行

最高価格法　113

最大幸福原理　183, 186
最大多数の最大幸福　2
錯誤　160, 166, 167, 215
サビヌス派　12, 36, 49, 51-53
サラマンカ学派　72
産業革命　8, 152, 153, 176, 177, 184, 185, 188, 194, 229
自己保存　80-83, 86, 87, 103, 126, 148
自然権　5, 6, 8, 81, 82, 91-94, 97, 111, 119, 179, 182, 184, 197, 198, 200, 201, 215, 220, 222, 226
自然権思想／自然権論　5-8, 152, 176, 178-180, 182, 187, 194, 196, 199, 200, 201, 210, 211, 215, 216, 218, 220, 226
自然状態　80, 81, 83, 84, 87, 90-94, 97, 103-105, 111, 130, 132, 182, 226, 227
自然法　6-8, 14, 42, 50, 53, 61, 63, 68, 69, 81-84, 86, 87, 90-95, 100-107, 119, 121, 154, 156, 157, 163, 172, 174, 176, 179-181, 185, 188, 194, 196, 197, 214, 217, 220, 227
自然法思想／自然法論　6, 7, 13, 17, 23, 26, 31, 49, 106, 130, 138, 148, 152, 158, 174, 176, 178-180, 182, 185, 186, 194, 199, 216, 218, 219, 226, 229
自然法の再生　174
自然法論者　99, 100, 102, 103, 105, 107, 108, 115, 116, 119, 121
実践理性　67, 126, 131, 132, 148
実定法一元論　185
市民係法務官　40
市民社会　139, 142-143, 146, 148, 158
市民法　39-41, 43, 50, 53
社会学的法学　8, 211
社会契約　7, 110, 112, 119, 122
社会権　7, 113
ジャコバン憲法　112, 123
宗教改革　48, 77, 78
自由権　5, 7, 77, 78, 92, 97
十字軍　65
自由主義　8, 123, 147, 148, 153, 154, 164, 173, 174, 194, 222, 229
修正14条　202-204, 207, 216, 223
修正条項　5, 202, 203
12世紀ルネサンス　65
12表法　39
自由法　168, 170, 174
自由法運動／自由法論　8, 152, 168, 170, 171, 229-231
受動国民　133
純粋共和制　135, 136, 148
消極的自由　7
神聖ローマ帝国　64, 125, 153, 155
信託　95-97, 197, 199, 227
人定法　61, 63, 67-69, 179
新プラトン主義　12, 57
人民主権（論）　5, 7, 106, 113, 115, 117, 118, 122, 123, 133, 220
人倫　76, 139-141, 144
スイス民法典1条　168, 172
ストア派　12, 35, 36, 42, 43, 46, 48-50, 53, 56, 61, 63, 73, 229
正義論　27, 71, 73
生存権　113, 123, 224, 225
政体循環論　44, 59
絶対的自然法　63
善のイデア　22, 57
相対的自然法　63, 64
ソフィスト　12, 16, 17, 19, 25, 26, 30, 31, 45

た　行

体系的方法　152, 158, 159
大日本帝国憲法　4
地の国　58, 59
註釈学派　12, 65
抽象法　139-141
定言命法　127, 129
抵抗権　6, 61, 70, 84, 95, 97, 111, 134, 201, 227
適法性　128, 129
哲人王　22, 23, 31
デロス同盟　15
伝統的リアリズム　212

ドイツ観念論哲学　125
ドイツ帝国　153, 163, 167
ドイツ民法典　4, 5, 7, 8, 152, 154, 164, 172, 175, 229
ドイツ連邦　153, 155
道徳性　127-129, 139, 141
ドナティスト論争　61, 62
トロッコ問題　183, 223

な　行

ナチス・ドイツ　7, 174, 219
ナポレオン法典　152, 153
西ローマ帝国　52, 54, 56
日本国憲法　4, 5, 152, 201, 217, 218, 220, 224, 227
（現代の）日本法　4, 5, 9, 10, 217, 232
人間の尊厳　7, 74, 126, 128, 223
能動国民　133
ノモス　15-17, 19, 25-27, 30, 31

は　行

陪審制度　1, 2
排斥法危機　88, 89
配分的正義　27-30, 71
莫大損害　45, 46, 173
バランスの取れたリアリズム　231
パンデクテン法学　154, 159, 161, 163, 164, 171, 174
万民法　33, 41, 43, 50, 53
東ローマ帝国　12, 52, 54, 65
ピューリタン　79, 80, 82, 84, 196
ピュシス　16
フィロゾーフ　100, 102
普通法　156
普遍意志　139
普遍的利益　183-186, 224
プラグマティズム法学　8, 152, 208, 209, 216, 230, 231
フランク王国　55
フランス革命　9, 76, 100, 122, 125, 126, 136, 137, 148, 153, 154
フランス人権宣言　76, 123, 154, 181
プロクルス派　12, 38, 49, 51-53
プロテスタント　48, 78, 96
分析法理学　189, 193, 194, 208, 210, 211, 216
ペロポネソス戦争　14, 15, 17, 18
ペロポネソス同盟　15
返還理論　72
弁証法　138
暴君放伐　70, 71
法形式主義　8, 152, 197, 202, 205, 208, 209, 212-216, 229-231
封建制　64
方式書訴訟　39, 40, 49
法実証主義　2, 7, 8, 152, 154, 163, 164, 172, 174, 176, 177, 185-189, 193, 194, 197, 215, 216, 218
法典論争　152, 154, 155
法の支配　23
法務官　40-42, 46, 49
法務官法　41
法命令説　191
法律構成　165
法律訴訟　39, 40, 49
ポリス　13-16, 21, 22, 24-28, 30, 33, 34, 145
ポリツァイ　143
ボン基本法　67, 74, 219

ま　行

マグナ・カルタ　84, 204
民主主義　15, 97, 112, 114, 116, 123, 153, 201, 202, 218, 221
民主政／民主制　3, 13-18, 20, 21, 29, 31, 45, 83, 115, 117, 134
民族精神　160, 162, 167, 204
明治維新　4
名誉革命　79, 88, 96, 121, 197
名誉法　41
問答契約　39, 42, 50

や 行

ユスティニアヌス法典　12, 53
欲求の体系　142, 143, 157, 224

ら 行

リアリズム法学　8, 152, 197, 211-213, 215, 216, 230, 231
利益法学　8, 152, 165, 174
立憲主義　97
リバタリアニズム　1, 93, 196, 199
ルール懐疑主義　213, 214, 230
ルネサンス　77, 78, 121
歴史的方法　152, 158, 159
歴史法学　7, 152, 196, 197, 202-207, 210, 211, 215, 216, 222, 230, 231
歴史法学派　158, 159, 162, 167, 173, 174, 204, 229
労働所有権論　92, 131
ロマニステン　152, 158, 159, 163, 165, 174, 229
ローマ法　6, 7, 45, 52-54, 154, 156-158, 160, 161, 163-168, 173, 174, 229

執筆者紹介（五十音順）

戒能　通弘（かいのう　みちひろ）

同志社大学法学部教授。専門は，近代イギリス・アメリカ法思想史。

担当：序章・1章・4章・8章・9章・10章

業績：『世界の立法者，ベンサム』（日本評論社，2007年），『近代英米法思想の展開』（ミネルヴァ書房，2013年），『ジェレミー・ベンサムの挑戦』（共編著，ナカニシヤ出版，2015年），『法の支配のヒストリー』（編著，ナカニシヤ出版，2018年），『イギリス法入門』（共著，法律文化社，2018年），『功利とデモクラシー』（共訳書，慶應義塾大学出版会，2020年），『ベンサム「公開性」の法哲学』（単訳書，慶應義塾大学出版会，2023年）など。

神原　和宏（かんばら　かずひろ）

久留米大学法学部教授。専門は，近代フランス法思想史。

担当：5章・6章

業績：「ルソーの共和主義解釈――ルソーと近代法思想」（『法哲学年報』，有斐閣，2007年），「ヘーゲル承認論とルソー」（『法の理論31』，成文堂，2012年），『転換期の市民社会と法』（分担執筆，成文堂，2008年），『はじめて学ぶ法哲学・法思想』（分担執筆，ミネルヴァ書房，2010年），『市民法学の新たな地平を求めて』（分担執筆，成文堂，2019年）など。

鈴木　康文（すずき　やすふみ）

桃山学院大学法学部講師。専門は，近代ドイツ法思想史・法制史。

担当：2章・3章・7章

業績：「19世紀ドイツにおける立法をめぐる思想」（『修道法学』37巻2号，2015年），「19世紀プロイセン裁判所における法形成――書面による方式主義を題材に」（『法の理論34』，成文堂，2016年），「19世紀前半における判例についての覚書」（『修道法学』40巻2号，2018年），「ヴィルヘルム・アルノルト（Wilhelm Arnold, 1826-1883）について」（『桃山法学』32号，2020年），『史料からみる西洋法史』（共著，法律文化社，2024年），「ヘッセンの立法史」（『桃山法学』40号，2024年）など。

法思想史を読み解く〔第2版〕
――古典／現代からの接近

2020年10月15日　初　版第1刷発行
2024年8月1日　第2版第1刷発行

著　者　戒能通弘（かいのうみちひろ）・神原和宏（かんばらかずひろ）
　　　　鈴木康文（すずきやすふみ）

発行者　畑　　光

発行所　株式会社 法律文化社

〒603-8053
京都市北区上賀茂岩ヶ垣内町71
電話 075(791)7131　FAX 075(721)8400
https://www.hou-bun.com/

印刷：共同印刷工業㈱／製本：㈱吉田三誠堂製本所
装幀：谷本天志

ISBN978-4-589-04348-1